LUSOFONIA

CURSO AVANÇADO DE PORTUGUÊS LÍNGUA ESTRANGEIRA

AUTORES

António Avelar
Helena Bárbara Marques Dias

DIRECÇÃO

João Malaca Casteleiro

edições técnicas

LISBOA — PORTO — COIMBRA

Componentes do curso

LUSOFONIA — CURSO BÁSICO DE PORTUGUÊS-LÍNGUA ESTRANGEIRA

- LIVRO DO ALUNO
- CADERNO DE EXERCÍCIOS
- LIVRO DO PROFESSOR
- CASSETE

LUSOFONIA — CURSO AVANÇADO DE PORTUGUÊS-LÍNGUA ESTRANGEIRA

- LIVRO DO ALUNO
- CADERNO DE EXERCÍCIOS
- LIVRO DO PROFESSOR
- CASSETE

DISTRIBUIÇÃO

LIDEL edições técnicas, lda.

LIVRARIAS: LISBOA: Avenida Praia da Vitória, 14
Telef. 541418 — Fax 577827
PORTO: Rua Damião de Góis, 452
Telef. 597995 — Fax 02-5501119
COIMBRA: Avenida Emídio Navarro, 11-2.º
Telef. 22486 — Fax 039-27221

Ilustração
Miguel Levy Lima

Capa
Sara Levy Lima sobre ilustração de Miguel Levy Lima

Fotocomposição: Graça Manta

Impressão e acabamento: Tipografia Lousanense, Lda.

ISBN 972-9018-53-7

LIDEL — Edições Técnicas, Lda.
Rua D. Estefânia, 183, r/c-dt.º — 1096 Lisboa Codex
Telefs. 353 44 37 - 57 59 95 - 355 48 98 — Telefax 57 78 27

LUSOFONIA: CURSO AVANÇADO DE LÍNGUA PORTUGUESA

LUSOFONIA: Curso Avançado de Português — Língua Estrangeira visa responder às necessidades de um público adulto que pretende continuar uma aprendizagem da língua portuguesa aperfeiçoando a sua competência linguística e comunicativa para se expressar de forma clara e precisa em contextos cada vez mais específicos, quer oralmente quer por escrito.

À semelhança do que acontece com **LUSOFONIA: Curso Básico**, foi nosso objectivo construir um material didáctico flexível e facilmente adaptável a diferentes realidades em diferentes momentos.

Propomos uma diversificação temática através de uma selecção de documentos autênticos e uma arrumação de temas gramaticais, onde se dá relevo às diversas relações que se estabelecem dentro do discurso.

Sugerimos ainda temas que visam criar espaços de argumentação e tomadas de posição com exploração de estratégias conversacionais. Para além disso foram incluídos também dados culturais sobre outros espaços que têm o Português como língua de comunicação.

LUSOFONIA: Curso Avançado é constituído por 4 Conjuntos de 5 Blocos, em que cada Bloco (exceptuando o último de cada Conjunto) está organizado em 5 momentos diferentes, aglutinados sob um tema comum:

Textos que na sua quase totalidade foram seleccionados em jornais e revistas publicados em Portugal, principalmente entre 92 e 93.

Informação Gramatical onde são apresentadas de forma sintética várias formas que permitem exprimir um mesmo tipo de relação temporal, comparativa, lógica, etc., exemplificadas essencialmente com frases dos textos iniciais do Bloco.

Diálogos onde se procura evidenciar estratégias usadas coloquialmente enquanto componente de uma conversa, salientando vários graus de formalidade. O conteúdo não apresenta dificuldades de compreensão para facilitar a detecção não só das tácticas utilizadas como dos actos de fala realizados.

Para Conversar, um espaço onde se pretende que os textos sejam pretexto para discussão com temas que podem constituir pontos de partida para organização de debates dentro da aula.

Espaços Lusofonia onde se incluem algumas características de cidades e ambientes múltiplos em que quotidianamente a Língua Portuguesa é falada.

O último Bloco de cada Conjunto constitui uma unidade temática que permite uma reflexão sobre o trabalho linguístico feito nos blocos anteriores e onde se incluem referências culturalmente relevantes e socialmente interessantes sobre Portugal (Bloco 5), Regiões Autónomas (Bloco 10), Brasil (Bloco 15) e África (Bloco 20)

João Malaca Casteleiro

AGRADECIMENTOS

EXPRESSAMOS O NOSSO RECONHECIMENTO a todas as entidades e autores que tão gentilmente nos cederam textos e fotografias, contribuindo assim para que este projecto se tornasse realidade.

As Revistas:

Austral, Bijagós, Brasil-Europa, Correio da Unesco, Cosmo, Dirigir, Elo, Época, Forma, Fortuna, Fragata, Grande Reportagem, Guia, Indico, Kapa, Máxima, Razão, Revista a Armada, Revista Coral, Revista Unibanco, Sábado, Visão.

Os Jornais:

Correio da Manhã, Diário Popular, Diário de Notícias, JL, Público, Tal & Qual.

As Instituições:

Agência Lusa, Câmara Municipal de Lisboa, Edições Colibri, Embaixada do Brasil em Lisboa, Fundação Austronésia Borja da Costa, Instituto dos Bordados da Madeira, Instituto Cultural de Ponta Delgada, Instituto do Vinho da Madeira, Selecções Reader's Digest, UCCLA – União das Cidades Capitais de Língua Portuguesa.

As Pessoas:

A Anete da Costa Ferreira que gentilmente nos ofereceu um texto exclusivo; A Ana Salazar e António José Tenente que nos enviaram fotos das suas colecções recentes; A Wilton Fonseca e a todos os autores da desaparecida revista Época que nos autorizaram a reprodução dos seus textos: Baptista-Bastos, Manuela Portugal Rebelo, Margarida Sarda, Maria Helena Mateus, Mónica Marques, Paulo Veiga, Sofia Oliveira e Paulo Leote e Brito.

A TODOS O NOSSO MUITO OBRIGADO

CONJUNTO C
A NATUREZA DAS COISAS

CONJUNTO D
AO RITMO DOS TEMPOS

CONJUNTO A

Quotidianos

BLOCO 1

TEMA

Portugal e portugueses

TEXTOS

Passear em Portugal

Portugueses: o que dizem os jornais

GRAMÁTICA

Exprimir o Tempo Presente. Quantificar

DIÁLOGOS

«Meter conversa» com alguém desconhecido

PARA CONVERSAR

Horários de trabalho: em Portugal e não só...

LUSOFONIA

Lisboa

BLOCO 1

Portugal

Cure-se do excesso de stress e de trabalho. Este fim-de-semana, faça uma pausa na rotina e viaje em Portugal.

Desligue-se do telefone.

Feche a mala de trabalho e abra a mala de viagem.

Tire a gravata e vista uns calções.

Fuja do engarrafamento e siga uma estrada rumo a um lugar qualquer.

Viaje este fim-de-semana em Portugal.

Num instante, o seu stress desce, o seu bom humor sobe, o seu cansaço desaparece.

Viajar em Portugal não dá trabalho. Pelo contrário, é a melhor fuga ao seu trabalho.

Você vai transformar o seu fim-de-semana na pausa que precisa para continuar a sentir-se vivo. E activo.

Por isso, marque uma reunião consigo mesmo num bonito local em Portugal.

Não falte, mas pode ir calmamente.

Nesta reunião não tem importância chegar um pouco atrasado.

Veja algumas das coisas e lugares portugueses com que pode ocupar-se neste fim-de-semana.

Fim-de-Semana em Baixa

Trabalho, trabalho, trabalho. Será que não existe mais nada no mundo além do trabalho?

Por incrível que pareça, existe.

E já que costuma ficar arrasado depois de uma semana inteira dedicada ao vício do workaholismo, aproveite o fim-de-semana para baixar a tensão e viajar em Portugal.

Vá com calma, diminua o ritmo, fuja da cidade.

O que você precisa é de um pouco de paz.

Um bom passeio, por exemplo, é conhecer o quase milenar Mosteiro de Santa Maria das Júnias em Pitões, Trás-os-Montes. No centro de uma simpática vila e rodeado de verde, visitar este mosteiro acaba por ser um programa ecológico.

Talvez não fosse má ideia fugir de tudo e ir para uma ilha. Então lembre-se que Porto Santo está bem pertinho. Foi lá que Cristóvão Colombo parou para descansar do stress das suas viagens.

Visite também sítios como Amares, a 15 Km de Braga. É lá que se encontra a Albufeira da Caniçada, uma das mais belas paisagens do país. Sente-se no relvado, e não faça nada, até ficar cansado

Seja para onde for, lembre-se: goze o prazer de viver um fim-de-semana a viajar por este país. Antes que o seu coração não aguente mais o seu ritmo de vida.

Fim-de-Semana em Alta

Se você é daqueles que acham que dormir é perda de tempo e que não fazer nada é, literalmente, coisa de quem não tem que fazer, o seu caso de *workaholismo* é grave.

Ora bem, não perca as esperanças. Portugal é um país cheio de locais onde pessoas como você podem viajar e continuar a sentir o prazer de ser superactivo .

Se for até Lisboa não deixe de conhecer a noite do Bairro Alto ou da 24 de Julho. Lá há sítios com músicas de todos os tipos e para todos os gostos. *Techno-house* para dançar de copo na mão ou fado para ouvir com todo o respeito e atenção.

Se viajar para o Porto, o cenário não é muito diferente. «Boîtes» e discotecas onde não falta gente gira. Entre copos e corpos, dance até amanhecer e vá ver o Sol nascer na Ribeira.

Mas a noite também é quente no Algarve, com a vantagem de que lá o dia não foi diferente. Provavelmente vai passar o dia na praia e ficará cheio de energia para gastar nos bares e nas discotecas.

E por falar em energia, aproveite, que a sua é muita, e gaste-a num fim-de-semana a praticar desportos.

Se quer subir na vida, faça parapente, «mountain bike» ou montanhismo em Bragança.

Se não dispensa uma «happy-hour» com um «on the rocks», vá esquiar na Serra da Estrela.

Se está cansado dos tubarões do mundo dos negócios, vá praticar pesca desportiva na Ilha de São Miguel, nos Açores.

Faça o que quiser, viaje para onde lhe convier.

Só não passe o fim-de-semana parado.

Afinal, você é do tipo que quanto mais calmo for o dia, mais tenso fica.

Fortuna, Turismo

BLOCO 1

COMO SOMOS? COMO VIVEMOS?

UM GRANDE ESTUDO EUROPEU

Portugueses viajam pouco, lêem menos... mas «abusam» no perfume

Gostamos que o mundo fale de nós, porque sempre nos conheceu mal. Só que o desconhecimento de Portugal, também é um autodesconhecimento. Definir Portugal sempre ocupou o nosso imaginário comum. Sejamos pobres, ricos, patriotas, ou não. Sempre esperamos pela verdade dos factos.

E a verdade é esta: 38% dos portugueses usam óculos; 2% são vegetarianos; 24% fuma regularmente; 53% têm livro de cheques; 7% têm cartão de crédito/débito; e só 16% lêem ou folheiam um jornal todos os dias — a percentagem mais baixa da Europa.

Este estudo, designado «Eurodata», por ter incluído os 12 países da CEE e mais 5 da EFTA, chega a interessantes conclusões, que ajudam a definir o perfil médio do cidadão europeu e português dos anos 90.

No início desta década, ficámos a saber que 66% dos portugueses são casados, e só 3% vivem divorciados/separados. Por outro lado, 34% dos lares dependem principalmente dos rendimentos do marido; e em 43% das famílias, são as mulheres que fazem as compras para casa. Os «nuestros hermanos» espanhóis são mais liberais — só 37% das donas-de-casa têm essa dor-de-cabeça!

Em termos de cultura geral, registe-se que somos um dos povos mais poliglotas da Europa. Contradição saudável. Falamos línguas estrangeiras com grande facilidade. 30% fala francês e 25% faz-se entender em inglês. Só no alemão, é que nos vemos aflitos: em cada 100, só 3 falam a língua de Goethe.

Somos latinos, até no estômago. Ora vejam que só 62% bebe chá e apenas 13% toma adoçantes sem açúcar. Não gostamos nada, nada de sopas de pacote (só 3% as conseguem provar) e quanto a «pizzas» e outros alimentos congelados, estamos na cauda da Europa. Para a maioria, nem vê-las...

O nosso «petisco» mais generalizado chama-se arroz, que 91% diz comer regularmente. A par dos espanhóis e italianos, somos os chineses da Europa.

Quanto a viagens ao estrangeiro, temos um recorde europeu. Descobrimos meio mundo, mas somos o povo que menos viaja para fora das suas fronteiras europeias. Apenas 10% o fazem. E para viagens além-Europa, ainda

EVOLUÇÃO DO RETRATO PORTUGUÊS
Em percentagem (%)

1969		1990
57	Casal sem filhos	68
31	Casa própria	59
20	Têm carro próprio	45
27	Gozaram férias no último ano	41
73	Beberam vinho nos últimos 7 dias	46
11	Beberam cerveja nos últimos 7 dias	39
6	Comem iogurtes	62
7	Pintam os olhos	24
85	Concorda que se deve devolver objectos encontrados	63
5	Têm seguro de vida vitalício	17
24	Frequenta escola além dos 16 anos	40
15	Usam toalhas de papel	35
66	Acha que não se deve fugir ao fisco	63

são menos a saborear esse prazer: uns escassos 2% contra 21% na Suíça.

Em compensação, os homens portugueses são distintos. E asseados. Usam mais desodorizante do que muitos outros. 63% dizem que o usam diariamente, enquanto na próspera Dinamarca, essa percentagem não passa dos 44%. E quanto ao perfume, damos nas vistas. Estamos à frente da média europeia, com 39%.

As mulheres portuguesas são as que usam menos verniz nas unhas (apenas 33%); são, também, as que menos pintam os olhos (somente 24%), e são, igualmente, as que estão no fundo da tabela europeia no uso de baton (39%).

Mas, valha-nos este orgulho nacionalista: não é por isso, que elas têm menos encanto!

José Pereira Pacheco
Correio da Manhã, 01-04-93

Estes dados fazem parte do «General and Marketing Facts» — edição de 1993 — recentemente publicado pela Marktest.

RETRATO A CORPO INTEIRO
Em percentagem (%)

Português		Europeu
66	É casado	59
74	Quer ter filhos	50
40	É empregado por conta de outrem	40
53	Acabou a escola aos 15 anos	37
55	Fala francês	16*
56	Tem leitor de cassetes	75
59	Tem casa própria	58
91	Come arroz	91
53	Tem livro de cheques	53
33	Bebe álcool todos os dias	21
39	Usa perfume	37
49	Nunca lê revistas	25
96	Não tem micro-ondas	74
1	Tem TV por satélite	4
45	Têm carro para uso pessoal	69
94	Não come batatas fritas congeladas	71
97	Não viaja de avião	79
36	Não confia no governo	53
3	Comem sopa de pacoe	31
2	Viaja para fora da Europa	9
21	Têm seguro de casa-recheio	61
69	Têm TV a cores	91
28	Consomem água mineral diariamente	41

* Só inclui os cidadãos da RFA

BLOCO 1

O QUE FAZEMOS COM O DINHEIRO?

E no que diz respeito a hábitos ou gostos, os portugueses têm um comportamento muito próprio.

Quase metade (44,5%) possui um cartão de débito, vulgarmente conhecido por «cartão Multibanco», mas apenas uns escassos 10% são detentores de um cartão de crédito, ou «Visa», como é conhecido. Mas não se pense que esta discrepância se deve ao facto de os portugueses não terem dinheiro. Aparentemente até têm, já que 77,3% dos cidadãos possuem uma conta bancária.

— Como gastam os portugueses o seu dinheiro?

Aparentemente, de um modo muito diverso. Não é em colégios particulares, pois 96,9% dos estudantes frequentam o ensino público. Também não é a fazer chamadas telefónicas para o estrangeiro, já que apenas 18,1% das pessoas admite que as faz, nem na compra de motorizadas pois só 12,4% possui este tipo de transporte.

Mas há objectos sem os quais a maior parte dos portugueses não passa. É o caso do automóvel (56,4%) e do telefone, que 61,4% diz ter instalado em casa.

Há a ideia generalizada de que os portugueses gostam de bebidas alcoólicas. Pelo menos os testes da Brigada de Trânsito parecem confirmar esta teoria. Mas os gostos são muito diversos e, apesar de tudo, as pessoas gostam mais de leite (48,2% dos portugueses bebem-no) ou de chá (26,9%) do que de «whisky» (10,8%), de vinho do Porto (3,6%) ou de vinho engarrafado (21,8%).

Entre as bebidas alcoólicas, só uma, a cerveja, consegue passar o chá, já que 29,4% dos portugueses afirma-se consumidor desta bebida.

Diário de Notícias, 03-05-93

BLOCO 1

EXPRIMIR O TEMPO PRESENTE

HÁBITOS

V. PRES.

Ex.: *Os portugueses **viajam** pouco para fora da Europa*

ESTADOS; GOSTOS; SENTIMENTOS

Ex.: *66% dos portugueses **são** casados e só 3% vivem divorciados*
*Não **gostamos** nada de sopas de pacote*

PRESENTE HISTÓRICO

Ex.: *Em 1969 20% **tem** carro e 66% **acha** que não se deve fugir aos impostos*
*38% dos portugueses **usam** óculos*

PRESENTE NARRATIVO

Ex.: *Num instante o seu stress **desce**, o seu bom humor **sobe**, o seu cansaço **desaparece***

INCERTEZA

V. FUT. DO PRESENTE

Ex.: *Muitos ficam em casa nas férias mas não sei se **ficarão**...*
*Não sei se **será** verdade que os portugueses bebem muito chá...*

INTENÇÃO NÃO REALIZÁVEL

V. IMP. CONJ.

Ex.: *Eu podia fumar se **tivesse** um cigarro*
mas não tenho um cigarro

PASSADO QUE CHEGA AO PRESENTE

TER PRES. + V. PRET. PERF.

Ex.: *Desde 1969 até hoje **temos assistido** a uma evolução*

ALGUNS ADVÉRBIOS E LOCUÇÕES ADVERBIAIS DE TEMPO PRESENTE

Agora Agora mesmo Neste momento Neste instante Já Hoje		Actualmente Hoje em dia Habitualmente
Ultimamente Nestes últimos tempos De... Desde...	até	agora hoje este momento

EXPRIMIR QUANTIDADES E FREQUÊNCIAS

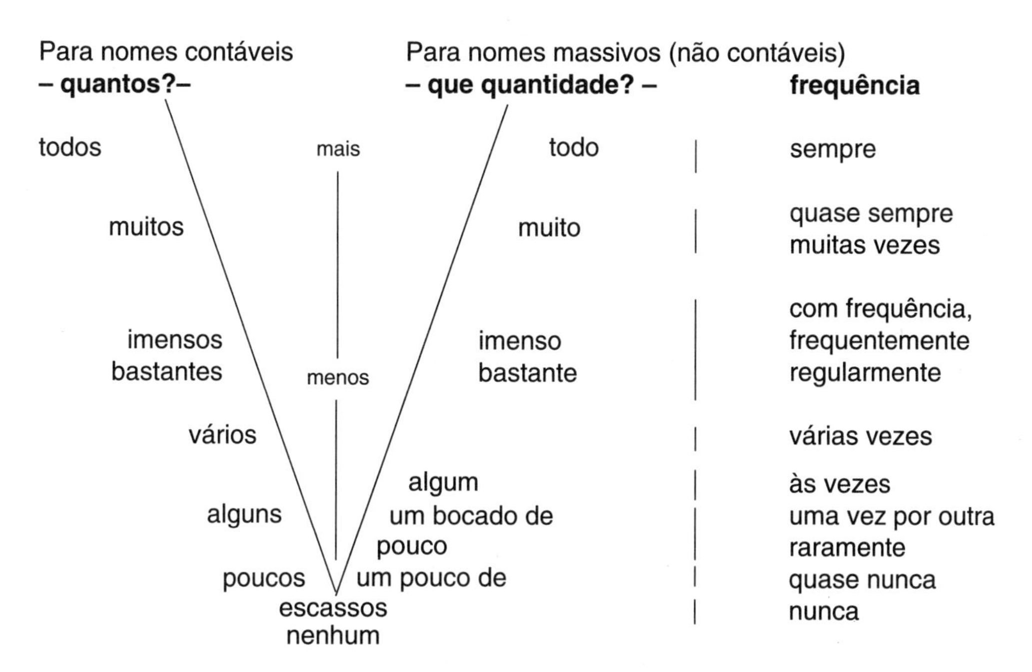

Graus hierárquicos de quantidade podem ser formados por:

adjectivos (com e sem grau)	+ nomes (+ prep. «de»)
grande	parte (de)
maior	percentagem (de)
pequeno	metade (de)
menor	número (de)

Muitos *Portugueses…*

Imensos *Portugueses*
Bastantes *Portugueses*

Vários *Portugueses...*
Alguns *Portugueses...*
Poucos *Portugueses...*
Uns quantos *Portugueses*
Muito *poucos…*
Escassos*…*

Ex.: ***A maior parte*** *dos Portugueses faz…*
A maioria dos *Portugueses é..*
(Uma) Grande parte *tem…*
Mais de metade *gosta…*
Montes de *pessoas têm…*
Uma boa parte das *pessoas bebe…*
Uma parte significativa *dos…*
Metade dos Portugueses *trabalha…*
Menos de metade *dos…*
(Uma) Parte *dos…*
Uma pequena *parte dos*
Um pequeníssimo *número de...*

NOTA:
Pessoas — associa-se a todas as palavras e expressões de quantificação.
Gente — associa-se apenas aos quantificadores: toda(+a); muita; imensa; bastante; pouca.
Minoria — é usado apenas para se referir a pessoas.
Sempre — pode implicar uma mudança de sentido consoante a sua localização na frase:
Ex.: Ele come sempre arroz = come habitualmente
Ele sempre come arroz = não queria comer mas agora quer; parecia não querer mas afinal quer
No entanto, esta última é a forma corrente no Português do Brasil com o sentido de «come habitualmente».

BLOCO 1

INICIAR UMA CONVERSA
ABORDAR UM DESCONHECIDO

Expressão coloquial: «Meter conversa»

A forma de abordar alguém depende essencialmente das relações entre as pessoas. Não há «frases feitas». No entanto, incluiremos aqui alguns auxiliares lexicais que poderão facilitar uma abordagem a alguém que se desconhece e destinadas em um primeiro momento a chamar a atenção:

Desculpe,...; Por acaso,...; Sabe-me dizer se...; Sabe-nos informar se...; Importava-se de...; Será que...

NOTA:

A maioria dos códigos de boa educação são internacionais pelo que atitudes a evitar fazem parte do domínio comum. No entanto, é importante tomar atenção ao uso das formas de tratamento em português de modo a evitar mal entendidos.

TU — usado explícita e/ou implicitamente, é exclusivo do tratamento familiar e entre amigos de longa data.

VOCÊ — usado explicitamente, está circunscrito a relacionamento informal entre colegas de profissão.

Nos restantes casos tende-se a utilizar a 3.ª pessoa da forma verbal sem pronome explícito ou antecedido de «o senhor pode dizer...»; «a senhora sabe...».

Ex:

—	Pode dizer-me as horas, por favor?
— O senhor	pode dizer-me as horas, por favor?
— A senhora	pode dizer-me as horas, por favor?

Com valor de vocativo não tem artigo e *pressupõe o conhecimento do interlocutor.*

Ex:

— Carlos,	pode dizer-me as horas?
— Senhor Santos,	pode dizer-me as horas?
— Minha senhora,	pode dizer-me as horas?
— Sr.ª D. Marta,	pode dizer-me as horas?

1.1. Na paragem do autocarro...

H — Desculpe, por acaso tem horas?

M — São seis e dez.

H — Tão tarde? Não é possível. Tem a certeza que o seu relógio está certo? O tempo passa tão depressa, não acha?

M — Às vezes, talvez. Mas agora não acho. O autocarro nunca mais chega e eu estou farta de estar aqui à espera.

H — É verdade. Quando se está, assim, sem nada para fazer, o tempo parece que pára. Mas se conversarmos um pouco verá que passa mais depressa. Eu faço este trajecto todos os dias, duas vezes por dia. Apanho sempre o 24. A senhora também apanha o 24?

M — Não. Apanho o 33, felizmente!

1.2. No café do bairro...

R — Desculpe, dá-me licença que me sente aqui ao seu lado?

P — Com certeza. Faça favor.

R — O senhor não costuma vir aqui muitas vezes, pois não? Não me recordo da sua cara!...

P — Bom, de facto é a primeira vez.

R — Este café é muito agradável. Ali o sr. Ricardo é o nosso anfitrião. Tem sempre uns petiscos à nossa espera.

P — Sim, isto parece simpático.

R — Vive aqui perto?

P — Mais ou menos a 500 metros. Mudei-me há pouco tempo.

R — Eu também moro aqui perto, e venho aqui quase todos os dias. Não resisto a dois dedos de conversa antes de ir para casa.

Emp — Boa tarde Sr. Campos. Então o que é que toma? O costume?

R — Claro Ricardo. Olhe! tem aqui um novo cliente. Este senhor... como se chama?

P — Oliveira. Pedro Oliveira.

R — Pois o sr. Oliveira veio morar para aqui. Temos mais um amigo.

Emp.: — Muito prazer Sr. Oliveira. Seja muito bem vindo a esta sua casa. Aqui temos os melhores petiscos de toda a região. O sr. Campos sabe, já vive aqui há muitos anos.

R — É verdade. Vai para 26 anos, mais coisa menos coisa...

Emp.: — Está a ver...Então o sr. Oliveira o que é que toma? Temos a melhor cerveja, o melhor presunto e o melhor queijo. Ah! e temos ali um vinho verde sensacional. É produção da maior confiança.

P — Muito obrigado. Mas eu agora só tomo um café...Os petiscos têm que ficar para uma outra vez...

1.3. Numa estação do Metro...

— Bom dia.

— O senhor conhece-me de algum lado?

— Não se lembra de mim?

— Não tenho ideia nenhuma.

— Mas nós já nos encontrámos.

— Não, não creio. Deve estar enganado.

— Eu tenho a certeza. Foi o Paulo que nos apresentou.

— Não, não conheço ninguém com esse nome. Deve ser engano.

— Mas estuda na Faculdade de Psicologia, não estuda?

— Sim, de facto...

— Então já nos encontrámos na Biblioteca. Eu vou para lá muitas vezes estudar.

— Pois eu raramente lá vou! Prefiro estudar em casa.

— Mas ...então é do Benfica. Eu faço natação lá.

— Benfica? Com licença. O senhor está a fazer-me perder tempo. Tenho mais que fazer. Não estou para o aturar.

Expressões coloquiais:

dois dedos de conversa = pequena conversa
mais coisa menos coisa = aproximadamente
vai para 26 anos = há cerca de 26 anos
para aí há 20 anos = há cerca de 20 anos
para uma outra vez = para a próxima; para outra oportunidade
está a ver = compreende; percebe
não estar para ...= não ter paciência

Portugueses trabalham muito

Um relatório divulgado em Londres pelo IP Group revela que os portugueses são quem mais trabalha em toda a Europa. Dedicam, em média, oito horas e vinte minutos por dia a actividades laborais, seguindo-se os da Europa do Leste, os italianos e os irlandeses. O estudo demonstra ainda que são os britânicos quem menos labuta — trabalham apenas seis horas e quinze minutos por dia. São também os súbditos de Sua Majestade a obter outro primeiro lugar nesta tabela: entre todos os europeus, são quem mais tempo passa frente à televisão (quatro horas e quinze minutos). No capítulo do sono, o primeiro lugar vai para os belgas. São os mais dorminhocos, com oito horas e meia de sono por noite. Logo a seguir aparecem, mais uma vez, os britânicos, que, em média, dormem oito horas e dez minutos.

Época, n.º 9, 20.09.92

HORÁRIOS MÉDIOS POR PAÍSES

	Acordar	Peq. Almoço	Início do trab.	Almoço	Jantar	Deitar
Alemanha	6.45	7.45	8.00	12.30	18.45	23.10
Áustria	6.15	7.00	7.30	12.30	18.30	22.50
Bélgica	7.15	7.30	8.30	12.30	18.15	23.00
Checoslováquia	5.45	7.00	7.15	12.30	19.00	23.00
Dinamarca	6.45	7.30	8.15	12.00	18.00	23.35
Espanha	8.00	8.30	9.00	13.30	21.30	0.15
Ex-RA	6.15	7.00	8.00	12.30	18.45	22.50
Finlândia	6.30	7.30	8.00	12.00	18.00	23.15
França	7.00	7.30	8.30	12.30	20.00	23.30
Grécia	7.00	7.45	8.00	13.30	21.00	0.40
Holanda	7.00	7.45	8.15	12.30	18.45	0.00
Hungria	5.45	7.00	7.15	12.30	19.00	23.05
Irlanda	8.00	8.30	9.00	13.30	18.30	23.45
Itália	7.00	7.45	8.15	13.30	20.00	23.20
Luxemburgo	7.00	7.30	8.00	12.30	18.45	23.20
Noruega	7.00	7.30	8.00	11.30	16.30	23.30
Polónia	6.00	6.30	7.00	13.30	19.15	23.10
Portugal	**7.00**	**8.00**	**8.30**	**13.00**	**20.00**	**23.30**
Reino Unido	7.00	8.15	9.00	13.00	18.00	23.30
Suécia	6.15	7.30	8.00	12.00	17.00	23.15
Suíça	6.45	7.45	8.00	12.30	18.45	23.15

BLOCO 1

Lisboa

Lisboa é cidade e capital. Cidade plena de vida e movimento, capital portuguesa e outrora capital de um império composto por muitos reinos.

Os navegadores portugueses passaram o Bojador, chegaram a África, exploraram a Costa do Marfim, venceram o Cabo das Tormentas e chegaram à Índia.

No século XVI, acidental ou propositadamente, Álvares Cabral chegou a terras de Vera Cruz, abrindo portas à criação de uma grande colónia, o Brasil.

Enquanto cidade, Lisboa encerra em si uma espécie de mística.

Situada na margem direita do Rio Tejo, estende-se ao longo do estuário em terreno acidentado de colinas.

Conhecida como a cidade das sete colinas — S. Vicente, S. André, Castelo, Santa Ana, S. Roque, Chagas e Santa Catarina — Lisboa orgulha-se das neblinas matinais e do clima temperado e ameno que se faz sentir ao longo das quatro estações.

Em termos empresariais, congrega no seu seio a sede das maiores empresas portuguesas e das multinacionais instaladas no País.

Turisticamente, Lisboa desempenha também um papel

significativo. Visitada anualmente por milhares de estrangeiros, a cidade oferece aos seus concidadãos a hospitalidade que tão bem a caracteriza, bons restaurantes, hotéis, cinemas, teatros, ópera e outros locais de diversão.

Oferece também o Sol e as praias, a alegria e o colorido próprios do Verão.

Também não faltam os jardins e parques públicos ou a Feira Popular, monumentos para visitar, linhas arquitectónicas para decifrar, miradouros para descobrir e contrastes para contemplar.

A dois passos tem a Caparica, a Arrábida com a serra e o mar em harmonia perfeita, o Estoril e Cascais, Sintra e a beleza do Castelo embrenhado na serra verdejante, Mafra e o Convento.

Longe de se ficar por aqui, Lisboa é um mundo a descobrir. Uma menina e moça à espera que lhe façam a corte, uma varina reguila e enérgica sempre cheia de projectos, ideias e perspectivas futuras.

UCCLA, 1989

BLOCO 2

TEMA

Antigamente era assim…

TEXTOS

Uma história de amor e tradição

Recordações de outro tempo

GRAMÁTICA

Exprimir o Tempo Passado

DIÁLOGOS

Verificar e confirmar a atenção do interlocutor

PARA CONVERSAR

História de lugares — A Patriarcal queimada

LUSOFONIA

Praia

*1930.
A loja e as montras de antigamente. A fachada de Raul Lino que as novas gerações desconhecem.*

LOJA DAS MEIAS,
UMA HISTÓRIA DE AMOR E TRADIÇÃO

A LOJA DAS MEIAS É UM «EX-LIBRIS» DA CIDADE DE LISBOA. POR ELA PASSARAM GERAÇÕES E MODAS. TESTEMUNHO DE ACONTECIMENTOS POLÍTICOS E SOCIAIS DE MUDANÇA. UM CASO RARO NUM PAIS ONDE POUCAS EMPRESAS CONSEGUEM SER CENTENÁRIAS.

Por Pilar Diogo e Maria do Céu Avelar

Por volta de 1883 chegou a Lisboa, vindo de Alhos Vedros, um jovem de nome Pedro Rodrigues Costa. Tinha só treze anos e a família mandava-o para a capital ao cuidado de um padrinho que, fazendo honra ao juramento de baptismo, se comprometia em ajudá-lo no que pudesse. E prontamente arranja-lhe um lugar de paquete na loja de uns amigos. Exactamente a Loja das Meias já, nessa altura, uma das melhores da cidade, na esquina da Rua Augusta. Em 1902, torna-se o único proprietário da loja. Desde esta data que a loja se manteve sempre sob orientação da mesma família.

ERA UMA VEZ UMA CASA

Em 1915, Pedro Costa faz as primeiras grandes obras. Ocupou o primeiro andar da loja, rasgou as montras, mudou painéis, em suma modernizou-a. Mas foi em 1930, já com o seu filho Pedro Costa Júnior na administração, que se deu início a nova remodelação, sob orientação do arquitecto Raúl Lino e com a colaboracão dos artistas plásticos mais famosos da altura Fred Kradolfer, Tomás de Mello e outros. Hoje a fachada já não existe. Restam as fotografias da época. Um «deslize» que Pedro António Costa, neto do fundador e filho de Pedro Costa Júnior, admite ter cometido. «Arrependo-me de ter modificado a fachada de Raúl Lino. Era um símbolo da época. Vinham pessoas de fora para a ver. Já nessa época a esquina da Rua Augusta era um ponto de tertúlia dos intelectuais e dos artistas.»

As secções foram evoluindo e a loja passou a ter acessórios, chapéus e depois, mais tarde, tecidos a metro. Em 1936, já tinha secção de perfumaria.

Estávamos em vésperas de uma guerra e a Lisboa chegavam refugiados de partida para os Estados Unidos. «Chegámos a ter aqui a trabalhar muitos refugiados, artistas e até aristocratas», recorda Pedro António. «Há uns anos, passou por aqui uma senhora, hoje uma figura de destaque da banca americana, que, emocionada, agradecia ao meu pai o facto de ele a ter acolhido, de lhe ter dado emprego naqueles anos difíceis e recordava os bons momentos que aqui havia vivido.»

A PRIMEIRA A IMPORTAR GANGAS

Pedro António orgulha-se da sua loja ter sido sempre pioneira. Conta, a título de exemplo, o episódio das gangas: «A Loja das Meias foi a primeira a importar gangas. Fiz uma grande encomenda à Levis e quando vi parar a camioneta aqui à porta e começar a descarregar aquela quantidade de gangas, pensei: "Fiz uma asneira das antigas!". Um empregado meu, o sr. Manuel Pinhão, até se zangou comigo: "Ó senhor Pedro António mas o que é que lhe passou pela cabeça? Isto é para operários e lavradores, não é para a Loja das Meias". Mas o que aconteceu é que em quinze dias venderam-se todas! Se a loja tem 90 anos é porque tem sabido adaptar-se aos hábitos e modas. Por isso abriu a secção de cosmética, tem um pronto-a-vestir luxuoso, tem também uma secção para os mais novos, carteiras, bijutaria».

Máxima, Janeiro de 1993

Loja das Meias em 1902

BLOCO 2

GERAÇÃO DE 60

EU CÁ POR MIM TENHO MUITA PENA MAS TINHA 20 ANOS E NÃO ADMITIA QUE NINGUÉM ME DISSESSE QUE AQUELES NÃO ERAM O MELHORES ANOS DA MINHA VIDA.

Lisboa era uma cidade pacata; aos dias de semana havia o movimento que hoje há nos domingos de Agosto.

Não existiam restaurantes chineses nem esta quantidade industrial de bares, *pubs*, discotecas que há agora. Já existiam o Tatu[1] e o Antigo Retiro do Quebra-Bilhas[1], utilizados para confraternizações académicas quando vinham a propósito, e a Trindade[2] e a Portugal[2], é claro, mas um meio bife ou uma imperial com tremoços só quando o rei fazia anos.

Depois havia os cafés e as pastelarias, muitos deles actualmente transformados em bancos, como o castiço Nova Iorque ali a Entrecampos. Passávamos horas nos cafés diante de uma chávena de bica vazia, a conversar de tudo e a namorar. Mas não havia nada dessa agarração que hoje há; lembro-me de um casalinho que foi expulso de uma boîte por estar de mãos dadas. Íamos ainda aos fados, a certos sítios como o Chapéu Alto no Tridente de Cascais, onde pontificavam os irmãos Braga (Carlos, Jorge e João) e o Francisco Dtoffel.

Os *jeans* ainda não tinham sido inventados e nós vestíamo-nos como os nossos pais, pelo menos até 1968 quando surgiu a mini-saia. Não fazíamos nem um pingo de exercício e nem por isso tínhamos figuras piores do que as dos jovens de hoje. Íamos constantemente ao cinema, e não só ao cineclube e à cinemateca. Quando começámos a casar, dávamos imensos jantarinhos uns aos outros e ficávamos até de madrugada ali a discutir, nos intervalos de mudar as fraldas à Mafaldinha ou ao Joãozinho, como é que havíamos de salvar a Pátria. O facto é que mais ou menos salvámos.

Falar da minha geração, dá-me imensa vontade de rir e de chorar. Éramos jovens e estávamos todos vivos. Eram os melhores anos das nossas vidas e jamais hei-de admitir que alguém diga o contrário.

Margarida Sarda

Época, n.º 4, 16. Out. 92

[1] Dois restaurantes muito populares perto da cidade universitária em Lisboa.

[2] Duas cervejarias muito conhecidas em Lisboa.

O CHEIRO DAS ROSAS

O cheiro a rosas é intenso, tão intenso que, sem saber porquê, o seu pensamento voa no tempo até aos dias da infância e à casa do avô, em Chaves.

«Durante muitos anos, nunca percebi por que era que o perfume das rosas me fazia, imediatamente, lembrar Chaves e a casa do avô. A última vez que lá estive, tinha apenas quatro anos. Só muito mais tarde compreendi essa estranha associação. O meu avô coleccionava rosas e o jardim em frente da casa estava repleto delas. Rosas de todas as qualidades e feitios, cuja fragrância se espalhava por todas as salas e cantos da casa.

Hoje, quando sinto o cheiro de rosas, invariavelmente me vem à cabeça a casa de Chaves».

Luísa recorda a sua infância feliz e o horror que tinha aos estudos. «Até muito tarde, estudei em casa, com professoras, e lembro-me que odiava todas. Mas brincava com muita alegria. Tinha uma casinha de bonecas num galinheiro, no quintal. Foi a minha primeira casa, que decorei e arranjei com muito carinho. Quando estava lá dentro, a brincar, sentia-me a mais feliz das crianças.

O galinheiro tinha vários andares e a cada um deles correspondia uma divisão da casa (havia a sala, a casa de jantar, a cozinha e o quarto).

«Foram tempos felizes, que eu recordo com muita ternura. Talvez por isso, fiz, anos mais tarde, uma casa de bonecas em tamanho natural para a minha filha (que, hoje, também é decoradora).

Acho que as meninas devem brincar com bonecas e casinhas. Isso faz parte da nossa sensibilidade, do nosso crescimento, e reflecte-se, sem dúvida na nossa vida futura. Eu vejo raparigas (mulheres mesmo) que não sabem sequer coser uma bainha ou pregar um botão».

Máxima, Dezembro 91

BLOCO 2

EXPRIMIR O TEMPO PASSADO

ACÇÃO LIMITADA NO TEMPO

V. PRET. PERF.

Ex.: ***Ocupou*** *o primeiro andar da loja,* ***rasgou*** *as montras,* ***mudou*** *painéis..*
Por volta de 1883 ***chegou*** *a Lisboa ...*
Durante muitos anos nunca ***percebi*** *por que o perfume das rosas ...*

REPETIÇÃO ATÉ AO PRESENTE

TER PRES. + V. PRET. PERF.

Ex.: *Se a loja tem 90 anos é porque* ***tem sabido*** *adaptar-se aos hábitos ..*
Erros do passado que Pedro A. Costa ***admite ter cometido***
= **admite que cometeu**
Pedro António ***orgulha-se de a sua loja ter sido*** *a primeira ...*
= ***orgulha-se da sua loja que foi*** *a primeira...*

HÁBITOS E REPETIÇÃO

V.PRET. IMP.

Ex.: ***Havia*** *os cafés e pastelarias...* ***passávamos*** *horas...*
Dávamos *imensos jantarinhos uns aos outros e* ***ficávamos****... a discutir*

VALOR NARRATIVO

Ex.: ***Vinham*** *pessoas de fora só para a ver...*
Estávamos *em 1935 a* ***chegavam*** *a Lisboa muitos refugiados*

SIMULTANEIDADE

V. PRET. PERF. — V. PRET. IMP.

Ex.: *A última vez que lá* ***estive tinha*** *quatro anos*

PASSADO DO PASSADO

TER IMP. + V. PRET. PERF.
(HAVER IMP. + V. PRET. PERF.)

Ex.: *Os "jeans" ainda não* ***tinham sido*** *inventados*
= *ainda não* ***haviam sido*** *inventados*
...(ela) recordava os bons momentos que aqui ***havia vivido***
= *que aqui* ***tinha vivido***

INCERTEZA NO PASSADO

TER FUT. + V. PRET. PERF.

Ex.: *Não sei se as pessoas* ***terão ficado*** *contentes com o que eu disse.*

EVENTUALIDADE

V. IMP. CONJ.

Ex.: *Não admitia que ninguém me* ***dissesse*** *que aqueles não eram os melhores..*

TER IMP. CONJ. + V. PRET. PERF.

Ex.: *Se ele não* ***tivesse feito*** *obras a loja hoje era mais pequena.*

ALGUNS ADVÉRBIOS E EXPRESSÕES ADVERBIAIS

Mesmo agora	Pouco antes
Há bocadinho	Na véspera
Esta manhã	Na antevéspera
Ontem	Uma semana antes
Anteontem	Dois anos atrás
No sábado passado	No ano anterior
No outro dia	Uns dias mais tarde
Há dias	Naqueles anos difíceis
Há pouco	No mês seguinte (foi...)
Há 15 dias (..)	Nessa época
	Nessa altura

*... Exactamente, a Loja das Meias, **já nessa altura** uma das melhores da cidade ...*

EXPRIMIR DURAÇÃO COM DELIMITAÇÃO TEMPORAL:

*A loja existe **desde** 1883 (até hoje)*
*Muitos refugiados trabalharam lá **durante** a guerra*
***Entre** ... **e**....; **de** ... **a** ... ; **de** ... **até**...*
***Ao longo** de 1768 ...*
***Já nessa época** a esquina da Rua Augusta era ...(até hoje)*

Localização temporal

Exacta	Aproximada	«informal»
Em 1915 *No dia 3* *às 4 horas* *mesmo (às/em)*	*Por volta de (1883)* *Em vésperas de...* *Em meados de* *Após = Depois* *Antes de*	*Lá mais para o Verão...* *Lá para o princípio de...* *fim de...* *meio de...*

Duração de acções que decorrem em simultâneo:

entretanto; por enquanto; ao mesmo tempo que

Frequência

Regular	Irregular
aos domingos = todos os domingos (duas) vezes por (mês) de (dois) em (dois) (anos) diariamente; semanalmente; quinzenalmente; etc. (de) hora a hora; dia a dia; mês a mês; etc..	Uma vez por outra De vez em quando De quando em vez Sempre que... Todas as vezes que...

BLOCO 2

VERIFICAR A ATENÇÃO DO INTERLOCUTOR
PRESTAR ATENÇÃO

Apanhado a pensar noutra coisa...

Desculpe não ouvi a última parte...
Desculpe, estava distraído/a ...
Desculpa, estava noutra!
Como disse?
Estava a dizer que ...
Não percebi, desculpe..
Estou com alguma dificuldade em manter-me atento
O que é que te faz pensar que não estou a ouvir?

Verificar a atenção do interlocutor

Ouviu o que eu disse?
Fui claro/a? Está claro?
É/será difícil de perceber?
Fiz-me entender?
Não há qualquer dúvida?

2.1. Na esplanada, a Clara chega atrasada ao encontro com a Ana

— Clara, desculpa-me o atraso, mas tive montes de coisas urgentes no serviço. Como é que estás?

— Mais ou menos.

— O que é que se passa? Parece que não estás lá muito bem!

— É o João. Teve um acidente ontem. Está no Hospital com uma perna partida e a cara num estado lastimável. Fui vê-lo e quase nem o reconheci...

— Hum..hum..

— Estás a perceber...é o João! O meu irmão. Lembras-te dele...Estás a ouvir-me!?

— Sim, sim, estavas a falar do teu irmão?

— Não ouviste nada do que eu disse!...Parece que estou a falar para o boneco!

— Sim. Quer dizer, desculpa ainda estava a pensar no meu trabalho. Tive um dia terrível. Mas conta, conta. Como está o João?

— Hoje parecia um pouco melhor mas ontem estava num estado péssimo, estava irreconhecível. Se visses a cara dele! O médico diz que provavelmente ainda tem que ser operado.

— Bom, pode acontecer, não é ...?

— Mas a culpa não foi dele. Ele ia na mão, o outro é que vinha completamente embriagado.

— Hoje em dia as Companhias de Seguros tratam de tudo.

— Mas ele está num tal estado...

— É natural! está um pouco nervoso do susto...

— Nervoso? O desgraçado está no Hostipal sem se poder mexer e tu dizes que ele está um pouco nervoso?

— Sim, de facto essas coisas acontecem ...Espera. Tu falaste em Hospital?

— Tu não estás a ouvir mesmo nada!

— Estou, estou. O que é que te faz pensar o contrário?

2.2. O João encontra o Miguel na rua por acaso

— Olá! Bons olhos te vejam! Desde segunda-feira que ando à tua procura. Lembras-te que tínhamos combinado almoçar?

— Almoçar? Quando? Amanhã? Por mim pode ser!

— Mas tu estás completamente na lua!

— Eu, desculpa...o que é que disseste?

— Eu perguntei-te se te lembravas que tínhamos combinado almoçar juntos na segunda-feira passada.

— A sério? Esqueci-me completamente...

— Como é que te podes ter esquecido se até apontaste na agenda e tudo!

— É que também me esqueci de olhar para a agenda. Passou-me de todo. E agora? Podemos almoçar hoje, queres?

— Já não é a mesma coisa.

2.3. O sr. Gonçalves e a D. Clara foram marcar uma consulta médica, mas tiveram alguma dificuldade em perceber em que dia e a que hora deviam ir ao consultório

— Os senhores podem vir no dia 11 às 10 horas da manhã. Está claro? Não há dúvidas?

— Está claríssimo. Amanhã às onze aparecemos.

— O senhor percebeu tudo ao contrário...Eu não disse isso! O que eu disse foi às dez horas da manhã do dia 11. Percebeu agora?

— Sim, sim, com certeza.

— Então repita lá para ver se compreendeu bem.

— Amanhã às onze e dez.

— Não. Não é amanhã. É no dia onze que não é na próxima segunda-feira mas é na segunda-feira seguinte. Está a ver?

— Está bem é a segunda-feira dia onze...

— Pronto, é isso mesmo. Segunda-feira, dia 11 às 10 horas.

— Com certeza minha senhora. Agora já não nos enganamos: segunda-feira, dia 10, 11 horas...

— Não há nada a fazer. Espere que eu escrevo-lhe num papel.

Expressões coloquiais:
estar na lua = estar distraído
andar à procura = tentar encontrar; procurar
falar para o boneco = falar em vão
ir na mão = a circular na faixa da direita
passou-me de todo = esqueci-me completamente
falar para as paredes = falar em vão
até ...e tudo (reforço enfático)

A PATRIARCAL QUEIMADA

É uma das praças mais calmas de Lisboa, ao fundo da Rua D. Pedro V, que já foi o lugar onde, em Lisboa, existiram mais moinhos. Quando hoje nos sentamos nos bancos do jardim do Princípe Real, podemos imaginar que ali já existiram só ruínas de palácios, de uma basílica? Que ali já foi o sítio mais temido da cidade?

O Príncipe Real é um dos poucos jardins da cidade onde, até há bem poucos anos, podíamos sentir-nos em plena Lisboa antiga, entre ruas pacatas e silenciosas. E, enquanto nos sentávamos sob o gigantesco cedro, pousando os olhos num dos livros emprestados pela biblioteca do jardim cuja pequena prateleira verde fazia já parte do cenário, dificilmente imaginaríamos que ali mesmo se conheceram tempos de cenas trágicas de grandes incêndios ou tristes paisagens de terras ao abandono.

Foi Largo das Pedras e Alto da Cotovia, nomes suficientemente sugestivos para provocarem arrepios. Durante quase dois séculos, os lisboetas evitaram-lhe as proximidades, passando ao largo daquele lugar onde pastavam cabras e onde, em tempos, esteve uma imponente basílica patriarcal.

AS TERRAS DA COTOVIA

As terras da Cotovia já eram assim conhecidas por volta de 1400.

Em meados do século XVII, o Alto da Cotovia era frequentemente chamado «Obras do Conde de Tarouca». Ali se refugiavam vadios e perseguidos, escondendo-se entre as ruínas, das rondas frequentes, mas inúteis, da Polícia.

Durante o Terramoto de 1755, não havia nada para ser reduzido a ruínas. E foi para aqui que fugiu grande parte dos sobreviventes da zona baixa da cidade.

Ora acontece que a sede do Patriarcado tinha ardido, juntamente com todos os anexos e construções circundantes do Paço da Ribeira. Após hesitações entre o Calvário e S. Bento, ficou assente que seria aqui construído o novo templo que albergaria o Patriarcado. E todas as manhãs, logo após o sol nado, dezenas de pedreiros, estucadores, douradores, cinzeladores, subiam o bairro Alto e começavam a trabalhar na nova basílica.

O GRANDE INCÊNDIO

A capela da Patriarcal foi inaugurada em Junho de 1757. Em 1761, todo o edifício estava completamente pronto. Mas a construção era defeituosa e pouco consistente, produto duma época apressada em que se reconstruía, afinal toda a cidade.

Ao longo de 1768, as paredes fenderam, a torre ameaçava ruína. Em 1769, um pequeno incêndio destruíu grande parte da capela. Dois anos mais tarde, o golpe de misericórdia; um dos maiores incêndios que Lisboa tinha visto desde o terramoto. A origem era criminosa e prentendia-se desse modo cobrir o roubo de ricos paramentos.

Já em 1849, a maldição parecia vencida. Apesar dos ventos implacáveis, estavam a enraizar-se um cedro, uma araucária, algumas tílias. Ia nascer um jardim. Em 1863, chegou o grande tanque e, durante toda a década, o novo jardim serviu de recinto para uma feira que durou grande parte dos Verões.

Para fazer esquecer histórias tristes, escolheram-se outros nomes: Praça do Princípe Real ou do Rio de Janeiro. Casas bem alinhadas a cercam, entre as quais se destaca, pela diferença, um palacete mourisco de grandes cúpulas negras.

Por iniciativa do «Diário de Notícias» e com organização de Leitão de Barros, realizou-se em Maio de 1956 o Primeiro Jardim de Belas-Artes. E a silenciosa Praça do Príncipe Real conheceu uma animação que, durante anos, foi lembrada. Porque o seu espaço agradável, como acabou por tornar-se, poderia servir muitas inciativas desse tipo.

Mas, em vez disso, aprovam-se para ela construções em vidro e alumínio onde hão-de funcionar «snack-bars», «pizzarias», casas de «come-em-pé», etc. Será mesmo amaldiçoada a praça da antiga Patriarcal Queimada?

Diário Popular 13.12.86

Praia

A capital da República de Cabo Verde chama-se Cidade da Praia, herdeira da mais antiga cidade fundada por Portugal em África — a Cidade Velha.

Cidade da Iha de Santiago abriga parte significativa da população e quatro ilhéus deste país formado por nove ilhas, todas de origem vulcânica.

As ilhas situadas ao largo do Senegal e da Mauritânia ocupam uma área total de 4.033 km². Estão divididas em duas regiões administrativas (Barlavento, com sete concelhos e 14 freguesias e sede na cidade de Mindelo; e Sotavento com sete concelhos

e 17 freguesias e sede na cidade da Praia).

Ilhas do Atlântico, terra das mornas, Cabo Verde foi nos anos que se seguiram à localização pelos portugueses, um entreposto de tráfico de escravos que, levados de África, eram transportados para a América.

Muitos aqui ficaram e aqui deixaram parte da sua luta, da sua língua, da sua cultura.

Ficou uma língua própria: o crioulo, apesar de a língua oficial ser o português.

Hoje, Cabo Verde tem uma população próxima das 300 mil pessoas e mais de metade não ultrapassa os 20 anos.

É uma população jovem que em grande número vê na emigração uma saída procurando na Europa ou na América lugar para trabalhar.

Isoladas em pleno Atlântico, as nove ilhas de Cabo verde são pródigas em chuva, embora a seca deixe, por vezes, marcas e vestígios dramáticos.

Senão vejamos: As necessidades do país em cereais situam-se na ordem das 70.000 toneladas/ano. A produção média, em ano pluviométrico normal é de 15.000 toneladas.

Mas há mais problemas que afectam Cabo Verde. País que pretende ser «um vector de paz na África em geral e da sua subregião em particular».

A produção industrial é insignificante e o seu desenvolvimento é condicionado por uma série de limitações — mercado interno pequeno e disperso, custo dos factores elevado, ausência de política industrial, ausência de mão de obra.

Como ganhar o futuro?

Cabo Verde sabe que o seu princial recurso para vencer esta batalha é o homem. Por isso tem apostado grandemente na formação profissional.

Deu também um passo em frente para, em cooperação com outros estados ou empresas de outros países, a criação de uma estrutura industrial, construção de estruturas de apoio à actividade turística e florestação.

Cabo Verde protagoniza tudo isto no presente.

A Cidade da Praia, olhando o mar, recordando a história, continua a tentar o futuro.

UCCLA, 1989

BLOCO 3

TEMA
Ambientes e interiores

TEXTOS
O Coliseu recriado
Ambientes de Lisboa

GRAMÁTICA
Exprimir o Tempo Futuro; evitar nomear o Sujeito

DIÁLOGOS
Demonstrar interesse e desinteresse por um assunto

PARA CONVERSAR
Decoração: a escolha da cor

LUSOFONIA
Bissau

BLOCO 3

O COLISEU RECRIADO

O JÁ CENTENÁRIO COLISEU DOS RECREIOS ESTÁ A SOFRER AS OBRAS DA SUA VIDA.

Alexandra Marques

O Coliseu vai estar fechado durante todo o próximo ano, em virtude das obras de beneficiação em curso. Deverão arranjar outros espaços os empresários que nele apresentam os cantores estrangeiros de nomeada ou as companhias de espectáculo que o elegeram como a melhor sala lisboeta, com a sua capacidade de cerca de cinco mil espectadores.

AS OBRAS

Os projectos apresentados em Junho pelos arquitectos Siza Vieira, Tomás Taveira e Maurício Vasconcelos deveriam respeitar a estrutura original do Coliseu, enriquecendo os interiores e aproveitando da melhor maneira os espaços que, pertencendo ao edifício, se encontram actualmente arrendados para outras actividades de carácter comercial.

Como o Coliseu vai ficar já não é um mistério, mas é ainda uma surpresa, uma vez que os planos apresentados apenas são um esboço e o próprio responsável se escusa a dar certezas finais. Uma coisa é certa o célebre Bar 25 de *stripers* femininas desaparecerá para dar lugar a uma livraria com videoteca e discoteca destinada a divulgar práticas culturais muito diferentes daquelas que hoje lá são vividas. Também o Bingo do Sport Lisboa e Benfica irá para outras paragens, deixando, nesse lugar, espaço para uma condigna cafetaria, bengaleiro e sala de convívio muito necessária para as conversas dos intervalos.

Será também criada uma nova entrada na parte norte, pela rampa traseira onde ficarão os novos *foyers*, e se possível criar-se-á igualmente nessa zona um museu para albergar as peças existentes no escritório que pertenceu a Américo Covões, e outras, como sejam recortes de jornais, roupas usadas pelos artistas e equipamentos do circo que, por tradição, estará sempre associado ao Coliseu.

Apesar das alterações introduzidas no seu interior, como a modernização do fosso da orquestra e a recuperação, por questões de segurança, da cortina de fogo (nome dado à rede de ferro que separa o palco da plateia em caso de incêndio), a sala manterá o seu carácter polivalente podendo apresentar espectáculos de ópera, circo, concertos *promenade* e de rock como vinha sucedendo até aqui.

Mantém-se também a geral e os camarotes, que serão ambos remodelados, e aproveitar-se-á a majestosa cúpula existente para nela se instalarem modernos sistemas de iluminação e de acústica, dando ao espectador a sensação de que está sob um firmamento estrelado no qual brilha um enorme lustre de linhas contemporâneas.

Mas as estrelas não ficarão só no céu. As que vão ser convidadas a estrear este espaço centenário poderão desfrutar das comodidades criadas, camarins de primeira para os protagonistas, com estofos a condizer e ar condicionado regulado à medida dos seus desejos. Nem os arautos da Imprensa se poderão queixar: para eles haverá uma sala situada por detrás do palco, mesmo ao lado da sala vip (como convém) e de um pequeno bar.

Ricardo Covões* já previa que a modernização transformaria a sua segunda casa, mas imaginou-a com outros contornos: «Quando o Coliseu fizer 100 anos, já reformado, modernizado com mais belezas, mais comodidades para o público, com grandes elevadores, escadas rolantes, grandes montagens eléctricas e tudo quanto é necessário a uma grande e moderna casa de espectáculos, há-de ser como hoje, estimado e querido por todo o público». E nisto tinha toda a razão.

* Ricardo Covões, antigo director e proprietário do Coliseu a partir de 1919.

Sábado, 18/12/92

BLOCO 3

Os museus e os seus cafés

Um museu sem cafetaria não é um museu. Esta tese deve ser defendida com unhas e dentes. Por favor, dê-se espaço às cafetarias lado a lado com as peças de arte. Também é uma questão de cultura.

Nenhum museu pode sobreviver sem uma cafetaria.

O cheiro do bom café apetece tanto quanto uma boa exposição de arte.

As cafetarias são uma forma quase espiritual e inconsciente de fazer batota. Pode-se dizer: «estive três horas no Museu de Arte Antiga, foi uma tarde muito bem passada». E depois, secretamente, recordamos o jardim com as mesas bem distanciadas umas das outras, o rio mesmo ali para quem quiser olhar e, lá dentro, umas senhoras simpáticas que aconselham uma salada *pink* com uma tarte de espargos. No andar de cima, num profundo silêncio religioso, estão as salas, os quadros, múltiplas «descidas da Cruz», um rapaz que lê Marguerite Duras e um vigilante adormecido numa cadeira de madeira. Em plena cidade este cantinho é quase uma dádiva dos deuses.

As cafetarias existem, também para tornarem os museus mais interessantes. Nas salas de exposição, a conversa parece ser uma inimiga mortal da apreciação da arte, o cochichar é mal visto e não é nada agradável sofrer um olhar de soslaio carregado de reprovação.

Por isso, os visitantes ficam encantados com um qualquer espaço onde há sempre água fresca e uns apetitosos bolos com ares caseiros.

Descansando da visita, ou procurando coragem para acabar, por exemplo uma peregrinação pelas salas iluminadas da exposição das jóias de René Lalique na Gulbenkian, entretêm-se com o catálogo, trocam impressões com alguém, aproveitam para escrevinhar qualquer reparo digno de nota, no café do Museu.

Sábado 21/06/91

LISBOA ESCONDIDA

Bebe-se um capilé, um pirata ou ainda um caraguilho. Não existe nada igual. São bebidas genuínas como o são os locais que as vendem. Fazem parte de uma outra Lisboa.

Pedro Teixeira

Os exemplos de bares de outras épocas são cada vez menos, mas passaram à classe de objectos de renascido interesse. Continuam a ser procurados por aqueles que sempre o fizeram ao longo de anos, aos quais se juntam agora outras pessoas que gostam de afirmar a sua curiosidade por aquilo que lhes foi legado.

PIRATA. «Dantes as pessoas vinham mais aqui. Bebia-se mais álcool do que hoje, o que eu acho bem», diz com um tom nostálgico o proprietário do bar o Pirata, situado nos Restauradores, que existe há 62 anos.

A fórmula mágica, a bebida que continua a atrair as pessoas àquela pequena «tasca», chama-se precisamente Pirata e consiste na mistura de vinho doce com soda. O copo em que é servida esta bebida fresca tem umas linhas elegantes: uma silhueta bem feminina. O copo grande com a referida mistura custa 160 escudos e o pequeno custa metade.

Como os tempos têm trazido novos hábitos, o Pirata é hoje muito mais o local onde se entrega o totoloto e onde se vai comprar tabaco, do que um sítio para beber. É um local para ficar pouco tempo, bebe-se num ápice o vinho com soda e segue-se à vida. Vendem-se também os mais variados artigos, que vão desde os acessórios para barbear até romances de cordel. Uma miscelânea.

FLOR-DA-BRANCA. Situada na Rua Diário de Notícias, A Flôr da Branca, mais conhecida pelo bar do sr. António — o dono — é um local sombrio mas muito acolhedor, onde as pessoas são recebidas com uma gentileza que se julgava desaparecida. O caraguilho (só o nome é sugestivo) é a bebida mais exótica da casa. Numa chávena com aguardente de medronho em fogo mistura-se café e mexe-se o açúcar até a chama se apagar. É um número visualmente interessante e «tira todas as constipações», como é costume dizer-se na casa.

Há ainda matraquilhos e ali podem encontrar-se alguns dos bons jogadores desta modalidade.

AS PRIMAS. A Conchita, a Lola, a Carmen e a Prima são as quatro damas da noite do Bairro Alto. São todas ainda bastantes jovens, ligadas familiarmente pelo «grau» de primas e descendem de imigrantes galegos: daí os seus nomes. Pegaram destemidamente nas rédeas da Adega de S. Martinho e o público passou a ser consideravelmente mais novo.

Há uma caixa de música hilariante que, por 20 escudos, passa alguns temas bem divertidos. É o *kitch* em larga escala. A simpatia é também uma virtude que se aplica muito bem às Primas. A Conchita é aquilo que se poderá chamar uma mulher com «M» grande e além de controlar movimentos mais agressivos sabe ser amável para todos os que usam igualmente a amabilidade.

As Primas são um local frequentado por alguma gente *in* que ali se vai abastecer antes de enveredar por locais nocturnos mais dispendiosos. É uma estratégia copiada por muitas pessoas que vivem intensamente a noite. A cerveja é ali bem mais barata e pode ser consumida com mais soltura. Está tudo percebido?

Sábado, 11/09/92

BLOCO 3

EXPRIMIR O TEMPO FUTURO

DECISÕES JÁ TOMADAS

V. PRES.

Ex.: *Está decidido que se **mantém** a geral, **conservam-se** as cadeiras...*

CERTEZA NO FUTURO

V. PRES.

EX.: *No próximo ano o Coliseu **inicia** uma nova época de espectáculos*

IR PRES. + V. INF.

Ex.: *Como o Coliseu **vai ficar** já não é surpresa...*
*O Coliseu **vai estar fechado** durante todo o próximo ano*

*As estrelas que **vão ser convidadas** a estrear este espaço...*

FUT. DO PRES.

EX.: *Uma coisa é certa: o célebre Bar(...) **desaparecerá**...*

SUGESTÃO

EX.: *(os empresários) **Deverão arranjar** outros espaços*
*Na cafetaria do Museu **poderemos** encontrar bolos apetitosos...*

PREVISÃO

HAVER + DE + V. INF.

EX.: *Quando o Coliseu fizer 100 anos (...) **há--de ser** como [é] hoje...*

INTENÇÃO REALIZÁVEL

EX.: *Nós **havemos de ir** ao Coliseu qualquer dia*

PASSADO NO FUTURO

FUT. COMP.: V. AUX. + V. PRET. PERF.

EX.: *As obras **estarão acabadas** durante o próximo ano*

EVENTUALIDADE

V. FUT. CONJ.

Ex.: *Quando **houver** espectáculos no Coliseu nós vamos assistir*
*Se eles **tiverem** tempo vão ao Coliseu hoje à noite*

Ex.: ***Aconteça o que acontecer** vou ao Museu*
*O rio está mesmo ali **para quem quiser** olhar*

IMPERATIVOS E EXCLAMAÇÕES

V. IMPERATIVO

Ex.: *... **dê-se** espaço às cafetarias lado a lado com as peças de arte*

ALGUNS ADVÉRBIOS E EXPRESSÕES ADVERBIAIS DE FUTURO

tempo exacto ou aproximado	sem especificação
Amanhã Depois de amanhã Na/o(s) próxima/o(s) | dia(s) / semana(s) / mês(s) / ano(s) / (...) Daqui a (1,2..) | dia(s) / semana(s) / mês(s) / ano(s) / (...) Dentro de | dia(s) / semana(s) / mês(s) / ano(s) / (...) Daqui a nada Daqui a pouco a bocadinho a bocado Lá mais para | o início / o meio / o fim | da/o | dia / mês / ano / (...)	Um dia destes Um destes dias Para aí um dia destes Qualquer dia Um dia qualquer Para aí um dia qualquer. Uma altura qualquer (Um) Outro dia (qualquer) (Uma) Outra altura (qualquer) Em qualquer (outro) dia Em qualquer (outra) altura Em breve Brevemente (...)

BLOCO 3

INDEFINIÇÃO DO SUJEITO

INDEFINIDO — **SE**

*... e se possível **criar-se-á** um museu para albergar as peças...*
***Mantém-se** a geral e os camarotes que serão remodelados...*
*Há ainda matraquilhos e ali **podem encontrar-se** alguns dos bons jogadores...*
*... as pessoas, são recebidas com uma gentileza que **se julgava** perdida*
*... tira todas as constipações; como é costume **dizer-se** na casa.*
***Dê-se** espaço às cafetarias...*
*Dantes **bebia-se** mais álcool do que hoje...*
*O Pirata é hoje (...) o local onde **se entrega** o totoloto e onde **se vai** comprar tabaco...*

3.ª p. sing. V. pres.	–SE –SE + V (3.ª pes. sing.)	*Mantém-**se** a geral...* *... Mistura-**se** o café e mexe-**se** o açúcar*
Futuro do Pretérito do Presente	–SE –á / –ia	*... criar-se-**á*** *... criar-se-**ia***

FORMA PASSIVA (Equivalente a **SE**)

Será criada *uma nova entrada... (= criar-se-á)*
*...curiosidade por aquilo que lhes **foi legado** (= o que se lhes legou)*
*Local onde as pessoas **são recebidas** com uma gentileza... (se recebem as pessoas...)*
***continuam a ser procurados** por aqueles que sempre o fizeram...*

BLOCO 3

DEMONSTRAR INTERESSE E DESINTERESSE

NOTA:
A entoação tem, neste tipo de expressões, uma importância fundamental fazendo com que, em muitos casos, a mesma frase possa adquirir sentidos contrários aos que aqui estão indicados.

MUITO INTERESSE

com surpresa:

Sério? É mesmo verdade? De certeza?
Que bom! Que maravilha!
Não é possível! Não posso!
Incrível! Estás a brincar!
Que pena! Lamento imenso!
Que horror! Essa agora!
Que chatice! Que estupidez!

com dúvida ou desaprovação:

De modo nenhum. De forma nenhuma.
Não estás lá muito bem, não...
Não é a sério, pois não?
Era só o que faltava!
Não pode ser verdade!
Assim não!

INDIFERENÇA:

com ironia:

Não me faça(m) rir! Ainda gostava de ver!
Está-se mesmo a ver! Estou para ver! Sei lá!
Vai tudo dar ao mesmo

Tanto faz
A mim é-me indiferente
Talvez...Pode ser que sim (que não / que seja)
Até pode ser que sim!
Nem por isso ... Para mim é igual

MUITO DESINTERESSE...
'Tá bem. E depois? Estou-me nas tintas!
Não sei, não quero saber e tenho raiva a quem sabe...
Quero lá saber!

3.1. Duas amigas conversam

— Já leste o jornal de hoje?

— Eu não leio jornais.

— Mas olha só o que está aqui escrito! Parece mentira! Cerca de metade dos empregados de uma fábrica de produtos químicos foram despedidos hoje. E só souberam no momento em que iam começar a trabalhar...

— Sim? E depois? Estou-me nas tintas para isso!

— É o que diz aqui. Foram chamados, um a um, ao gabinete do Chefe de Pessoal e informados de que a fábrica tinha gente a mais e eles eram excedentários, que é como quem diz, já não faziam lá falta nenhuma.

— O que é que eu tenho a ver com isso?

— Achas que não! Já imaginaste se te fizerem o mesmo? Amanhã chegas ao escritório e o patrão diz-te: «— Já não preciso de si! Está dispensada dos seus serviços.» O que é que fazias?

— Sei lá! Se calhar não fazia nada...

— Ai não que não fazias! Daquilo que te conheço ias aos arames de certeza...

3.2. Numa sala de espera várias pessoas aguardam o momento da sua entrevista para um possível emprego

A — Já está aqui há muito tempo?

B — Não. Cheguei há pouco.

A — Já terão chamado por mim? O meu nome é Dulce Costa.

B — Não. Pelo menos desde que aqui estou ainda não ouvi o seu nome...

C — Olhe que eu já ouvi esse nome há coisa de 5 minutos.

A — Que chatice. Cheguei atrasadíssima para a entrevista. Estava marcada para as 3 e meia e só consegui chegar agora. E eu estava tão esperançada neste emprego!

B — Não faz mal. Pode ter entrado outra pessoa no seu lugar mas depois voltam a chamar por si.

C — Está-se mesmo a ver! São sete cães a um osso! Se calhar nem vale a pena esperar...

A — É pena sermos tantos e haver tão poucas vagas...

Expressões coloquiais:
estou-me nas tintas = não quero saber do assunto
está-se mesmo a ver! (irónico) = é muito duvidoso
são sete cães a um osso = muita procura para pouca oferta
se calhar = talvez; é possível que seja...
tanto faz = É indiferente
ir aos arames = ficar furioso/a
não faz mal = não tem importância
estar deserto de = Estar desejoso por

A ESCOLHA DA COR

Neste miniapartamento, onde o verde predomina, a paleta do decorador foi usada com uma parcimónica exemplar. Já vamos saber porquê

Coordenação e Texto
JOSÉ LUÍS CRUZ

Olhamos as várias imagens da casa e parece-nos ampla, fresca, alegre, luminosa, jovem! justamente o que ela *não* era, antes das pequenas obras que se realizaram. Tratava-se de duas assoalhadas num prédio banal, envolvido e asfixiado entre outros, igualmente sem graça e... bastante mais altos.

As janelas, quando abertas, funcionavam como *montra* em relação aos vizinhos. Os ruídos exteriores perturbavam a intimidade e o descanso. As paredes da sala estavam em beje forte e o quarto era cinzento. O piso de cimento, revestido a alcatifa. Resumindo, o espaço parecia muito menor, era desconfortável, além de abafado e deprimente.

A reforma começou pelo arranjar do solo. Pôs-se mosaico branco na sala, depois parcialmente recoberto com pedaços da alcatifa retirada. Na cozinha (e na casa de banho) alternaram-se peças de cerâmica em branco e verde. Para o quarto optou-se por tacos de madeira, cor natural, envernizados. As paredes (onde se escavaram dois nichos) ficaram brancas na sala (e na casa de banho), verde-esmeralda na cozinha e verde-seco, muito claro, no quarto.

Na sala, o branco abre e alarga os horizontes. As riscas do tecido dos sofás lembram inconscientemente a praia; as plantas falam-nos da natureza campestre. Os vidros das janelas ficaram foscos, para aumentar o isolamento com o espaço (hostil) exterior, mas não «trancam» os moradores. Esta impressão é acentuada pelos estores, leves, de lâminas estreitas.

Guia, 169 Março 93

Capital da República da Guiné Bissau, Bissau é uma espécie de cidade-ilha.

Mesmo em frente ao Atlântico, ostenta ainda ruas bem direitas e casa baixas que evidenciam um estilo muito particular.

Capital de um país com uma superfície de 36.125 km², dos quais 28.000 km² são constituídos por terras permanentemente imersas.

É constituída por uma parte continental e por um cordão de ilhas.

São ilhas paradisíacas, localizadas a dois passos de

Bissau. Um caminho para o futuro deste país, apostado em retirar da exploração turística e da beleza paisagística todos os proveitos possíveis.

As ilhas mais belas e mais conhecidas pertencem ao arquipélago das Bijagós.

Quis a Natureza que a Guiné-Bissau recebesse os melhores e os piores solos da África Ocidental.

Os melhores ficam na região das rias e são constituídos por vasas e areias contendo grande quantidade de matérias orgânicas. Formaram-se a partir de depósitos trazidos pelo mar.

Bissau é disso testemunha.

Os piores correspondem às couraças ferruginosas inertes de Boé.

A presença do mar é vital neste país envolvido numa batalha que não pode perder: a auto-suficiência alimentar.

As marés atingem aqui os valores mais elevados de toda a África Ocidental, situação que ocorre com mais significado mesmo junto a Bissau. Esta peculiar característica pode futuramente permitir uma quase

perfeita ligação entre todo o território através dos transportes marítimos e fluviais.

E Bissau cresce, de forma significativa, quando a maré baixa.

Continua, no entanto, sempre cidade, capital de um país onde abundam palmares no litoral, região onde se pratica a agricultura mais evoluída — arroz, pomares, amendoim, caju.

Ostenta depois grandes florestas na zona de transição para o interior onde predominam as culturas itinerantes.

Na Guiné-Bissau residem comummente etnias diferentes. São cerca de 860 mil habitantes, maioritariamente jovens e maioritariamente habitantes de Bissau.

Para vencer o futuro a Guiné-Bissau aposta na cooperação. E está disposta a implementar, conjuntamente com terceiros, projectos em todos os sectores de actividade.

Continua a preparar-se e a criar estruturas capazes de, quando for oportuno, avançar na exploração do petróleo que se acredita existir ao largo da costa.

Enquanto se ocupa destes preparativos e aguarda uma clarificação do mercado internacional para avançar também na exploração dos fosfatos, a Guiné-Bissau garante que o seu petróleo será a sua agricultura do futuro.

UCCLA, 1989

BLOCO 4

TEMA
Vidas e sucessos

TEXTOS
Vida de camionista; Outras profissões

GRAMÁTICA
Discurso Directo e Indirecto.
Contracção e Colocação de Formas Pronominais

DIÁLOGOS
Demonstrar surpresa; pedir confirmação

PARA CONVERSAR
Histórias de amor: incompatibilidades

LUSOFONIA
Cacheu

BLOCO 4

VIDA DE CAMIONISTA!...

Carlos foge à regra dos camionistas portugueses, corpulentos e barrigudos. Tem o cabelo aloirado cortado curto e eriçado em cima e usa um blusão azul sem mangas, uma camisola desportiva, calças de ganga e sapatilhas. O braço direito está sempre prestes a accionar a grande alavanca das mudanças, e o olhar revista toda a estrada à sua frente.

Desde que começou a acompanhar o pai nas viagens em autocarro de turismo que este efectuava entre Portugal e o Luxemburgo tornou-se um atento conhecedor da estrada. Hoje, tem cinco anos de TIR e dois na linha da Escandinávia. Carrega invariavelmente têxteis de fábricas suecas em Potugal e faz duas viagens por mês. Uma companhia norueguesa já lhe ofereceu 500 contos para fazer três no mesmo período, entre Oslo e Lisboa, mas recusou: «Não era vida, não tinha tempo para ir a casa».

Ele sabe que na profissão há gente a fazer muito mais horas de estrada. Há mesmo quem chegue aos 11 mil quilómetros em apenas seis dias: «Matam-se a fazer quilómetros.» Para ele, não dá. Bastou-lhe uma vez, em que andou 25 dias na estrada sem ir a casa. Carregou em Valência, levou a carga a Itália, voltou a Málaga, foi a Córdova, seguiu para França e depois para a Alemanha. «É aquilo que a malta chama "fazer o triângulo". Cheguei a Portugal, disse que nunca mais.»

Dentro da cabina, faz com que tudo pareça minimamente confortável. Liga o aquecedor quase no máximo e recorda os tempos em que transportava junto ao vidro um leitor CD e uma televisão. O leitor foi roubado e a televisão está a arranjar. «Até é melhor assim. Se eu trago a TV não trabalho.»

A condução é lenta. Guia-se sempre a 80 quilómetros/hora, num ritmo monótono que desesperaria qualquer automobilista mas a que Carlos já parece ter-se habituado. Mete a perna à altura do volante e deixa-se ir, o ombro sobre o parapeito da janela, a cara encostada ao punho fechado.

A velocidade é controlada pelo disco de papel enfiado por trás do conta-quilómetros. O disco controla a velocidade e o horário. «Não podemos fazer mais de dez horas. Quem for apanhado com mais tempo paga uma multa que eu nem lhe digo.»

Como carrega na Covilhã, Carlos é obrigado a sair de casa no sábado de manhã. «Prefiro sair de manhã, à noite não apetece. Um gajo sabe que tem obrigatoriamente de andar e é uma seca. O pior é a IP3. O medo que eu tenho daquela estrada nos sábados à noite!» É nessa altura que se apanham os camionistas que vêm na direcção contrária, mortos por chegar a casa «Uma vez apareceu-me um gajo com os máximos ligados e na minha faixa. Vinha a dormir, de certeza. Fiz-lhe sinal uma, duas vezes, e ele nada, direito a mim. Às tantas, parei o carro, passei para outro banco e fiquei à espera. Desviou--se mesmo no último momento.»

Apesar de efectuar cerca de 22 viagens à Escandinávia por ano, Carlos experimenta sempre a satisfação de chegar a Portugal. Atravessa Carregal do Sal a gritar a plenos pulmões pela janela: «Bom dia. Portugal!» É um regresso curto, pois espera-o nova viagem para breve. «Caraças», desabafava. «o problema são os investimentos em que um gajo se mete. Meti-me na compra do terreno, depois é a construção da casa, tenho de andar aqui para os pagar. Nunca mais saio daqui. A minha sina é ficar agarrado a este volante».

Texto: Nuno Ferreira
Fotos: Paulo Maçarico
Público, 10/1/93

VESTIDA PARA MANDAR

NÃO SE LIMITA A SER MAIS UMA SILHUETA FEMININA NO MUNDO DOS NEGÓCIOS. O SEU SENTIDO DE JUSTIÇA E A SUA POSTURA DE TRANSPARÊNCIA DISTINGUEM-NA COMO GESTORA SEM FACHADA. VENCEDORA, ENTRE OUTROS GALARDÕES, DO PRÉMIO **MÁXIMA** MULHER DE NEGÓCIOS 92, ESTA ECONOMISTA NASCIDA EM ÁFRICA É UMA MULHER FELIZ, APRECIADORA DE MODA, CASADA E MÃE DE DOIS FILHOS. EIS O RETRATO ESCRITO DE UMA GESTORA NA SUA FACETA DE MULHER.

Por **Teresa Salgado**

Não foi fácil. Mas Maria Cândida Morais, conseguiu por mérito próprio projectar o seu nome num universo tradicionalmente dominado pelos homens. E fê-lo com dignidade.

Determinada no comando dos negócios, tem visto a sua carreira abrilhantada por vários prémios, o mais recente dos quais foi-lhe atribuído pela Máxima que a distinguiu como a Mulher de Negócios de 1992, numa decisão que mereceu a unanimidade do júri.

Reside na cidade do Porto, num andar muito amplo, repleto de luz e de pinturas. Aprecia sem subterfúgios o mundo da moda — partilhando também a gestão de uma firma nesse sector industrial — o que significa, fatalmente, gostar de se vestir bem, criando um estilo muito próprio, comprovando que, afinal, o gosto pela arte do efémero não é incompatível com uma carreira árdua e com o quotidiano profissional numa grande unidade fabril da indústria vidreira.

A vida, que não viveu em vão, tornou-lhe o olhar incisivo e a expressão firme.

Abrir as portas de casa a um jornalista é um gesto extraordinário, mas fá-lo com uma atitude cordial, algo perscrutadora. Elege um sofá, frente à lareira apagada. É assim, confortavelmente sentada, que inicia a conversa.

«Sou impulsiva», define-se Maria Cândida. (Ocorre-nos a ideia de que o desenvolvimento se processa, precisamente, por impulsos). «Superimpulsiva! Hoje menos do que no passado, porque aprendi a lidar com os meus impulsos e a controlá-los. Mas se uma coisa está mal, digo-o directamente. Não sei — nem sou capaz… — de disfarçar ou de fingir perante uma contrariedade. Se tentar, o rosto trai-me.»

Esta maneira de ser ou de não ser só traz desvantagens. Se, por um lado, pode ser impopular, por outro, facilita a avaliação do terreno, clarifica posições e permite a melhor conjugação dos temperamentos.

«O amor à verdade — e isto não significa que eu não minta — tornou-nos impopulares e, sob essa perspectiva, admito que eu possa ser uma pessoa difícil. Mas, vista a questão de um outro ângulo, considero que é extremamente fácil as outras pessoas lidarem comigo, pois os meus valores não são nada complicados e baseiam-se na lealdade e na honestidade. Na área profissional, cabe-me um pouco dar o tom, e, aí, as pessoas com quem trabalho já não correm certos riscos, pois sabem que detecto todas as situações e que não lhes dou cobertura. Por isso, presumo que se os meus colaboradores estão há muito tempo comigo é porque conjugamos bem os nossos temperamentos».

Máxima, Fevereiro 93

A Arte e o fascínio das miniaturas náuticas

Durante o último Festival do Mar de Sesimbra, realizado em Setembro/Outubro, descobrimos o interessante trabalho de Manuel Esteves André, artista de miniaturas náuticas.

Instalado «ao vivo» em plena delegação do Turismo, aí continuou a produzir e a expor, durante alguns dias, as belas miniaturas de barcos e temas náuticos a que habitualmente se dedica. A qualidade das peças e o espírito com que as realiza despertaram a nossa atenção.

«*Prefiro que me considerem mais um artista que um técnico. Quando faço uma miniatura, respeito com rigor a escala e os pormenores, entrego-me a ela durante semanas, às vezes meses e... nunca faço outra igual. Além disso, há inúmeros problemas a resolver, que exigem mais imaginação que perícia. Fabrico todas as peças artesanalmente e só trabalho por encomenda, de portugueses mas também de estrangeiros.*»

Da adolescência, na Trafaria, à sua oficina de Sesimbra, na Rua da Caridade, ali mesmo ao pé do largo da Marinha, a vida de Manuel André, um beirão de origem, tem sido uma aguarela que as cores do Mar dominam...

Começou como ourives, mas logo depois foi serralheiro naval, motorista num barco de pesca, pescador, arrais (chegou a possuir três embarcações), passando pela carpintaria, sempre ligado aos barcos. E, agora, os últimos três anos viveu-os com as miniaturas.

«*Construí os meus próprios aparelhos da oficina. Cheguei a adaptar máquinas de costura... Já é hábito: quando não sei uma coisa, tento aprender, descobrir como se faz... Já aprendi tantas profissões...*»

As miniaturas que observámos revelam bem esse cuidado, um entusiasmo pouco comum pela perfeição.

«*Vou ver se consigo fazer uma boa miniatura da Sagres, embora saiba que é um projecto difícil e que vai ocupar-me muito tempo. Estou agora mesmo a recolher os planos. Quando fiz a caravela «Boa Esperança» também andei à volta dela alguns meses... Eu costumo mesmo respeitar, na medida do possível o próprio esquema interno de construção...*»

Rev. Unibanco, n.º 48, Nov. 92

BLOCO 4

DISCURSO DIRECTO E INDIRECTO

	Discurso directo	→	Discurso indirecto
Formas verbais	Presente	→	Imperfeito
	Pret. Perfeito	→	Pret. Mais-que-Perf. Comp.
	Futuro do presente	→	Futuro do Pretérito
	Modo Imperativo	→	Modo Conjuntivo
Pronomes	meu(s); minha(s)	→	dele(a)/s; seu(s); sua(s);
Possessivos	eu; tu; você	→	ele(s) ; ela(s)
Pessoais	nós; vocês		
Demonstrativos	este(a); isto	→	aquele(a); aquilo
	esse(a); isso		
Adv. Lugar	aqui	→	ali
Tempo	hoje	→	naquele dia
	ontem	→	na véspera
	no ano[...] passado	→	no ano [...] anterior
	amanhã	→	no dia seguinte
	no próximo ano [...]	→	no ano [...] seguinte

Ex.:

D.D. *— ... desabafava,«o problema* ***são*** *os investimentos em que um gajo se* ***mete******. Meti-me*** *na compra do terreno, depois* ***é*** *a construção da casa,* ***tenho*** *de andar* ***aqui*** *para os pagar. Nunca mais* ***saio daqui****. A* ***minha*** *sina* ***é*** *ficar agarrado* ***a este*** *volante».*

D.I. *— Ele desabafava que o problema* ***eram*** *os investimentos em que um gajo se* ***metia******. Tinha-se metido*** *na compra do terreno, depois* ***foi*** *a construção da casa,* ***tinha*** *de andar* ***ali*** *para os pagar. Nunca mais* ***saía dali****. A sina* ***dele era*** *ficar agarrado* ***àquele*** *volante.*

Alguns verbos que introduzem Discurso Directo:			
Achar	Contar	Julgar	Responder
Afirmar	Declarar	Pensar	Saber
Confessar	Dizer	Perguntar	Sugerir

O Discurso Indirecto pode ser introduzido por estes mesmos verbos, e outros sinónimos, seguidos pela conjunção «que» (e «se» para «Perguntar»).

Ex.:

Ele ***respondeu que*** *construía os barcos artesanalmente*
Eu ***perguntei se*** *ele construía os barcos artesanalmente*

COLOCAÇÃO DAS FORMAS PRONOMINAIS ÁTONAS

Em frases afirmativas simples: **Verbo — Pronome**

Ex.: *Fiz-**lhe** sinal uma, duas vezes...*
*Desviou-**se** mesmo no último momento*

Em frases negativas simples e em frases complexas: **Pronome Verbo**

Ex.: *Os investimentos em que um gajo **se** mete...*
*Sabem que detecto todas as situações e não **lhes** dou cobertura...*
*Prefiro que **me** considerem mais um artista que um técnico...*
*Tento aprender, descobrir como **se** faz...*

CONTRACÇÃO DE FORMAS PRONOMINAIS ÁTONAS INICIADAS POR VOGAL

Quando a forma verbal termina em: -ão e -m as formas pronominais iniciadas por vogal adquirem um **n** imediatamente antes

Ex: *Eles consideram-**no** um artista*

Quando a forma verbal termina em: -r; -s; -z, estas desaparecem e as formas pronominais iniciadas por vogal adquirem um **l** imediatamente antes

Ex.: *Abrir as portas de casa a um jornalista é **um gesto** extraordinário, mas **fá-lo** com uma atitude cordial... (= faz o gesto com uma atitude cordial...)*
*... conseguiu **projectar** o **seu nome** num universo (...) dominado pelos homens. E **fê-lo** com dignidade. (= fez isso projectar o seu nome)*

[Quando -r, -s, -z pertencem à sílaba tónica a vogal antecendente adquire um acento: -á-; -ê-; -ô-]

DUAS NOTAS:

1 — SOBRE INDEFINIÇÃO DO SUJEITO

Só para pessoas
HAVER + QUEM + V.conj.

Ex.: ***Há quem chegue** aos 11 mil quilómetros*
= há pessoas (condutores) que chegam aos...
***Houve quem chegasse** aos 11 mil quilómetros*
= houve pessoas (camionistas) que chegaram...

2 — SOBRE O ADVÉRBIO **MESMO**

= precisamente; exactamente

Ex.: *Desviou-se **mesmo** no último momento*
*Ali **mesmo** ao pé do largo da Marinha*
*Estou agora **mesmo** a recolher os planos*

BLOCO 4

DEMONSTRAR SURPRESA; VERIFICAR E PEDIR CONFIRMAÇÃO

CONFIRMAR, VERIFICAR E CLARIFICAR

não compreendeu o que foi dito:

Como? O quê? Como foi?
Desculpa, não percebi nada do que disseste
Desculpe, importa-se de repetir?
Conta lá outra vez...
Compraste o quê?
Vinham com quem?
Não percebi rigorosamente nada.
Importa-se de repetir?

compreendeu mas quer verificar:

Será isso?
Tu disseste que..., é isso?
O que eu percebi foi que..., é verdade?
Se não estou em erro...
Se não me engano...
Pareceu-me ouvir tu dizeres que..., foi?

não tem a certeza se ouviu bem e quer que fique claro:

Desculpe, não percebi/compreendi bem. Pode repetir?
Pode precisar melhor a sua ideia?
Por outras palavras, o que é que isso quer dizer?
O que é que queres dizer com isso?
Repete lá que eu não percebi
Troca lá isso por miúdos...
Será que ouvi bem?

4.1. O João e a Teresa estão a falar das tentativas que o Pedro faz para encontrar um emprego.

— Então o Pedro conseguiu o lugar?
— Qual lugar?
— Ele não concorreu a um anúncio qualquer, para uma fábrica de sapatos?
— Não sei de nada! Ah! Espera. Agora que me falas nisso, ele disse-me qualquer coisa...Mas não deve ter ficado. Se tivesse ficado já toda a gente sabia!
— Que azar! Coitado! Deve estar desolado.
— Mas se não me engano, ele falou-me em chapéus! É capaz de ser outro emprego...

4.2. A Marta conversa com a Luísa sobre os seus planos de fazer obras em casa.

— Vou mudar a minha casa.
— Vais mudar o quê?
— Vou fazer obras em casa. Tirar alcatifas, pôr portas novas, mudar azulejos, deitar uma parede abaixo, enfim...
— Será que percebi bem?
— É isso mesmo.
— Mas tu sabes mesmo no que te metes?
— Sei, sei. Vou meter-me num bico de obra! Mas tem mesmo que ser!
— Para isso tens que mudar de casa, não?
— Não é preciso. Acho que consigo viver em casa e fazer obras ao mesmo tempo.
— Deves estar a sonhar. E vais começar quando?
— Agora no início das férias.
— Quer dizer, vais gastar as férias com obras. E chega? Olha que não tens tempo!
— Chegar não chega. Mas sempre dá para tratar do chão primeiro. O resto vai-se fazendo.
— Nem sonhas a trabalheira que vais ter! Eu já tentei fazer isso e arrependi-me logo!

4.3. O sr. Santos tenta falar com o sr. Pereira ao telefone mas a ligação está muito difícil.

Ao telefone...
— É o sr. Gonçalo Pereira?
— .a..r..b ..n..
— Será que posso falar com o sr. Pereira?
— gsst..prt...
— Desculpe. Podia falar mais alto? Não consigo ouvir nada!
— ..i..i..i...
— Como? Importa-se de repetir?
— .....ploc...
— Não, não se percebe nada..
— .. ppp ...ppp
— Não. Assim não dá! É impossível ouvir o que quer que seja!
— ...
— Desisto. Não consigo apanhar nem uma palavra. É só ruído. Eu ligo mais tarde.

Expressões coloquiais:
bico de obra = dificuldades; problemas
é capaz de ser = se calhar é
arrependi-me logo = vi imediatamente que era asneira
chega = é suficiente
trocar por miúdos = explicar de forma clara
não dá = não é possível

HISTÓRIAS DE AMOR

Miguel

IMCOMPATIBILIDADES

Público, 13/12/92

Cacheu

Cacheu é um nome pequenino e melodioso. Designa uma cidade agradável da costa guineense. Situa-se no Noroeste da República da Guiné Bissau, é limitada a norte pelo Senegal e a Sul pelo Rio Mansoa.

A superfície total representa 14,3% do território nacional e o relevo é constituído por vastas planícies bordejadas por cinturas de mangas.

Capital da província do norte, é em Cacheu que a autoridade administrativa e a administração regional se encontram instaladas.

A região subdivide-se em seis sectores administrativos — Bigene, Bula, Cacheu, Cató, Canchungo e S. Domingos. Em cada uma das

sedes do sector funciona permanentemente um Comité de estado.

Segundo os resultados provisórios do Recenseamento Geral da População efectuado em 1979, a Região contava na altura com uma população residente da ordem das 130 227 pessoas, sendo por isso a segunda região mais populosa da Guiné-Bissau.

O clima, sempre ameno, caracteriza-se pela alternância de uma estação com chuvas de pouca duração (Junho a Outubro) e a estação seca que se estende de Novembro a Maio. As temperaturas são serenas e agradáveis sendo a média de 26°.

E são estas temperaturas que determinam, de certa forma, a vegetação do território.

Cacheu conta com a maior concentração de palmeiras do país. A par da extracção do óleo e vinho de palma, os cidadãos cultivam o arroz de sequeiro e outras culturas pluviais sob o abrigo protector das palmeiras.

A agricultura, a pecuária, a pesca e a produção popular, são as bases fundamentais da economia regional. A agricultura caracteriza-se por uma produção não especializada e nenhum dos sistemas de produção — rizicultura salgada, exploração de palmeiras, culturas pluviais — se assume como dominante.

Os centros de pecuária mais im-

portantes situam-se nos sectores de Bigene e Cachungo. Porém, em ambos os sectores se regista falta acentuada de água, dificultando o desenvolvimento da actividade.

Os cidadãos procedem à criação de gado bovino, tipo sedentário, desempenhando um papel económico secundário.

Destina-se à produção de leite para consumo familiar e as cabeças apenas são abatidas para celebrar os tradicionais rituais.

Cacheu é, no entanto, e para compensar, a principal zona de pesca artesanal do país. O centro de pesca é a foz do rio que lhe dá nome, um dos mais ricos em pescado.

Na época seca praticam-se dois tipos de pesca: os pescadores equipados com redes ficam na tabanca e secam o peixe para vender no Senegal. O restante, pescado por pescadores sem redes, é vendido fresco, pois não é indicado para a seca.

Por seu lado a exploração do palmar natural assume-se como a principal actividade da produção popular e representa aproximadamente 40% do produto agrícola bruto da região. Extrai-se óleo de palma, exploram-se as palmeiras, fabricam-se canoas, esteiros e quirintis.

Isto é Cacheu, uma cidade que encontra a sua génese no desenvolvimento do comércio de mão-de-obra escrava e que hoje olha o futuro com optimismo moderado.

É que, apesar dos esforços já desenvolvidos, é preciso repensar a edução, a saúde, a economia. No fundo as infraestruturas vitais de qualquer estado moderno prestes a entrar no século XXI.

UCCLA, 1989

PORTUGAL CONTINENTAL

BLOCO 5

As Velhas Províncias

Português a Língua Preferida de Vénus

Silêncio: Vai-se Cantar o Fado

N.E. «Sagres» na Rota das Nossas Memórias Orientais

Gastronomia e Tradição

Outono em Faro

AS VELHAS PROVÍNCIAS

Antero de Figueiredo

Eis as velhas províncias deste velho Portugal. Elas têm as cores do arco-íris: o Minho é verde tenro; o Douro fragoso, violáceo; as Beiras dos olivedos, polvilha-as o verde misto das cinzas peneiradas; a Estremadura ribatejana é um poente alaranjado; o Alentejo é todo amarelo; e o Algarve, todo azul, com chapadas de cal, por entre o verde negro das figueiras.

No Norte e no Sul, o pintor enche a paleta de branco, de verde cru, de azul; no Centro, de verde sombrio, e de violeta.

A luz do norte e do sul é um clarim; a do centro, um violoncelo. Nos extremos, metais; no meio, cordas.

O Minho é uma horta; o Douro, uma serrania; Trás-os-Montes, montados; a Estremadura, uma lezíria; o Alentejo, uma charneca; e o Algarve, um pomar. Aqui, a couve e o milho; ali, a vinha; além, o centeio; acolá, o trigo; lá em baixo, a amêndoa e a alfarroba.

O homem do Norte vive no seu quintal; o do Sul, na campina. Um dobra-se sobre os quatro palmos da sua terrinha e, porque esta lhe basta, trabalha a cantar e morre a rezar. O outro estende a vista pela lezíria dilatada e a sua alma enche-se de ânsia e de sofreguidão. Aquele é calmo; este, agitado.

A leira húmida e solhosa pede um laborzinho cuidado; a planície calcinada exige moirejar violento. Uma terra convida; outra impõe. O lavrador cá de cima, quando não chove, faz promessas às santas e aos santos; o lá de baixo, nas inundações e nas secas, prágueja. Aqueles lêem cartilhas; estes, jornais. O povo do Norte tem os pés num relvado; o do Sul, num vulcão.

No Norte, a propriedade é de muitos; no Sul de poucos. Esta, em latifúndios, atrai colonos; aquela, dividida e subdividida em leirinhas, lameirinhos, pinhaizinhos, atira com o dono, quando moço, para a emigração. As quintas do Minho, cabem na palma da mão, e medem-se com os olhos. No Alentejo, a vista não abrange as herdades que se avaliam galopando-as a cavalo, durante horas. Na leira, há lavradores pobres e remediados; na charneca, abastados e riquíssimos.

No Norte, o povo ajunta-se em magotes e lá segue de longada, bailando e cantarolando, sob a luz crua que bebe a cor fulva das estradas e azula as sombras dos beirais e dos lenços brancos das cachopas. Suas cantigas ressoam nos outeiros, e os estandartes das suas rusgas ou das suas procissões têm que se dobrar por baixo das latadas verdes de cachos maduros e sob as copas das velhas carvalheiras que, pendentes dos valados, ensombram os caminhos amarelos de sombras violáceas. No Sul, a charneca longa e exaustiva, cria a caravana silenciosa; e no ar, limpo de árvores, o vento freme os panos das bandeiras insofridas, aos berros — em revolta.

O Norte usa chapelão negro, calado e triste; o Sul, carapuça garrida de cores e agitada pelo vento. O minhoto acompanha-se de um cão; o serrano, de rebanhos; o trastagano, de manadas.

Nas conquistas, para baixo do mondego, guerreou-se; para cima gerrilhou-se.

Os santos são do Norte; os poetas, do Centro, os navegadores, do Sul.

Cá em cima, os galaicos misturaram-se com os astúrio-leoneses; lá em baixo, os lusos cruzaram-se com os mouros.

Aqui, árias; ali, semitas.

Meio país é celta; outro meio é árabe.

Direcção-Geral de Turismo

Português, a língua preferida de Vénus

Lurdes Marcelo

O ser português dá que pensar a muitos de nós. Pertencer ao país cujas fronteiras estáveis são as mais antigas de toda a Europa, senão do mundo, viver num pequeno território, que, apesar de pequeno, apresenta a maior diversidade climatérica da costa ocidental atlântica e ter uma História atrás que, como nação, pesa quase 900 anos e que como povo vai tão longe que se perde de vista... Se a tudo isto juntarmos as raízes linguísticas: ibérica, céltica, romana, árabe... e ainda as ligações posteriores com a Ásia, a África, a América... compreende-se que nos interroguemos porque muitos são os sangues que correm nas veias de um português, provenientes de gentes cujos destinos foram alterados também pelo contacto connosco. Camões, em "Os Lusíadas", faz Vénus dizer em confidência a Zeus, quando no Olimpo intercedia pelos marinheiros portugueses que o que mais atraía neles era a sua língua. Assim, a deusa do amor, ama os portugueses porque gosta do seu falar.. que lá foi de caravela e sob a sua protecção, embalado ou sacudido pelas vagas até África, à Ásia, à América, a Timor... e que nos vem agora, via satélite, da TV Globo, todas as noites, pontualmente, nas telenovelas do momento.

É essa língua viajante e sólida, fluida e íntegra no seu vaivem espacial e temporal, que nós hoje falamos e que vemos, quase sem espanto e com a naturalidade enigmática que nos é habitual face ao maravilhoso, florescer de novo e quando menos se poderia esperar.

Forma, Set. 90

BLOCO 5

SILÊNCIO:
VAI-SE CANTAR O FADO

O fado continua vadio, castiço e popular. E acessível ao bolso, se se souber em que tascas procurá-lo. Basta descobrir a primeira: aí lhe passarão palavra das seguintes.

Dina Figueira

LEVAM a noite de capelinha em capelinha cantando o fado que, por isso mesmo, se chama «vadio». Não ganham um tostão e ainda pagam o que consomem. Vestem-se (quase todos) a preceito para a ocasião: elas, de preto, com lantejoulas e outros brilhos; eles, de fato, com requintes de cachené branco ou óculos à Marceneiro. Têm os seus ídolos que procuram imitar, e um público regular e fiel. Conhecem-se, cumprimentam-se. Despedem-se até para a semana.

Grande desgarrada entre Milú Ferreira e Joaquim Valente, na «Guitarra da Bica»

Os gerentes artísticos destas noites de fado vadio são fadistas, naturalmente. Têm um lema comum: «todas as vozes são bem vindas».

Sejam boas ou más, inscrevem-nas por ordem de chegada, na memória ou num pedaço de papel. Esta ordem é escrupulosamente respeitada nalguns sítios; noutros, uma vedeta de visita tem prioridade.

Os fadistas dirigem-se ao público por «senhoras e senhores», anunciam o fado e os autores e cantam. Dois fados, no mínimo. «Mais, se o público exigir», ou se a lista de incrições estiver pouco carregada. Um calendário bem organizado dá para ter fado vadio todos dias da semana, em Lisboa (Ginásio Clube de Alfama e Calçada de Santana, além dos referidos abaixo) e fora de portas (Loures, Vialonga), mas o forte é ao fim-de-semana.

A juventude que se reune frente ao restaurante «Tasca do Careca», junto ao Liceu Camões, previne os passantes: «Hoje há fado»; mas não entra, porque «é para velhos», dizem. Se entrassem, viam que nem só. Joaquim Silva, o dono da casa, esforça-se por atrair diferentes clientelas, que os tempos vão maus. A esplanada e a cave, para os jovens. A sala principal, aos sábados à noite, para o fado, que lhe ficou no coração após anos de trabalho na Madragoa: «não é uma questão de negócio», garante ao «T&Q».

Apesar da decoração moderna, o ambiente é de fado. Os sinais de luzes são suficientes para que se faça silêncio. Se alguém chega enquanto se canta fica respeitosamente à porta, esperando o intervalo seguinte. «O público tem a virtude de ouvir o fado calado», diz a letra de um deles. Mas premeia com exclamações de «Lindo!» um «pianinho» bem gemido e de «Fadista!» uma nota sentida.

Sebastião de Jesus, o gerente artístico, é, nas suas próprias palavras, «um velho fadista», com 45 anos de profissão. É também um cavalheiro do fado, com técnica e dicção. Por sinal, casado com a mais antiga cantadeira em actividade no País: Judite Pinto — 71 anos de vida profissional, enérgicos de 82 anos de idade — que canta com garra admirável o belo fado picado.

Ambos são a favor do fado por gosto contra as casas típicas, onde o fadista é desgastado e actua sobretudo para estrangeiros de atenção distraída. A carreira é encurtada pelo tabaco, o álcool e o ritmo do «fado comercial, todas as noites», obrigatório «para justificar os preços, exorbitantes para a bolsa dos portugueses».

Sebastião de Jesus queixa-se também dos guitarristas: «Alguns não têm o mínimo de respeito pela rapaziada amadora». Impacientam-se com a falta de técnica e má dicção, que arrastam a nota de um «amor» para um «amore» e se perdem em «pinsamentos» e «sintimentos». «Não acarinham o amador e não disfarçam», expõem-lhe os fracos, ridicularizam-no. E se os fadistas participam em espectáculos de caridade, contentando-se com um copo de vinho e um pastel de bacalhau, «já os guitarristas não abdicam do cachet», censura.

Nessa mesma noite havia «uma verbena de beneficência ao Alto de S. João», mais uma capelinha para os cantadores e cantadeiras cirandarem «em sacerdócio». Falava-se dela também na «Guitarra da Bica», onde o fado vadio às sextas e sábados tem 11 anos de tradição. Por ali passam «fadistas conhecidos, gente do teatro, jornalistas, músicos do S. Carlos» e estrangeiros que fotografam e filmam, levando a imagem e a voz de Milú Ferreira, a gerente artística, aos quatro cantos do mundo — conta a própria, com orgulho.

Trata-se de uma casa de pasto, pequena, antiga e castiça, apinhada até à porta e fora dela. Pelas escadas da Calçada da Bica Grande encostam-se ouvintes gozando o fresco. As vizinhas da frente põem-se à janela, de almofada no parapeito. Bebe-se cerveja, sangria e bagaço. Comem-se caracóis. O público (que é aqui ligeiramente mais turbolento e menos respeitoso) faz coro nos fados humorísticos, frequentes. Milu, «apresentada como «voz reguila», entra a matar na divertida desgarrada «Eu, ela e a lambreta». Puxa à Hermínia Silva, provocando com apartes público e colegas.

A noite vai alta. E nem o fado esmorece, nem os lisboetas andam tão divorciados dele como se diz.

Judite Pinto, a mais antiga cantadeira do País, canta com garra fadinho picado

Tal & Qual, 23 de Julho 93

B L O C O 5

N. E. «Sagres» na rota das nossas memórias orientais

Dentro de alguns dias, o N. E.* «Sagres» vai iniciar mais uma das suas grandes viagens, a propósito da comemoração dos 450 anos da chegada dos Portugueses ao Japão, durante a qual navegará por rotas, escalará portos e visitará locais, que estão presentes nas mais fascinantes páginas da nossa história marítima.

Fotos gentilmente cedidas pela *Revista da Armada*

Com quase 30.000 milhas de extensão, o que representa quase uma volta e meia à Terra, o itinerário do N. E. "Sagres" constituirá uma das suas mais longas viagens, que só encontra paralelo nas suas circum-navegações de 1978/79 e de 1983/84.

No entanto, trata-se de uma viagem que, em certa medida, reproduz pela primeira vez as viagens-padrão do período áureo das grandes navegações portuguesas, com escalas nos mais simbólicos portos que visitaram nos séculos XV e XVI, antes de quaisquer outros navegadores europeus, o que a torna, seguramente, numa viagem-memória como nenhuma outra que o navio alguma vez realizou.

De facto, para além da visita a **Las Palmas** e a **S. Vicente de Cabo Verde**, provavelmente o porto que depois de Lisboa o navio melhor conhece, o N. E. "Sagres" atravessará o Atlântico e visitará o porto brasileiro de **S. Salvador da Bahia**, de *homens mui bem dispostos e mulheres mui fermosas, que nom ham nenhua enveja às da Rua Nova de Lisboa (Diário da Navegação de Pêro Lopes de Sousa 1531)*, navegará na costa brasileira e escalará o **Rio de Janeiro**, que *he hua das mais seguras e melhores barras que há nestas partes, pela qual podem quaesquer naos entrar e saír a todo o tempo sem temor de nenhum perigo (História da Província de Santa Cruz a que vulgarmente chamamos Brasil (Pêro de Magalhães de Gândavo, 1576).*

Depois o navio fará pela primeira vez a travessia do Atlântico Sul, do Rio ao Cabo, contornando o cabo da Boa Esperança e bem avisado estará o capitão se seguir *o Livro de Marinharia de André Pires, de 1520: geralmente vos fareis logo na volta de lés-sueste e do sueste, porque geralmente tendes os ventos ao sul e ao sudoeste, e dareis resguardo às ilhas de Tristão da Cunha, que estão em 34 graus e 1/2 da banda do sul.*

Escalará **Capetown** e, pela primeira vez, também, o navio visitará o porto de **Maputo**, situado na baía em que o navegador António do Campo, capitão de uma das naus da frota de Vasco da Gama, procurou abrigo em 1502, tornando-se o primeiro europeu a visitar aquele local, que a partir de 1546 foi explorado pelo navegador Lourenço Marques, que nele instalou uma pequena colónia de mercadores portugueses.

Navegará ao longo da costa de **Moçambique**, por onde naufragaram tantas naus nas viagens de retorno, e escalará a ilha de Moçambique, visitada por Vasco da Gama em Março de 1948 e *onde El-Rei Nosso Senhor tem uma fortaleza, com que estão os ditos Mouros debaixo do seu mandato e governança (Livro do Oriente de Duarte Barbosa, 1516)* e à qual se referiu Camões: *Esta ilha pequena que habitamos/ É em toda esta terra certa escala/ De todos os que as ondas navegamos/ De Quíloa, de Mombaça e de Sofala (Os Lusíadas, Canto I, Est. 54).*

Atravessará o oceano Índico com escala no porto de **Mahé**, nas Ilhas Seycheles e, pela segunda vez no seu historial, o navio

* N.E. = Navio Escola

visitará a *nobre ilha também de Taprobana* e a cidade de **Colombo**, capital do Sri Lanka, onde Lopo Soares de Albergaria, 3º governador da Índia, construíu uma fortaleza em 1518.

Navegará depois na baía de Bengala, ao largo dos reinos de Sião e de Pegu, com rumo a **Singapura**, *a qual povoação foy destruída por nos outros (Livro de Marinharia de João Lisboa, 1525)* e entrará pelo estreito de Malaca, mas com precaução, porque *piloto que não tenha ido a Malaca, sou de parecer que não navegue de noite, e querendo-o fazer seja sempre com o prumo na mão com nuito resguardo. E por todo este caminho se levarão sempre as ancoras talingadas e prestes, ao pé do mastro (Roteiro da Navegação e Crreira da Índia, Gaspar Ferreira Reimão, 1612).*

Depois de Singapura, o navio entrará no mar da China, seguirá para **Macau** e para alguns portos do Japão, *onde nasce a prata fina/ Que ilustrada será como a lei divina (Os Lusíadas, Canto X, Est. 131)*, por forma a estar em **Tanegashim** a no dia 23 de Setembro de 1993.

Nesse dia, segunda a generalidade das fontes documentais portuguesas e japonesas, passam exactamente 450 anos sobre a data em que os primeiros portugueses desembarcaram na praia de Nishimura Ko-ura, situada na ilha de Tanegashima. Foi o primeiro encontro entre europeus e japoneses e decorreu de forma amistosa, provocando mútuas e repetidas referências elogiosas:

"... a gente que até agora temos conversado, é a melhor que até agora está descoberta e não se achará outra que ganhe aos japões" (autor português, 1549).

"... e justamente por os Portugueses serem bons homens, folgamos muito que eles venham às nossas terras, porque depois que o mundo é mundo, não vimos tal gente como são os Portugueses" (autor japonês, 1562).

A "Sagres" visitará, ainda, **Tóquio**, **Tokushima**, **Osaka**, **Sakai**, **Oita** e **Nagasaki**, numa sugestiva *peregrinação* pelos portos da *nau de prata* e, após mais de um mês de presença em terras e águas japonesas, dirá um adeus a Macau.

Regressará ao oceano Índico e ao estreito de Malaca, para visitar a *opulenta* **Malaca**, que o ilustríssimo Albuquerque conquistou em 1511, porque *este mundo de cá é mais rico, mais estimado que o mundo das Índias, porque a menor mercadoria de cá é oiro, que menos se estima e em Malaca têm por mercadoria*, e daí que *quem fôr senhor de Malaca tem a mão na garganta a Veneza (Suma Oriental de Tomé Pires, 1515).*

O navio navegará depois para **Cochim**, onde está *uma fortaleza muito formosa, de redor da qual está uma grande povoação de portugueses e de cristãos naturais da terra (Livro do Oriente de Duarte Barbosa, 1516).*

Cochim é um marco na história da presença portuguesa no Oriente e terá a visita da "Sagres" passados 492 anos sobre a data em que Pedro Álvares Cabral e Duarte Pacheco Pereira a ela chegaram pela primeira vez. Vasco da Gama estabeleceu uma feitoria na cidade em 1502 e, no ano seguinte, foi construída a fortaleza de Dom Manuel, a primeira fortaleza portuguesa no Oriente, que teve Duarte Pacheco Pereira como seu primeiro capitão-mor. Em 1505, Cochim tornou-se a sede do governo português da Índia, nela se instalando D. Francisco de Almeida, o seu 1º vice-Rei. Em 1524 nela morreu, e foi sepultado, *Vasco da Gama, o forte Capitão/ Que a tamanhas empresas se oferece/ De soberbo e altivo coração (Os Lusíadas, Canto I, Est 44)*, então exercendo os cargos de 6º governador e 2º vice-Rei da Índia.

A "Sagres" visitará também **Bombaim** e depois **Mormugão**, o porto da foz do rio Zuari, nas proximidades da *ilha ilustríssima de Goa*, que foi conquistada por Afonso de Albuquerque em 25 de Novembro de 1510, *a qual virá depois a ser senhora/ De todo o Oriente, e sublimada/ com os triunfos de gente vencedora (Os Lusíadas, Canto II, Est. 51).*

Da *fabulosa* **Índia**, a "Sagres" navegará para oeste, no *caminho do Estreito*, até ao mar Vermelho, escalando o porto de **Suez**, que D. João de Castro descrevera a partir dos elementos recolhidos em 27 de Abril de 1541, quando o seu navio esteve fundeado *em fundo de areia mole e miúda, de muito boa tença para navios (Roteiro do Mar Roxo, 1543).*

Depois atravessará o canal de Suez, visitará **Port Said** e **Tunis**, e entrará no Tejo nos primeiros dias de Fevereiro de 1994.

Longe vão os tempos em que *se sabia mais em um dia agora pelos Portugueses, de que se sabia em 100 anos pelos Romanos*, e em que *agora triunfam os Portugueses de todas aquelas partes, como absolutos senhores de todo aquele mar e costas (Colóquios dos Simples e Drogas, Garcia de Orta, 1563).*

Serão aproximadamente 9 meses e meio de viagem, com 200 dias de mar, em que o navio visitará 25 portos de 14 países. Em 11 desses países não deixará de ser recordado que foram os navios e marinheiros portugueses que, nos séculos XV e XVI, antes de quaisquer outros, lhes levaram o conhecimento da Europa, e deles trouxeram, para a Europa, verdadeira notícia das suas terras, gentes, culturas e saberes.

Que a viagem tenha bom êxito!

R. Costa
Revista da Armada, Abril/93

BLOCO 5

GASTRONOMIA E TRADIÇÃO

Com as descobertas dos séculos XV e XVI, os Portugueses introduzem na Europa uma série de géneros alimentícios.

No grupo dos mais procurados e apreciados encontram-se as especiarias (coentro, pimenta, gengibre, açafrão e pimenta de Espanha), o chá, o arroz e o ananás, todos eles considerados então como sendo exóticos.

Todos estes produtos vindos do Oriente não tiveram grande influência na gastronomia portuguesa, mais naturalmente virada para o Atlântico.

A pesca, exercida ao longo da costa, fornece uma alimentação variada: marisco, linguado, salmonete, carapau, peixe-espada e, sobretudo, a popularíssima sardinha, assada e coberta de sal. A caldeirada à portuguesa resulta da escolha e preparação dos mais saborosos peixes.

O bacalhau, outrora acessível a qualquer um, enobreceu-se; actualmente, serve-se até nos melhores restaurantes.

A gastronomia portuguesa caracteriza-se também, pela mistura de diversos tipos de carnes ou então de carnes e ameijoas.

As carnes de borrego, de cabrito e de leitão são bastante apreciadas.

Nas sobremesas, são de assinalar as de origem conventual. Têm nomes sugestivos, evocadores da vida monástica dos séculos XVII e XVIII: barriga-de-freira, toucinho do céu.

No Algarve, a doçaria à base de ovos, amêndoas e figos é apreciadíssima.

A carta de vinhos portugueses é notoriamente regional: vinhos do Norte (vinho verde e vinhos do Douro); vinhos do Dão (Viseu); vinhos da Bairrada; vinhos do Alentejo (Planícies) e uma vasta escolha em redor de Lisboa (Colares, Setúbal, Bucelas). Na maior parte dos restaurantes, espalhados pelo país, o visitante poderá apreciar todos estes vinhos com as especialidades gastronómicas.

Terminamos este inventário com uma nota de frescura: o borbulhante vinho verde é também um produto estritamente regional (Costa Verde).

Dos aperitivos destacamos o célebre vinho do Porto — tinto ou branco — especialidade de Vila Nova de Gaia; o vinho da Madeira e o moscatel de Setúbal e de Carcavelos. os vinhos do Porto e da Madeira são também utilizados na culinária.

ICEP — Direcção de Informação Turística

VINHOS PORTUGUESES DE QUALIDADE

Classificação de Colheitas

Anos	Dão	Bairrada	Colares	Douro	Bucelas	Alentejo
1975	3	4	4	3	1	2
1976	1	1	1	2	3	3
1977	1	2	1	2	1	1
1978	1	3	1	2	1	1
1979	1	1	3	2	3	2
1980	4	4	3	4	3	3
1981	1	1	3	3	1	1
1982	1	2	3	2	2	2
1983	4	4	4	2	3	2
1984	1	1	4	3	2	2
1985	4	3	3	2	3	2
1986	2	–	2	1	2	2
1987	3	2	3	2	3	3
1988	–	–	–	–	–	–
1989	2	2	2	2	2	3
1990	2	2	2	2	1	4
1991	2	2	1	2	1	3

1: Médio **2**: Bom **3**: Muito bom **4**: Excelente

Fonte: Intituto da Vinha e do Vinho — Câmara de provadores

REGIÕES VITIVINÍCOLAS PORTUGUESAS

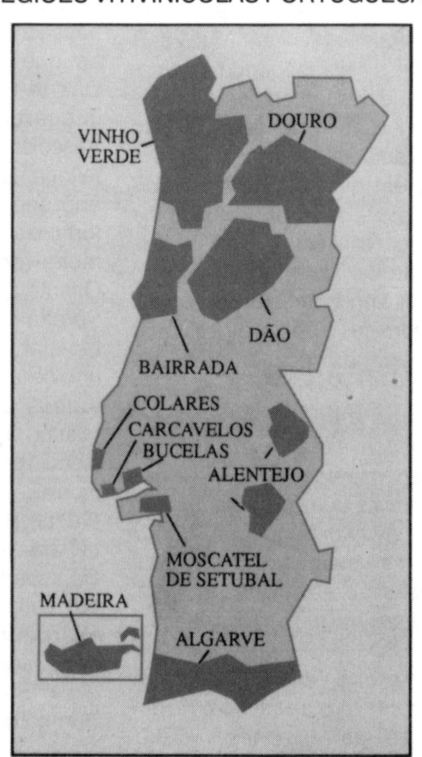

ALGUNS CONSELHOS

Garrafeira — O acondicionamento do vinho deverá ser feito em local fresco e arejado, sem luz e longe de trepidações, com humidade relativa de cerca de 70%. A temperatura deverá rondar os 10º C no caso dos brancos e vinhos verdes, e os 16º C no caso dos tintos, devendo as garrafas dos vinhos de mesa estar deitadas e as dos vinhos generosos em pé.

Acessórios e Técnicas — Há vários acessórios que poderão ser utilizados na preparação dos vinhos, sendo os mais comuns a garrafa para escantar, o copo de prova, o termómetro e o indispensável saca-rolhas, que deverá ser escolhido de forma a não deteriorar muito a rolha aquando da abertura. Removida a cápsula de estanho e limpo o gargalo, deve-se tirar a rolha suavemente e sem agitar a garrafa, provando sempre o vinho antes de servi-lo. Os tintos devem ser abertos cerca de duas horas antes de serem bebidos de forma a libertar os aromas "guardados em cativeiro" e servidos à temperatura de 14 a 18º C. Os brancos devem ser refrescados no próprio dia de consumo e servidos de 8 a 10º C. Há copos específicos para cada tipo de vinho e sempre que o servir segure a garrafa pela base.

Acompanhar com o quê — Embora não haja regras rígidas, dependendo um pouco dos gostos de cada um, os peixes e mariscos são normalmente acompanhados de vinho branco, maduro e verde, enquanto que a carne é acompanhada por tinto, que também é um óptimo acompanhante para o queijo. Os vinhos generosos são aconselhados no acompanhamento da doçaria regional, desde os Moscatéis passando pelo Madeira até ao Porto, que também poderá acompanhar um bom queijo. Escolha os vinhos da sua preferência e aprecie-os bebendo com moderação!

OUTONO EM FARO

Desde que, em 1596, foi atacada pelo conde Essex, muito lhe aconteceu até se tornar capital do Algarve. Esse passado deixou marcas nas velhas ruelas, nos monumentos, nas igrejas

Paulo Leote e Brito

ALDEIA de pescadores árabes, originalmente, foi longo o seu trajecto até se tornar capital do Algarve. Ossónoba, Santa Maria de Garbe foram nomes que teve, antes do actual.

Hoje é o facto de ser a capital do Algarve que realça a sua importância, mas também temos que referir que Faro, pelo seu interesse histórico e cultural, tem tudo aquilo que pode interessar a um turista: a vila antiga recheada de monumentos, as ruas comerciais e a sua tranquilidade, ainda fazem o fascínio dos muitos que se deslocam à capital algarvia que, à semelhança da Fénix, renasceu das cinzas.

No longínquo ano de 1596, Faro é atacada e saqueada pelo conde Essex, que ateia um incêndio na retirada, devastando por completo, a então Ossónoba.

É recuperada, volta a ser importante e respeitada, até que o terramoto de 1755 a destrói de novo mas, no ano seguinte, em jeito de compensação foi escolhida para capital do Algarve.

Em 1808 Junot ocupou a cidade. Anos mais tarde, esta foi palco de lutas entre miguelistas e liberais, até que a paz e o sossego a tornaram uma das cidades mais tranquilas da região algarvia.

Historicamente, Faro é uma manta de retalhos. Os vestígios de épocas remotas são tão variados quanto os povos que a habitaram ao longo dos tempos.

A parte histórica da cidade está escondida perto da doca de recreio e, por isso, raramente se lá vai por acaso. Só mesmo aqueles que procuram desvendar os seus mistérios deambulam por aquele antiquíssimo piso de pedra. As casas da área histórica estão conservadas. Naquelas ruas estreitas, as janelas apresentam-se enfeitadas.

A área comercial (setecentista) tem o seu ponto máximo na rua de Santo António. Faro é uma cidade bem apetrechada para as compras que o visitante deseje fazer.

Na Ilha de Faro, a cerca de seis quilómetros, encontra um extenso areal, o desejado oceano e também o remodernizado aeroporto, estrategicamente colocado fora da cidade.

Quando o Inverno se aproxima, sabe bem visitar Faro. Os contrastes ganham maior expressão e a tranquilidade convida ao descanso.

Época, 16 Out. 1992

CONJUNTO B

Tempo de Mudança

BLOCO 6

TEMA
Modas

TEXTOS
Roupas de autor
Entre fatos e fatiotas

GRAMÁTICA
Para não ser específico; Exprimir negação

DIÁLOGOS
Esclarecer afirmações e atitudes

PARA CONVERSAR
Vestido para ganhar

LUSOFONIA
S. Tomé

ESTILISMO

ROUPAS DE AUTOR

Cláudia Lobo*

A moda portuguesa sempre sofreu do estigma de ser só para alguns. As lojas dos estilistas lisboetas ficam quase todas no Bairro Alto, a roupa é cara e parece pouco prática. Porém, esta ideia feita nunca abalou o sonho partilhado por muitos jovens: serem "designers" de moda. «Uma família que não tem um *rocker* e um estilista, não é família portuguesa que se preze», dizia Rui Reininho nos anos 80.

Hoje, a moda feita em Portugal deixou de ser exclusivo dos grupos de vanguarda. Feitas as contas, há no país mais de 50 boutiques que vendem peças com assinatura nacional — «roupa de autor», como eles gostam de dizer. Da Loja das Meias de Lisboa à Boutique Sirene de Albufeira, as peças vão-se encaixando no *puzzle*. Fazem girar à sua volta muita gente, de costureiras a compradores, de modelos a produtores de moda. Com jeito e paciência, também encontra saída no estrangeiro.

EXORBITÂNCIA

Para vestir roupa portuguesa, não basta gostar — é preciso ter a carteira recheada. As criações portuguesas, regra geral, não dão para qualquer bolsa. Manuela Gonçalves, dona da Loja Branca, tem peças que chegam a custar centenas de contos. Ana Salazar vende as mais baratas por preço superior a 20 contos. As criações de José António Tenente variam entre os 10 e os 50. «Muitas vezes, temos preços como os da Benetton», contrapõe Eduarda Abbondanza.

Um casaco de homem, destruturado, com corte de alfaiate e todo em seda natural, com o nome Manuel Alves/José Manuel Gonçalves, custa 64 contos. «Tenho muita pena, mas não pode ser de outra maneira», responde Manuel Alves, 39 anos, à acusação de praticarem preços elevados. Para as suas duas lojas, ambas no Bairro Alto, trabalham cinco ateliers de costura, uma modelista, uma cortadora e uma

José António Tenente — Inverno 94

Ana Salazar — Inverno 93
Foto: António Moutinho

assistente. «A investigação e a informação necessárias para se poder fazer um trabalho de criação com consistência exige um investimento que de outra forma não seria comportável», justifica.

José António Tenente, 26 anos, investiu cerca de 20 mil contos para abrir, há três anos, a sua loja, na Travessa do Carmo, em Lisboa, não contando com o dinheiro que gastou na roupa. Pôde fazê-lo porque os pais o ajudaram. «O balanço é bom: as vendas duplicaram», afirma.

Graças a um acordo com a fábrica Pinto de Oliveira, comercializou uma linha de sapatos com o seu nome, disponível em várias lojas. Quanto à roupa, a sua meta é conseguir mais pontos de venda, para além dos cinco que já tem.

Os primeiros estilistas portugueses apareceram a meio da década de 80, na mesma altura em que surgiu uma nova geração de pintores. Ambos os grupos vinham de Belas-Artes e cruzavam-se nas noites do Bairro Alto, na altura ainda reservado aos vanguardistas. No meio dessa agitação cultural, surgiram projectos tão irreverentes quanto disparatados, ideias tão imaginativas quanto inconsequentes.

Hoje, toda essa loucura passou — e poucos são aqueles que se tornaram realmente criadores de moda.

Na transição dos anos 80 para os 90, esgotou-se a imaginação, a anarquia, a loucura. Até as irreverentes Manobras de Maio, que se realizaram entre 1986 e 1988, e eram abertas a toda a gente, foram substituídas pela profissional e restrita Moda Lisboa.

UM CASO

Ana Salazar, atingiu o topo da montanha. Uma loja em Paris, duas em Lisboa, mais 30 pontos de venda em Portugal e outros tantos no estrangeiro — de Tóquio a Nova Iorque. Foi a única criadora portuguesa que, ao usar o nome no trabalho que faz, conseguiu transformá-lo numa verdadeira *griffe*. E também numa linha em série: além da roupa. Ana Salazar é também marca de óculos, atoalhados e lençóis, perfumes e, inclusive, azulejos para pavimentos e revestimentos. Para o ano, pensa lançar uma linha de pronto-a-vestir com preços mais acessíveis. De pioneira da moda em Portugal, Ana Salazar tornou-se numa espécie de Herman José do estilismo: faz de tudo, não tem problema em associar o seu nome a outro tipo de criações, não tem braços a medir para tanto trabalho e, financeiramente, a vida parece correr-lhe bem. Mas sobre sentir-se recompensada pelo seu trabalho em termos monetários, esta mulher de 51 anos, que vive num luxuoso apartamento nas Torres das Amoreiras responde laconicamente «Faço o que gosto. E ainda bem que há várias pessoas que também gostam.»

* Com Ana Almeida, Ana Pereira da Silva e Paula Carreira
Visão, 1 de Abril de 1993

BLOCO 6

ENTRE FATOS E FATIOTAS

Quando nos perguntam qual a moda que preferimos teremos alguma dificuldade em responder. Diremos provavelmente: — Depende dos momentos. Umas vezes precisamos de um fato, outras vezes de um vestido, outras ainda de umas calças, de uma gabardine, etc.

Mas a verdade é que qualquer que seja a ocasião temos mesmo que vestir alguma coisa... Não importa que tipo de fato: Pode ser um fato de treino, um fato macaco, um fato de banho ou um clássico fato de saia (ou calça) e casaco.

Contaram-me há dias que, para uma festa de distribuição de prémios a profissionais de uma empresa, alguém comprou um vestido de 260 contos, espantosamente bonito, feito em seda não sei muito bem de quê e assinado por um qualquer costureiro famoso.

Quando todos os premiados se encontraram para se dirigirem ao local marcado para a cerimónia viram surgir aquele vestido, e dentro dele alguém muito elegante que mal se conseguia mexer... Dificilmente reconheceram que se tratava daquela colega com quem todos os dias costumavam conversar. Fez-se um silêncio incómodo e, como tal, ninguém parecia conseguir encontrar as palavras certas... Aliás, o mesmo parecia ter acontecido ao «conteúdo» do vestido!

E, depois da distribuição dos prémios, enquanto os outros se foram divertir para uma discoteca, vestido e «conteúdo» refugiaram-se no seu quarto de hotel!

Creio que todos nós conhecemos histórias semelhantes onde quer que estejamos... Será que é difícil encontrarmos a melhor forma de estar dentro da nossa pele?

MODAS

A moda encheu Lisboa a pensar em nós que vestimos. O repórter pagou-lhe na mesma moeda e foi ao São Luiz pensar nela que, ainda por cima, lhe tramou completamente a tarde.

Texto: **Carlos Oliveira**
Foto: **Miguel Carvalho e Silva**

Três dias de moda *non stop* assustavam-me. Imaginava o «*tout*» *Lisbonne* enfiado naquela sala — magnífica de oiro e escarlates — vestido de todas as cores da Benetton e naquela poetura distanciada que faz dela (in)justamente, «toda a Lisboa».

No caminho para lá, fora pensando para que perguntas precisava de respostas.

Quando lhe perguntei porque é que se vestia assim, passámos depressa de um ríspido **o que é que tem a ver com isso**? para a minha desculpa jornalística e para o interesse dela, por ter sido notada.

A resposta veio pronta: **por prazer**. Confesso que fiquei arrasado.

Noutro qualquer local tudo teria sido mais complicado e prestar-se-ia a má interpretação mas, à entrada do Teatro São Luiz e com o «Moda Lisboa» a decorrer, quase parecia que não estávamos ali para outra coisa.

Lá dentro os manequins desfilavam.

A sensação de *dejá vu* assaltou-me. Tudo se parecia, aparentemente, com as habituais passagens de modelos que consumimos da televisão. Um ritual, pensei.

Deixei-me levar pela música, fixei o andar bamboleante dos modelos e segui-lhes o rasto de cor que foram largando no caminho, as formas e as texturas. De alguns gostei.

Os originais sucediam-se. O *press-release* enviado para a redacção dizia, publicitariamente, que era «o bom e o bonito», mas mais que isso dei comigo preocupado com a variedade de estilos e a infinidade de propostas para um tão curto tempo de duração: Outono/Inverno 91/92. Precisaríamos de toda esta multiplicidade para valores tão fugazes? Até onde o «por prazer» é moldado por técnicos consumistas? Alguém, ao meu lado, comenta os detalhes de um casaco. Atento, ansioso, nas explicações que me deixam na mesma, sem respostas.

A música sobe em apoteose final. Estou atrasado para um encontro. Com a pressa, na rua, quase nem dou pelas pessoas.

Como é que estavam vestidas as pessoas por quem passei — pergunto-me agora, aqui sentado, ao escrever estas notas!

Foto: Miguel Carvalho e Silva

Grande Reportagem, Julho 91

BLOCO 6

PARA SER IMPRECISO OU PARA NÃO SER EXACTO

Para além da **indefinição do sujeito** (p. 35), podemos usar palavras e expressões indefinidas para não referir, com demasiada precisão, pessoas, objectos, factos, etc..

ALGUMAS PALAVRAS E EXPRESSÕES DE SIGNIFICAÇÃO IMPRECISA

cada um; cada qual
qualquer um; um qualquer; uns(umas) quaisquer
um ... outro ... ; uns... outros ...
um ao/do/para o/outro; uns aos/dos/para os/ outros
tal; tais; um tal; uns tais; tal e tal; tais e tais
certo(a)/s; um(a) certo(a) ...
o(s) mesmo(s); a(s) mesma(s)
tudo aquilo que; todo(s) aquele(s) que

nenhum	=	N + algum
coisa nenhuma	=	coisa alguma
nada		
ninguém	=	pessoa nenhuma pessoa alguma
nem um		

o que quer que quem quer que onde quer que quando quer que como quer que qualquer coisa que	+V conj. presente imperfeito (seja, fosse; haja, houvesse; etc..)
não importa o que não importa quando não importa quem (...)	+ V conj. ou V ind.

Ex.:

*A moda portuguesa é só para **alguns**.*
*... **qualquer que** seja a ocasião temos que vestir **alguma coisa**...*
***Contaram-me** há dias... (= **Alguém** me contou há dias... = **Foi-me contado** há dias...)*
*... assinado por **um qualquer** costureiro famoso.*
*... regra geral não dão para **qualquer** bolsa.*
*Ainda bem que há **várias** pessoas que gostam.*
***Uma coisa** é a Feira de Carcavelos (...) **outra** é comprar roupa de marca.*
*... faz **de tudo**, não tem problema em associar-se a **outro tipo de** criações.*
*Este costureiro não percebe **nada** de moda.*
*Naquele atelier ninguém faz **nada** de nada.*

EXPRIMIR A NEGAÇÃO

OS ADVÉRBIOS DE NEGAÇÃO:

NÃO	(= negação simples)
NEM	(= negação reforçada)
NUNCA	(= negação absoluta no tempo)
JAMAIS	(= negação absoluta no tempo — implica maior grau de formalidade)

MARCAS DE NEGAÇÃO EM FRASES NEGATIVAS:

Adv. + V.

Não; Já não; Ainda não; Nunca;
nem… nem…; nem sequer
nem sempre

Pron. + V.(3.ª sing.)

ninguém; nada; nenhum

Intensificação ou regulação dentro da frase negativa:

Equivalências para a frase:

Ex.: Ela **não usava** vestido

Não + V +	sempre	=	usava poucas vezes
	mais	=	já não usava = tinha deixado de usar
	senão	=	só usava (em certas ocasiões)
	não	=	há a certeza de que ela não usava
	nenhum (a)/s	=	normalmente não usava vestidos (só
	algum (a)/s	=	usa calças, por exemplo)
	mais nenhum	=	ela só usava aquele vestido
	coisa nenhuma	=	ela não usava nada
	coisa alguma		

NOTAS:

1. Retomar a negativa:

(eu… eles…) também não

Negativa implícita:

Apenas só somente

2. Alguns verbos de sentido negativo:

Faltar = não estar, não haver
Deixar de (+ V) = não fazer mais a partir de um dado momento

Escusar de = não valer a pena
Deixar por (+ V.) = não fazer

Ex.:

*Para vestir roupa portuguesa, **não basta gostar**, é preciso…*
*… esta ideia feita **nunca abalou** o sonho partilhado por muitos.*
*Uma família que **não tem** um "rocker" e um estilista **não é** família portuguesa que se preze*
*A moda **hoje deixou de ser** exclusivo de grupos de vanguarda*
*= A moda **hoje já não é** exclusivo de grupos de vanguarda.*
*… explicações que me deixam na mesma, **sem respostas**.*
*Na rua quase **nem dou** pelas pessoas.*

ESCLARECER AFIRMAÇÕES E ATITUDES

Constatar algo que não está correcto ou perceptível:

Creio que há algo (alguma coisa) que não está bem
(Só) há uma coisa que eu não entendo
Há aqui qualquer coisa que eu não percebo

Dissipar malentendidos:

Não fiz por mal
Não foi de propósito
Não queria magoar
Não era essa a ideia
Não era bem isso
Deixa-me explicar melhor
Por outras palavras ...
Não se zangue que eu explico (melhor)
Eu não disse nada disso
Desculpe, estávamos a falar de outra coisa
Vamos lá com calma...
Não mistures alhos com bugalhos

Justificação:

Foi o que me veio à cabeça
A ideia era outra, eu é que não consigo explicar-me
Estamos a confundir as coisas

6.1. O Marco e o Pedro falam de sítios diferentes para comprar roupa...

— Ah Como eu gostava de ter um blusão daqueles!

— De quais?

— Daqueles que estão ali naquela montra.É exactamente aquilo que ando à procura há tanto tempo. Mas são caríssimos.

— Já experimentaste passar pela Feira de Carcavelos? Se calhar encontras iguais, por metade do preço.

— Numa feira? Que disparate! Estes não são uns blusões quaisquer. São de marca! Não encontras disto numa espelunca como a Feira de Carcavelos. Só em casas especializadas.

— Será? Olha que há muita roupa de marca neste tipo de feiras. Além disso não é razão para falares com tanto desprezo!

— Não é desprezo. Tu é que estás a confundir alhos com bugalhos... Parece que não percebes a diferença entre um artigo de marca e um artigo de feira.

— 'Tá bem mas pelo sim pelo não, experimenta. És capaz de descobrir algumas surpresas nessa espelunca, como tu lhe chamas...

— Pronto, desculpa. Não te queria ofender. Não o disse por mal. Foi a primeira palavra que me veio à cabeça...

6.2. A Teresa anda aborrecida com a sua vida e a Olga procura alcalmá-la.

— Estás com um ar chateado! O que é que se passa?

— Estou farta! São as crianças, é o trabalho, é o meu marido, é a casa, são as compras, sei lá! Ando irritada, pronto!

— Andas cansada...Vês as coisas mais negras...

— Antes fosse!

— E o que diz o teu marido? Ele não te ajuda?

— Ajudar? Ele chega a casa cada vez mais tarde...Desculpa-se com reuniões...mas toda a gente sabe o que isso quer dizer!...

— O quê? Tu desconfias de alguma coisa?

— Não tenho a certeza, mas já nada é como dantes...

— Já falaste com ele frontalmente?

— Acho que tentei..., mas se calhar expliquei-me mal, ou pelo menos não fui muito clara. Fiquei nervosíssima e ele perdeu a paciência. Ainda foi pior. Acho que ele percebeu tudo errado...

— Tens que ter calma. Se calhar nem ele é o que tu pensas nem tu lhe consegues falar abertamente. Dá tempo ao tempo...

6.3. A Joana não sabe o que há-de vestir e o marido tenta ajudar...

— Que cara é essa? Passa-se alguma coisa?

— Não sei o que hei-de vestir!

— Com tanta roupa que tu tens??...

— Pois é. Mas estás a ver? As coisas não jogam umas com as outras.Se vestir esta saia com esta blusa não tenho sapatos que fiquem bem. Estes sapatos ficam melhor com calças mas as únicas que tenho estão na lavandaria.

— Ai que impaciente! Veste qualquer coisa. Não estás melhor estás pior!

— Desaparece. Tu não percebes nada disto.

— Ummh! Aqui há gato, de certeza. Tu precisas é de descansar um bocado. O teu problema não deve estar na roupa...

Expressões coloquiais:

espelunca = lugar sem dignidade, de frequência duvidosa.
dá tempo ao tempo = espera
confundir alhos com bugalhos = misturar ideias diferentes
pelo sim pelo não = em caso de dúvida.
aqui há gato = há qualquer coisa que não está bem.

Vestido para ganhar

por Filipa Meneses

Os Yuppies morreram e com eles, as gravatas floridas, os suspensórios folclóricos e as cores berrantes. Guarde isso tudo no fundo do armário e espere uns aninhos até que essa moda volte outra vez. Agora são os Milkies (Modest Introverted Luxury Keeper) que dominam: executivos de sucesso, sóbrios e introvertidos, grandes adeptos da família, do conforto e do luxo discreto (alguns até escondem cuidadosamente os seus Rolex debaixo do punho da camisa!).

Assim, em 93, ganha-se pela calada, com a maior discrição e não foi por acaso que os grandes costureiros ditaram para este Inverno o retorno à sobriedade, duma maneira mais ou menos arrojada. Voltam os azuis, os cinzentos, o preto e o branco. Usam-se bolas, riscas e xadrezes variados. O que define um estilo são os acessórios, os pormenores que num homem são essencialmente a camisa, a gravata, os sapatos e, claro, o perfume!

Fortuna, 8 Nov. 92

São Tomé é a capital de um pequeno país que fala português no Golfo da Guiné. Grande Centro Populacional da República Democrática de S. Tomé e Príncipe, alberga a cidade cerca de 50 por cento da população total, que atinge os 113 mil habitantes. É uma população jovem, onde 98 mil habitantes têm menos de 49 anos.

Por S. Tomé passa grande parte da importância económica do País. Até porque se situam em Água Grande, assim se chama a região onde fica S. Tomé, as vertentes mais importantes: agro-industriais, estruturas hospitalares, ensino e indústria.

Cidade/capital de um país com um clima equatorial quente e húmido, onde a precipitação anual varia entre 1500 mm e os 6000 mm, depara nos arredores com um dos grandes problemas da região e do próprio país.

São os pântanos. Local onde prolifera o mosquito causador do paludismo, doença responsável pela elevada taxa de mortalidade infantil que grassa em São Tomé e Príncipe

É uma situação que vai ser resolvida com um projecto ambicioso: drenar os pântanos, numa operação que fará recuar a doença e implantar, perto de um grande centro populacional, uma nova agricultura.

Outro projecto com grandes reflexos para o futuro de São Tomé e Príncipe passa ainda pela capital: o das telecomunicações.

Este país africano quer tirar proveito da situação geográfica, mesmo no Equador, para implementar, através de um moderno sistema de telecomunicações, um projecto que envolva os países vizinhos, a quem fornecerá algo muito importante nos dias que correm — a possibilidade de diálogo com todo o mundo.

Mas São Tomé é também cidade/capital de um país que quer apostar no turismo.

Um país que quer depender menos do cacau e apostar futuramente na diversificação das suas actividades.

S. Tomé — cidade paraíso, local que as grandes árvores verdejantes escondem do mar que terna e carinhosamente a envolve.

As suas construções evidenciam linhas arquitectónicas que identificam claramente a presença de diversas culturas que no passado se cruzaram bem no centro do mundo.

A preservação desta riqueza está a ser devidamente tratada. Organizações internacionais demonstram já intenção de ajudar a preservar no futuro as construções que o passado deixou.

Para que o futuro seja ainda melhor.

UCCLA, 1989

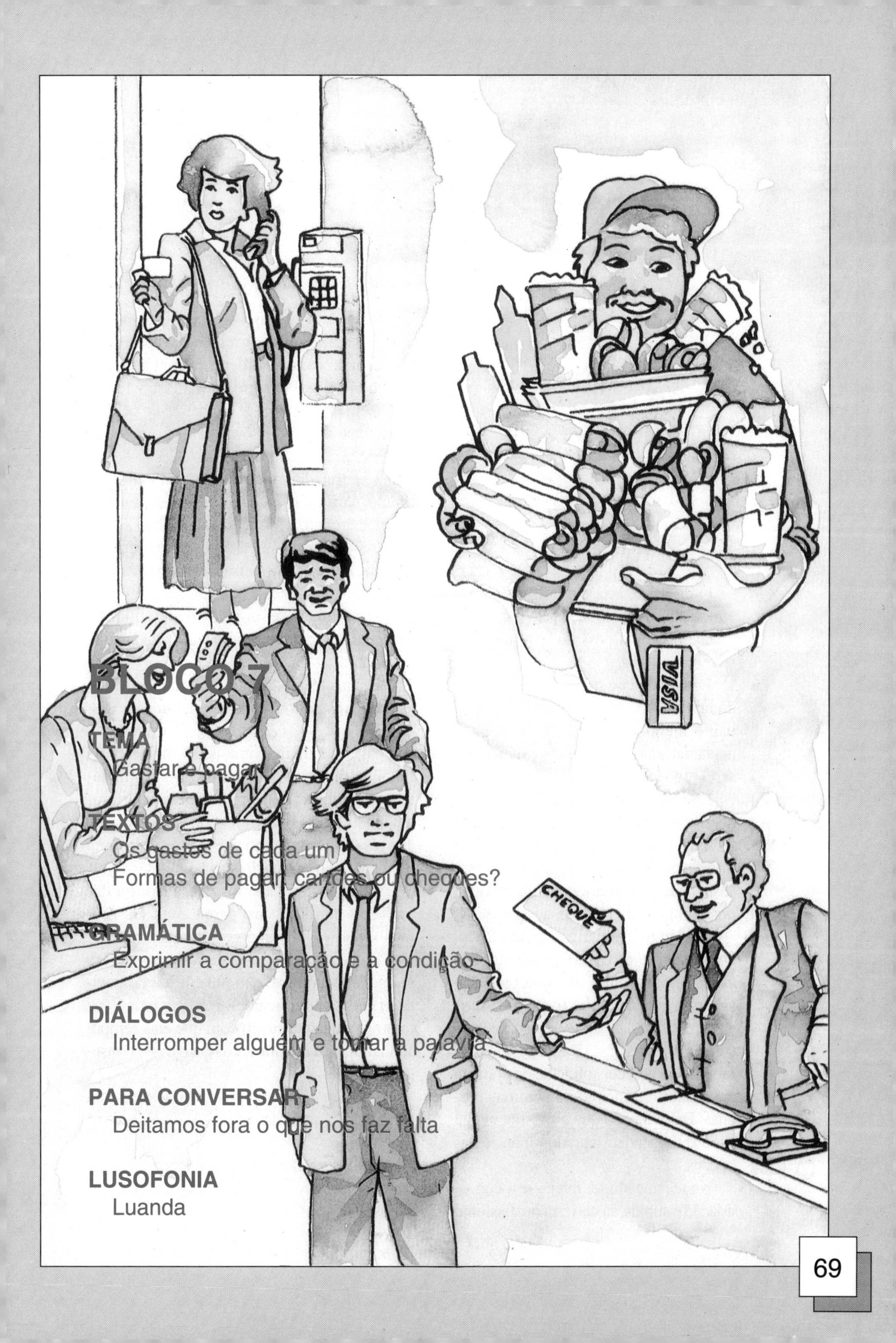

BLOCO 7

TEMA
Gastar e pagar

TEXTOS
Os gastos de cada um
Formas de pagar: cartões ou cheques?

GRAMÁTICA
Exprimir a comparação e a condição

DIÁLOGOS
Interromper alguém e tomar a palavra

PARA CONVERSAR
Deitamos fora o que nos faz falta

LUSOFONIA
Luanda

OS GASTOS DE CADA UM...

Por Helena de Sacadura Cabral

OS GASTOS DAS MULHERES...

O dinheiro, seja ele em espécie ou em plástico, continua a ser, para uma grande parte das pessoas, um modo de se sentirem felizes.

É verdade que o ditado avisa que o dinheiro não compra a felicidade; mas não é menos certo que, pelo menos, ajuda muito. E acaba infalivelmente por ser o seu símbolo.

Estatísticas apuradas nos países ditos desenvolvidos, mostram que cerca de 50% das mulheres, investem para o futuro e a mesma percentagem, recusa ser sustentada pelo marido, preferindo, se possível ganhar até, mais do que ele!

Os rapazes e raparigas até aos 25/30 anos, concentram os seus dispêndios nos cuidados pessoais, nas discotecas e saídas nocturnas, nos livros e discos e na motorizada/carro e respectiva gasolina. A partir dos 35 anos, a situação familiar ou está consolidada, ou começa a ameaçar o princípio de algumas brechas. Da evolução que a mesma venha a tomar, dependerá a predominância das opções.

Na mesma altura, inicia-se a consolidação e subida da carreira profissional de ambos, isto no caso de ela existir, para o lado feminino, como carreira e não apenas como complemento de ordenado. Para o mundo masculino este é o início da sua fase vital, da época em que tudo pode ganhar-se ou perder-se...

Que fazem as mulheres nesta época da sua vida? Se trabalham encontram um maior estímulo para os eventuais desencantos que o envelhecimento poderá acarretar. Para as que não trabalham, ir às compras constitui uma terapia contra o aborrecimento, a tristeza ou a depressão.

Pode também ser um hábito que, em muitos casos, cria dependência e requer tratamento psiquiátrico.

As mais afectadas por este mal são, aliás, as mulheres com nível sócio-cultural médio-alto.

Nos casos mais comuns, as mulheres na faixa etária dos 45/55 anos, gastam fundamentalmente no seu próprio bem-estar pretendendo com isso diferenciar-se dos outros através de um consumo que lhes projecte uma imagem de importância social.

Aquilo de que falámos, no fundo, foi das mulheres com dinheiro para gastar. Ou pelo menos com alguma margem para o fazer.

Porque as outras, as que não possuem essa margem económica, têm uma infinita capacidade de se multiplicarem, para garantir à sua família o indispensável, com que elas sempre sonharam e, na maioria dos casos, não conseguiram obter.

Finalmente, com o aproximar dos sessenta entra-se de novo, na conjugação de objectivos e de atitudes.

Os filhos estão criados, independentes, e em certos casos, materialmente melhor colocados do que os seus pais.

OS GASTOS DOS HOMENS...

O sexo masculino sempre gostou de dinheiro, mas tinha uma enorme dificuldade em o confessar, sobretudo em épocas em que falar dessa matéria era tido como de muito mau gosto e expressão de um baixo nível educacional.

Se para a mulher possuir um belo vison ou uns atractivos brilhantes, constituem formas exteriores de mostrar o seu racking económico, no caso do homem esse símbolo transfere-se sobretudo, para o modelo e a potência do seu automóvel. Este é, declaradamente, um dos seus primeiros cartões de visita e a tradução do seu poder.

Depois vem o vestuário, escolhido de preferência entre as marcas internacionais mais conhecidas, como Cerruti, Armani, Boss ou Façonable.

Estas «griffes» são tão importantes, que se permitem utilizar os próprios consumidores para fazer a sua publicidade.

De seguida, vêm as águas de colónia, os after shave, todos eles, também, das melhores e mais conhecidas marcas.

Os gastos em bons vinhos, bons tabacos e restaurantes de luxo rivalizam entre si as prioridades, assim como as estâncias de neve ou as férias em locais paradisíacos.

Outro sector muito importante para o homem, nomeadamente o de negócios ou empresário, é poder possuir um bom escritório, de que ele gosta de se ocupar e para o qual se limita a ouvir a opinião da mulher em aspectos acessórios.

Vem igualmente no quadro das preferências masculinas a prática dos desportos caros, tais como ténis, squash e golfe e, nalguns casos, também a vela, a prática de esqui e a equitação.

Tudo isto pressupõe uma sólida fortuna pessoal, que se obteve através de herança, ou do horários de quase 14 horas de trabalho, muito bem remunerado.

Se antes a classe dos empresários, dizia por si, tudo o que a vida profissional do titular comportava, hoje ser-se «gestor de empresa» ocupa alta classificação entre as funções mais cotadas.

Se se for gestor da própria empresa, o efeito é, claro, multiplicado.

Vai-se a congressos, seminários e conferências, porque se aprende e porque se sabe que aí é possível encontrar os «partners» ideais e, sobretudo, conhecê-los e falar-lhes... Trata-se de um investimento em si próprio que, como é natural, não tem preço!

Grande parte deste tipo de despesas é pago, obviamente, com cartão de crédito, de preferência gold ou platina, cuja função, além das correntes, é mostrar que o seu detentor pertence às personagens de consagrado tratamento VIP.

A garrafa de whisky nos bares mais luxuosos e conhecidos, desempenha, também, uma função similar.

A vantagem do cartão de crédito para o homem é, fundamentalmente, a de não ter que prestar contas a ninguém das próprias despesas.

Aliás, o «cartão de crédito retira o sentimento de culpa ao excesso de consumismo e duplica o prazer de comprar», como me dizia um dos homens ouvidos nesta matéria.

Outro «tique» do alto nível social masculino é a cobrança, no seu escritório, das facturas relativas às compras da mulher. Porque, quer queiramos quer não, uma mulher dispendiosa, jovem e bonita, sua ou alheia, faz parte dos sinais exteriores de riqueza, indispensáveis em certas profissões de risco.

Também é certo que o homem se esforça por aumentar os seus rendimentos a partir da altura em que a família começa a aumentar. Mas se se medisse bem as «abdicações» que cada um dos consortes faz, nesta altura das suas vidas, a mulher iria estar à sua frente, um bom par de grandes passos.

Máxima, Fev. 92

CONSUMO

As surpresas das caixas Multibanco

Dinheiro em caixa

João Palma e Paulo Miguel Madeira

Há pequenas distrações que podem ser quase fatais ao consumidor. Não há danos pessoais nas vítimas a necessitar de socorros urgente. Mas os prejuízos materiais podem ser de monta. Para isso acontecer, basta que as máquinas do Multibanco lhe «enrolem» as notas ou o utilizador demore alguns segundos mais a retirar o dinheiro.

Chegou a sua vez de utilizar o Multibanco. Mete o cartão, digita o código pessoal e aguarda. As operações seguintes são conhecidas: recuperar o cartão, retirar o talão de saldo e o dinheiro.

Este é o procedimento habitual. Mas nem sempre as coisas se passam assim. Uma pequena hesitação no acto de retirar as notas de banco da ranhura da máquina de Multibanco (ATM), por exemplo, pode levar vários meses a corrigir.

A maioria dos problemas com as ATM têm que ver com o não reconhecimento dos códigos pessoais ou um inesperado «apetite» da máquina, que engole os cartões sem razão aparente. Mas qualquer que seja o caso — e os que começámos por referir também se verificam — o certo é que os detentores dos cartões se vêem obrigados a percorrer uma penosa «via sacra» para recuperar a importância que quiseram levantar em dado momento.

Se isto lhe acontecer, deverá dirigir-se ao balcão onde a máquina está instalada e informar os funcionários do sucedido. Estes verificarão posteriormente se ela tem mais dinheiro do que deveria, em função das operações feitas. No entanto, não lhe entregarão logo o dinheiro, pois remetem o processo à SIBS.

A diligência seguinte é comunicar ao seu banco o sucedido, para que este providencie junto da SIBS no sentido de resolver a situação, pois os clientes da empresa que não atende directamente os detentores de cartões, são os bancos.

Quanto tempo leva a SIBS a devolver o dinheiro ao detentor de um cartão Multibanco? Nos casos de que o PÚBLICO teve conhecimento, esse período foi exageradamente longo, tendo em conta as importâncias em causa. Num deles, um utente que ficou com dez contos retidos numa ATM, e apesar de o banco de que é cliente lhe ter assegurado que o processo seria rápido, esperou mais de três meses até que lhe fossem devolvidos.

Noutro caso, já passaram mais de dois meses e os cinco contos que foram recolhidos por um caixa automático antes de o utilizador os conseguir retirar (porque as notas vinha enroladas) continuam por recuperar.

Nos casos citados, os montantes em jogo não causaram grandes transtornos aos lesados. No entanto, nem sempre será assim, e alguém poderá ficar com o seu orçamento afectado devido a uma distracção sua ou a um problema das ATM. E embora a responsável da SIBS afirme que há prazos razoáveis para resolver estas situações, a verdade é que nos exemplos referidos eles não foram observados.

Público, 10.01.93

CHEQUE EM XEQUE

Cheques, quem os quer? Bancos e comerciantes fogem deles a sete pés. Ao comum dos cidadãos, sempre vão servindo.

Mário Vaz Ramires e Pedro Prostes da Fonseca

Uma história de bradar aos céus, a dos cheques. Inimigo a abater. Quem o apresenta: «É um potencial vigarista», no dizer do proprietário de um restaurante em Sete Rios. O seu peso torna-se, antes de mais, proporcional ao aspecto do seu portador.

A fim de evitar confusões pouco agradáveis na altura da «dolorosa», e a consequente ameaça de má publicidade à casa, há quem jogue pelo seguro e não queira deixar margem para dúvidas quanto ao seu «amor» pelo cheque. São os que afixam na parede dos seus estabelecimentos avisos de que não os aceitam, tenham o valor que tiverem. Ou então que apenas admitem os visados. Uma solução encontrada para não violar a legalidade, dizem-nos.

«Não podemos pôr na parede que não aceitamos cheques, por isso avisamos que só admitimos os visados. Não vá aparecer aqui alguém com a lei e a ponha debaixo do nosso nariz», confidencia o dono de um restaurante, orgulhoso pela sua esperteza... saloia.

No reino do cheque, quem tem olho parece ser rei. Há quem o querendo passar cite a lei não sei quantas barra não sei que mais e impressione quem o acaba por receber... há quem não o querendo aceitar pendure avisos a deitar abaixo tentações. Uma brincadeira do gato e do rato jogada sem regras. Porque as leis (simplesmente) não foram lidas.

«Bem, isso não sei bem, mas cá não os aceitamos. Só se for gente conhecida, de outra maneira...» — Esta foi a resposta-tipo de patrões e empregados, questionados pela *Sábado* sobre se se consideravam obrigados a aceitar, por lei, esta forma de pagamento.

As dúvidas varrem quem serve e quem é servido.

«Essa história dos bancos pagarem até cinco contos é muito bonita. Mas os cheques voltam para trás, agora por conta bloqueada. Se forem desse valor não perdemos tempo, mas se atingirem 10, 12 contos já vão para a Judiciária».

Recorrer a Tribunal não é solução: «Está a ver, eu para sair daqui tinha que fechar a porta. O tempo que perdia a ir não sei quantas vezes ao tribunal, já para não falar das multas de estacionamento... para tentar recuperar uns contos não compensa os prejuízos», lamenta um dos sócios da cervejaria Coral, junto ao Jardim Zoológico.

Em sintonia, o gerente da cervejaria Edmundo diz: «Os cheques continuam a voltar para trás, sejam ele de dois, três ou quatro contos. Para quê ir a Tribunal se, grande parte das vezes, depois, os vigaristas nem sequer são encontrados, dizem-nos que estão em paradeiro desconhecido e pouco há a fazer. Até hoje, dos que meti na Judiciária só recebi um», conta Alfredo, mostrando um dossier cheio de cheques por cobrar.

«Nos últimos seis anos tivemos um prejuízo de 500 a 600 contos só com cheques», diz, salientando que outros há que aguardam pagamento, como o do «rombo» dado por um histórico desportista português que, só à sua conta, prejudicou a «casa» em 200 contos. «Está a pagar às pinguinhas».

Sábado, 6.05.93

BLOCO 7

EXPRIMIR A COMPARAÇÃO

Ex.:

*... preferindo, se possível, ganhar até **mais do que** ele!*
*... materialmente **melhor colocados do que** os seus próprios pais*
*... desportos caros, **tais como** ténis, squash e golfe...*
*... também eles **das melhores e mais conhecidas** marcas*
*... rivalizam entre si **assim como** as estâncias de neve*
*... ocupa alta classificação **entre as funções mais** cotadas*
*... estas «griffes» são **tão importantes que** se permitem utilizar os próprios consumidores para a sua publicidade*

SUPERLATIVO DO ADJECTIVO:

	ou	
Muito + adj.	ou	**Adj. + - íssimo**
Ex.: São produtos muito conhecidos	=	conhecidíssimos
muito importantes	=	importantíssimos

Nota:

1. **Adj. terminados em - vel** — **- bilíssimo**
   São muito agradáveis = agradabilíssimos
2. **Adj. terminados em - z** **=** **- císsimo**
   É muito feliz = felicíssimo
3. **Outras formações latinas:**

- imo	**- érrimo**
difícil = dificílimo	pobre = paupérrimo
fácil = facílimo	célebre = celbérrimo

Reforço da comparação e subordinação:

bem mais / muito menos
bem melhor / bem pior
ainda mais
muitíssimo mais

Comparação progressiva

quanto mais ... mais
quanto menos ... menos
cada vez mais / menos
cada vez melhor / pior

Estruturas adverbiais paralelas:

Locuções adverbiais:

tal e qual; tal como; tais como
bem como; assim como
da mesma maneira;
da mesma forma
do mesmo modo
em contrapartida

Advérbios em paralelo:

assim como ... também ...
por um lado ... e por outro..
antes ... hoje...
tanto / tão ... como ...
tão ... quanto possível
não só ... mas também

Uso de diminutivos:

devagarinho	cedinho
depressinha	pertinho
rapidinho	juntinho

Algumas expressões de comparação:

igual a	parecer-se com
semelhante a	ser idêntico a
parecido com	assemelhar-se a

EXPRIMIR A HIPÓTESE / CONDIÇÃO

Hipótese provável	É possível que É provável que Pode ser que Talvez	Conjuntivo (Pres.) (Imp.)
	Podia ser que Era possível que	(Imp.)
	É/era possível	Infinitivo (flex.)
Hipótese pouco provável	Supondo que Imaginando que Admitindo que	Indicativo (Pres.) (Pret. Perf.) (Pret. Imp.)
Comparação hipotética	Como se	Conjuntivo (Imp.) Indicativo (Mais-que-Perf)

1. **Condição real (factual):**
   Ex.: ***Se trabalham encontram*** *um maior estímulo para os desencantos do envelhecimento.*
   ... isto ***no caso de ela (profissão) existir*** *para o lado feminino como carreira*
   Para isso acontecer ***basta que*** *as máquinas (...)* ***lhe enrolem*** *as notas* ***ou o utilizador demore*** *alguns segundos a retirar o dinheiro.*

2. **Condição hipotética (não factual):**
   Se se for *gestor da própria empresa o efeito (...)* ***é*** *multiplicado.*
   Se isto lhe acontecer deverá *dirigir-se ao Banco ...*

3. **Condição irreal ou eventual (contrafactual):**
   Se se medisse *bem as abdicações que cada um faz a mulher* ***iria*** *à frente.*

SE
CONDIÇÃO / HIPÓTESE **CONSEQUÊNCIA**

Condição real realizável	Modo indicativo	Se trabalham Se trabalharam Se trabalhavam	encontram estímulo encontraram... encontravam...
Condição hipotética	Modo Conjuntivo	Se isto lhe acontecer	deverá... deve...
Condição irreal No passado		Se isto lhe acontecesse Se lhe tivesse acontecido	deveria devia

Outras **conjunções e locuções preposicionais e conjuncionais** que podem exprimir vários graus de condição, hipótese e eventualidade:

B L O C O 7

INTERROMPER ALGUÉM E TOMAR A PALAVRA

Desculpe, mas não é (exactamente) assim
Deixe-me acrescentar que ...
Será que posso ainda dizer uma coisa mais ...
Lamento interromper mas ...
Eu gostaria de dizer só duas palavras
Só mais uma palavrinha
Eu gostaria de continuar

Se me dá licença ...
Se me permite eu gostaria de ...
Desculpe, ainda não acabei.
Permita que acabe a minha exposição
Será que posso continuar?
Deixem-me falar;
Não me interrompam a toda a hora!

7.1. O sr. Pacheco está a falar com o sr. Santos sobre o Director que desapareceu...

— Não. O que ele me disse é que ia hoje para o Algarve e ficava lá até sexta-feira próxima.

— Bonito! Foi-se embora, não disse nada a ninguém, deixou os cheques por assinar, e eu agora não posso fazer pagamentos nenhuns!

— Espere. Disse-me a mim! Eu sou gente!

— 'Tá bem. Mas não avisou ninguém da Empresa! Desapareceu pura e simplesmen...

— Desculpe interrompê-lo mas olhe que ele se calhar fez de propósito! Não me admirava nada. Capaz disso é ele!

— Mas porquê? Não ganha nada com isso!

— Se calhar ganha tempo. E já agora sempre gostava de saber se ele teria dinheiro para pagar tudo o que deve? Não terá ido à procura de um empréstimo?

— Pode lá ser?!!

— Só aqui entre nós: ele andava aflito com falta de dinheiro. Eu sei.

— Mas isso não faz sentido! Um homem com um casarão daqueles, com um carrão daqueles, deve ter dinheiro!

7.2. O João precisa de dinheiro e foi pedi-lo ao Pedro...

— Pedro. Posso? Preciso de te pedir um grande favor.

— Diz, diz.

— Emprestas-me 500 contos?

— Estás maluco? E onde é que eu os tenho?

— Não tens? Eu precisava tanto!

— Para quê? Não me dirás?

— Eu vi uma mota linda e queria comprá-la mas tenho que entrar com o sinal já. É a última com aquele preço, percebes? As próximas que vierem já são mais caras.

— Estás a ir na conversa do vendedor. Já procuraste noutras casas?

— Para quê? Elas têm todas o mesmo preço em qualquer parte.

— Tu não podes comprar a primeira que vês...

— 'Tá bem pronto, já percebi. Tu não...

— Deixa-me falar que eu ainda não acabei. Deves procurar com calma e pensar bem. 500 contos é dinheiro, não dá para pedir emprestado ao primeiro amigo que te aparece na frente.

— Mas tu disseste-me que só não me fazias um favor se não pudesses.

— Este não posso. E mesmo que pudesse não te emprestava nada. Não alinho em loucuras...Tens que aprender a pensar. Com dinheiro não se brinca...

7.3. A D. Matilde foi à loja onde comprou a sua nova televisão porque queria a garantia...

— O senhor não sabe o que diz! Então quer fazer-me crer que apesar de eu ter pago a primeira prestação da televisão não tenho direito à garantia? Mas eu já tenho a televisão em casa... está a funcionar...

— Deixe-me falar..

— Cale-se. Primeiro falo eu. Como eu ia dizendo, tenho a televisão a funcionar. No próximo mês pago a segunda prestação. E daqui a três meses tenho a televisão toda paga.

— A senhora acalme-se, não foi nada disso que...

— Não me interrompa, já disse. Então eu dentro de três meses tenho a minha televisão toda paga e sem garantia? E se entretanto houver um defeito de fabrico, uma avaria qualquer? Eu não tenho culpa e não posso demonstrar que está dentro da garantia? Porque é que o senhor não me dá a garantia?

— Mas é o que eu lhe estou a tentar explicar e a senhor não deixa... Ninguém lhe disse que a senhora não tem direito à garantia porque a senhora levou a garantia para casa, dentro da caixa do televisor. Só tem que preencher com o seu nome e morada e mandar pelo correio. Nem precisa de selo!

— A garantia, dentro da caixa do televisor?...Mas eu deitei a caixa fora assim que tirei a televisão de lá de dentro!...

— Bonito serviço!

Expressões coloquiais:
bonito! = que chatice!
se calhar = possivelmente, talvez
de propósito = intencionalmente
ir na conversa = acreditar no que lhe dizem
bonito serviço (ironia) = que disparate! que asneira!
pelo sim pelo não = em caso de dúvida.
entrar com o sinal = pagar uma primeira parte

Deitamos fora o que nos faz falta

Os portugueses queixam-se dos preços da água, da luz e do telefone, mas não evitam os desperdícios. Fazem torradas em fornos eléctricos, passam horas ao telefone e deixam torneiras a pingar durante dias inteiros. Os pequenos desperdícios de cada um traduzem-se em exorbitantes perdas do País. Gastamos, por ano, mais 15 a 30 milhões de contos do que o necessário em electricidade; desperdiçamos 45 milhões de metros cúbicos de água, só em Lisboa. A ÉPOCA dá-lhe algumas «dicas» para ajudar a diminuir o montante das facturas no final do mês.

Manuela Portugal Rebelo

Se podemos gastar 10, porque havemos de gastar 20? É muito fácil evitar este gasto desnecessário de energia. Basta que no acto da compra se comparem os dados constantes das etiquetas dos electrodomésticos para ver quais são as marcas mais económicas.

De acordo com as normas europeias de etiquetagem, todos os aparelhos têm inscritos os respectivos consumo e potência. Compare os dados de vários modelos e marcas e faça a sua opção, como se de um automóvel se tratasse... E, depois de comprar, siga algumas normas para evitar os desperdícios: regule o frigorífico para seis graus centígrados, porque uma temperatura inferior é inútil e aumenta o consumo entre sete e oito por cento por cada grau abaixo. O mesmo se passa em relação às arcas congeladoras. menos de 18 graus negativos é dispêndio inútil de energia.

No que se refere à água, os portugueses desperdiçam bastante. Sabia que o mau hábito de lavar os dentes com a torneira aberta faz desperdiçar entre 8 e 10 litros do precioso líquido em cada lavagem? E que se gastam de 30 a 60 litros de água de cada vez que se faz a barba?

Os autoclismos são outra fonte de desperdício. De cada vez que se faz uma descarga deitam-se fora nove litros de água, quando a capacidade dos autoclismos europeus se fica, normalmente, pelos seis/sete litros, com o mesmo resultado. Para evitar gastos desnecessários pode recorrer-se a outro pequeno «truque»: colocar um tijolo dentro do autoclismo, ou uma garrafa de plástico com água e pedras, dá uma poupança de um litro de água por descarga. Por outro lado, raro é o autoclismo que veda bem. Ora, o pinga-pinga constante pode chegar a perder 34 mil litros de água por dia, se tiver uma fuga de 12 milímetros. O número parece exorbitante, mas este tipo de avaria é bastante vulgar e faz aumentar a conta, no final do mês, de forma assustadora.

QUANTO A CASA GASTA

Electrodoméstico	Potência	Tempo	Custo
Máquina de lavar	5000 W	2 horas	154$40
Frigorífico	60 W	24 horas	22$30
Televisor	60 W	6 horas	5$50
Alta Fidelidade	50 W	5 horas	3$70
Aspirador	900 W	1 hora	14$00
Forno Eléctrico	1750 W	1 hora	27$00
Torradeira	600 W	30 minutos	4$80
Ferro de Engomar	1400 W	3 horas	65$00

Época, 2-05-92

Luanda

Angola é uma espécie de janela no continente africano.

Fica no centro de África espalhando-se por uma superfície de 1246700 quilómetros quadrados.

No meio, voltada para o Atlântico, situa-se Luanda, cidade capital de um país que confina a Norte com a república do Zaire e República Popular do Congo, a leste com as Repúblicas do Zaire e da Zâmbia e a sul com a Namíbia.

Luanda é bela.

Fica na baía e estende-se pela imensidão calma e tranquila que África consegue dar às grandes coisas.

Abriga no seu seio mais de milhão e meio de pessoas, acolhendo também parte significativa da indústria e do comércio angolanos.

É o centro político de um país dividido em 18 províncias e 164 municípios.

O Senso de 1980 indicava uma população de 7915 mil pessoas, dos quais 52 por cento com idades inferiores a 20 anos e 71 por cento não chegavam aos 30 anos.

Dados já posteriores indicam que os actuais residentes ultrapassam ligeiramente os dois milhões.

Em termos de actividade profissional, 57% dedica-se à agricultura, 25% ao comércio e 18% ao trabalho habitualmente na indústria.

Angola sabe que guarda no seu íntimo riquezas que muitos esperam.

Petróleo, diamantes, ferro, volfrâmio e ouro existem aqui em abundância.

Algodão, açúcar, sisal, quartzo, couros — uma infinidade de produtos que este país da África Austral pode vir a fornecer.

No presente, Angola vive com uma economia fundamentada na extracção de petróleo — em 1982 a agricultura e pescas contribuiram com 13,9 por cento do PIB, a extracção e refinação de petróleo com 30,5 por cento, as restantes indústrias extractivas com 8,9 por cento, construção, energia e transportes 9 por cento, comércio 11,9 por cento e os serviços 26,5 por cento.

Uma estrutura que pouco deverá mudar até ao final da década.

Mesmo assim, Angola pode tirar partido da situação, caso se confirme a teoria daqueles que garantem serem os anos 90, a década das matérias-primas.

Aí, Angola ganhará dimensão e importância e Luanda, sempre bela, voltará a ser um grande espaço de glória.

UCCLA, 1989

BLOCO 8

TEMA
Delitos e detectives

TEXTOS
«Sherlocks» à portuguesa
Dois tipos de roubo

GRAMÁTICA
Exprimir hipótese, Condição e Consequência

DIÁLOGOS
Colocar objecções; lamentar-se e congratular-se

PARA CONVERSAR
«A ocasião faz o ladrão»

LUSOFONIA
Brasília

BLOCO 8

SHERLOCKS À PORTUGUESA

Não são reconhecidos por lei mas resolvem muitos casos de polícia. Usam cabeleiras postiças, disfarçam o rosto com silicone e maquilhagem e trocam de roupa várias vezes ao dia. São os detectives particulares. Há cerca de um dúzia em Portugal.

Manuela de Portugal Rebelo

A profissão de detective particular não é reconhecida oficialmente em Portugal, mas eles existem, têm número de contribuinte, pagam impostos. São ex-polícias ou apenas amantes da investigação. Os mais exigentes e endinheirados vão ao estrangeiro tirar cursos. Os outros aprendem com a experiência.

No total do País e reconhecidos pela classe não chega a haver uma dúzia de detectives: sete em Lisboa, três no Porto e um na Guarda. Cada um deles tem, depois, uma série de ajudantes, em muitos casos contratados ocasionalmente. O negócio dá. Os detectives são contratados para coisas tão diversas como seguir um cônjuge adúltero, descobrir um desaparecido, fazer o levantamento dos bens de uma determinada família ou investigar o desvio de dinheiros de uma empresa.

Os casos mais frequentes (cerca de 80 por cento) estão ligados a adultérios. São trabalhos que se resolvem, normalmente, numa semana de «perseguições» à hora do almoço e à saida do emprego. Os clientes tanto são homens como mulheres, embora elas apareçam numa percentagem ligeiramente superior. Há-os de todas as idades, mas a maioria situa-se na faixa dos 35 aos 45 anos.

Seguir um cônjuge adúltero durante uma semana custa entre 60 e 80 contos.

«O primeiro dia é para reconhecimento do terreno». Ver os hábitos da «vítima». Depois, é dar tempo ao tempo. Se houver de facto alguma coisa, mais dia menos dia a pessoa é apanhada em falta» — diz à ÉPOCA Adriano Melo, um homem que, há 17 anos, trocou a Polícia Judiciária pela investigação particular.

Descoberto o «crime», ou se fotografa ou se chama o interessado, para o apanhar em flagrante ou, pura e simplesmente, se recolhem os elementos para contar ao cliente.

Muito frequentes são também os casos de pessoas desaparecidas. Os que desaparecem com o dinheiro dos sócios, os pais e mães, que fogem com os filhos, no caso de divórcios, e os que desaparecem ou são feitos desaparecer por outros motivos.

«Estes casos são mais difíceis. Às vezes levam meses a solucionar e podem chegar a custar dois mil contos. Já tive casos de ir no rasto de alguém até ao Brasil. Quando há dinheiro em jogo o destino é quase sempre o Brasil. Fogem para lá e depois instalam-se num país ali da zona. Até Pedro Caldeira, quando fugiu, passou pelo Brasil» — afirma convicto.

Investigar desvio de dinheiros em empresas é outra área com muitas solicitações. O preço varia consoante a dificuldade da investigação. Às vezes obriga à colocação de um detective dentro da própria empresa a desempenhar uma qualquer tarefa. Nestes casos pode chegar a custar algumas centenas largas de contos por mês.

A procura de bens de determinada pessoa ou família também é frequente, nomeadamente em casos de partilha de heranças. São trabalhos fáceis — afirma. Nunca demoram mais de duas semanas e fazem-se «nas calmas» por 150 contos.

Também aparecem os casos de droga. Os pais que desconfiam do comportamento dos filhos e que decidem mandar segui-los. Às vezes a investigação leva à descoberta de situações graves de tráfico e, nesses casos, não há nada como um telefonema anónimo para a Polícia.

Escutas telefónicas ninguém admite fazê-las. A lei não o permite, mas lá que existem existem, e alguém as faz. Hoje já existe aparelhagem altamente sofisticada e muito «discreta» que tanto pode ser colocada dentro de casa como fora, nas caixas de derivação.

Proibido é também tirar fotografias, mas a proibição não é respeitada. De longe, com tele-objectivas, ou de perto com a ajuda de uma discreta câmara de filmar colocada debaixo do braço. Com um pouco de fita isoladora preta, disfarçam-se as luzes vermelhas indicativas de gravação. Até se pode estar a conversar com o visado que ninguém dá por nada. Mais tarde, passa-se o filme num ecrã de televisão e fotografa-se com a imagem parada. Truques dos «Sherlock Holmes» à portuguesa...

Época, 2 Out. 92

CRIMINALIDADE EM LISBOA

«Esticão»: o rei dos Roubos

Os roubos são o principal crime participado à Polícia judiciária de Lisboa. No ano passado, os montantes relativos a esses delitos ascenderam, só na grande cidade, a 189.362 contos. O "esticão" é o tipo de roubo mais praticado.

José Bento Amaro

De motorizada, de carro ou mesmo a pé, os "esticões" são o tipo de roubo mais praticado em Lisboa. Quase sempre, praticados por jovens, alguns menores, do sexo masculino, vitimam sobretudo, mulheres, sozinhas ou acompanhadas; porém, as jovens também actuam.

MALAS DE MÃO SÃO PREFERIDAS

As mulheres são as vítimas preferidas pelos autores de roubos por "esticão" (85 por cento) e, entre os bens que estas transportam, são as malas de mão os eleitos, que corresponderam a 73,4 por cento dos roubos. Seguem-se os fios de pescoço, as máquinas fotográficas, o dinheiro, as pulseiras, os aparelhos de som e, finalmente, os relógios.

Mas, para além dos "esticões", outros delitos são contabilizados pela polícia, como os roubos, com ameaça, com violência, em residências, à mão armada e em estabelecimentos.

Ao contrário do que sucede com o "esticão", estes delitos não são tão frequentes no período diurno. Fazendo a comparação das participações dos últimos três anos, apenas em 1991 (com 56,7 por cento dos roubos a serem praticados de dia) o número foi inferior aos mesmos crimes concretizados durante a noite.

As vítimas deste tipo de roubos são, também ao contrário do que se passa com o esticão, sobretudo os homens (78 por cento no último ano). Razão por que entre os bens que mais desaparecem o primeiro lugar das estatisticas é ocupado pela rubrica "artigos diversos" (41,2 por cento), seguindo-se depois o dinheiro e, só em terceiro lugar, as malas.

Os dados da Polícia Judiciária, sobretudo em relação ao "esticão", pecam, no entanto, por defeito. É que o Inquérito de Vitimação elaborado pelo Gabinete de Estudos e Planeamento do Ministério da Justiça refere que apenas sete por cento das vítimas de roubos apresenta queixa às autoridades.

Caso vá na rua tome cuidado com os seus valores.

Público, 19. Out. 92

CHICHORRO ENGANADO

O pintor moçambicano Roberto Chichorro foi lesado por um mau pagador que, na base da confiança, lhe levou meia dúzia de telas, então avaliadas em 15 mil contos, e nunca mais apareceu. Num filme que a RTP passou no fim-de-semana, ficou a saber onde estão

Roberto Chichorro foi, há cerca de quatro anos, protagonista de uma história rocambolesca. Um americano, que se disse ligado a uma editora de livros de arte e serigrafias nos States, mostrou-se interessado no seu trabalho. Passados uns tempos e depois de lhe ter comprado algumas telas, o americano voltou a contactar o pintor dizendo que queria adquirir mais obras de arte. Tudo certo até aqui, não fora o facto de o americano na posse de seis ou sete telas e aguarelas do pintor, avaliadas à época (1988) em 15 mil contos, desaparecer sem pagar.

Escusado será dizer que todas as tentativas de Chichorro para encontrar o pseudo-comprador foram baldadas. Mas o mais incrível estava ainda para vir.

Passado algum tempo, Chichorro recebeu um telefonema de uma pessoa amiga, que lhe garantia ter visto os quadros roubados num filme.

Chichorro nem queria acreditar. Chegado a casa do amigo, este projectou a película e o pintor constatou: os quadros expostos numa cena do filme passada num hotel, eram os que lhe tinham sido roubados. E o filme em questão era, acreditem, "Orquídea Selvagem" que a RTP transmitiu no passado fim-de-semana.

Apesar deste novo elemento, Chichorro nunca acreditou verdadeiramente na solução do caso. Ainda tentou localizar o burlão, apelando a um amigo de um amigo com contactos nos Estados Unidos, que deu voltas para encontrar o rasto do americano. Mas em vão. "Eu agi na base da confiança e, se saiu tudo mal, o único culpado sou eu" — desabafa o lesado.

O caso chegou ao conhecimento de um núcleo de advogados americanos que propôs a Chichorro uma deslocação aos Estados Unidos. O pintor, descrente, negou-se a ir. "Era tudo muito vago, não justificava a minha ida."

Hoje, Chichorro pensa que o caso está definitivamente posto de parte.

As suas telas, essas, continuam a ser vendidas da mesma maneira: "Na base da confiança, porque eu não sei fazer as coisas de outra maneira."

Sofia Oliveira
Época, 20.Nov.92

EXPRIMIR CONDIÇÃO E HIPÓTESE

Outras formas de exprimir a condição:

Condição		Modos (e Tempos) verbais
necessária	com a condição de na condição de desde que desde o momento que	Infinitivo (flex. ou não) Conjuntivo (Pres., Imp.)
restritiva	salvo se excepto se a menos que	Conjuntivo (Imp., Fut.) (Pres., Imp.)
hipotética	caso	
	em / no caso de	Infinitivo (flex. ou não)

1. Prepoposição

Com sorte *não seremos/somos/roubados =* ***Se tivermos sorte*** *não seremos/somos/roubados*
Sem dinheiro *ele não poderia/podia/contratar o detective =* ***Se não tivesse dinheiro*** *não poderia/podia/ contratar o detective*
No teu lugar *eu teria contratado um detective =* ***Se eu estivesse no teu lugar*** *teria contratado um detective*

e algumas locuções prepositivas + V. Inf. + Nome

Na hipótese de um roubo *é melhor ter cuidado*
Na hipótese de acontecer um roubo *é melhor ter cuidado*
Na eventualidade de
Na possibilidade de
Na condição de
Com a condição de

2. Gerúndio

Fazendo *a comparação dos últimos anos podemos/podíamos concluir que...*
= ***Se fizermos*** *a comparação dos últimos anos...*
Indo a pé pode *ser mais rápido mas também será mais perigoso =* ***Se for a pé*** *...*
Indo a pé poderia *ser mais rápido mas também seria mais perigoso =* ***Se fosse a pé*** *...*

CONDIÇÃO / HIPÓTESE → CONSEQUÊNCIA

Gerúndio		Indicativo	Presente ou Futuro / Imperfeito ou Condicional
Havendo alguma coisa	→	a pessoa	é apanhada
Preposições			será
Com alguma coisa	→		era
			seria
A + V. Inf. (flex. ou não)			
Sem			

O CONDICIONAL

Na oralidade é substituído frequentemente pelo Pretérito Imperfeito; no entanto, o uso do condicional faz parte de um estilo mais elaborado quer na língua escrita quer na oral e é usado para exprimir:

1. uma hipótese presente

Ex. : *Uma escuta telefónica **permitiria** esclarecer isso mais rapidamente*

2. uma sugestão

Ex. : *Vocês **poderiam** recorrer a um detective particular*

3. uma fórmula delicada de pedido

Ex.: *Eu **gostaria** de falar com o Sr. Inspector*

4. uma dúvida sobre factos passados

Ex.: *Quem **seria** aquele homem que estava ali na esquina? **Seria** detective?*

5. surpresa, indignação em algumas frases interrogativas e exclamativas

Ex.: *O João é detective? Quem **diria**!*

Também se usa de a forma composta:
condicional de TER + Particípio Passado.

Exprime:

1. uma afirmação condicionada sobre factos que não se realizaram e provavelmente não se realizarão

Ex.: *Comigo **teria sido** diferente: eu **teria ido** directamente à polícia...*

2. Uma informação passada com um grau de incerteza

Ex.: *Provavelmente o detective não **teria conseguido** localizar as pessoas...*

B L O C O 8

COLOCAR OBJECÇÕES; LAMENTAR-SE E CONGRATULAR-SE

LAMENTAR:

Já viu!? era tão bonito! e agora já não presta!
Que forreta! Não sejas assim!
Que pena! Já não há nada a fazer, lamento!
Logo me havia de acontecer isto agora!
Bolas! que chatice!
Lamento mas não é possível ...
Cuidado! O senhor não vê onde põe os pés!...

LAMENTAR A MORTE DE ALGUÉM:

Apresento os meus sentimentos (a...)
Apresentar pêsames

CONGRATULAR (-SE):

Parabéns;
Que bom...
Dou-lhe os meus sinceros parabéns
Fico muito contente (feliz) por ti (si).
Estar de parabéns;
Dar os parabéns a ...

DIRIGIR-SE A ALGUÉM ...

Será que me pode dar uma ajuda?
Podia apanhar-me a nota que caiu aí para baixo?

8.1. Na loja, a D. Amélia não tem dinheiro suficiente

— São 12 520$00 minha senhora.
— Oh! Não tenho dinheiro que chegue na carteira. Tenho que lhe passar um cheque.
— Lamento minha senhora, mas tenho ordens para não aceitar cheques de ninguém. A menos que tenha cartão de garantia.
— Não, mas tenho o Bilhete de Identidade...
— Nem outro cartão de crédito qualquer?
— Não. Aqui comigo não trago nada.
— Então, minha senhora, a única coisa que posso fazer é guardar aqui as suas compras... até a senhora poder vir buscar, amanhã ou depois.
— Que descaramento. Tudo porque os senhores não querem aceitar um miserável cheque de 12 contos... Eu não volto cá mais. Não compro aqui compro noutro lado!

8.2. Os amigos querem festejar a nomeação do João mas...

A — Parabéns João. Já sei que foste nomeado para um novo cargo na Empresa.
J — Obrigado. Não estava nada à espera, mas o patrão promoveu-me para Director e eu não ia recusar, não é?
B — Claro. Fizeste muito bem. Temos que festejar.
J — Com certeza. Hoje as bebidas são por minha conta. Ó Ricardo traga-nos uma garrafa de água das Pedras. Tem gás, como o champanhe, e é muito mais barato.
B — Ó João, pelo menos hoje podias deixar de ser forreta!
J — Por enquanto ainda não vi que aumento é que me vão dar.
A — Mesmo que não seja muito, sempre é mais qualquer coisa no fim do mês! . Dá sempre jeito!
B — Para aí uns 30 ou 40 contos, não?
J — Acho que é menos. Ainda se me tivesse saído a Lotaria ou o Totobola talvez pudesse ser diferente!
A — Vinha tudo de uma vez... gastava-se mais depressa!
J — Ó Sr. Ricardo, traga uns cafezinhos também para quem quiser...

8.3. Era só uma questão de jeito!

— Desculpe, eu não consigo tirar a tampa deste frasco. Será que me pode dar aqui um jeitinho?
— Com certeza, minha senhora.
— Já fiz imensa força mas não deu resultado!
— Pronto. Já está.
— Já? Eu levei tanto tempo e não consegui nada!
— Isto não é uma questão de força nem de tempo, é uma questão de jeito!

Expressões coloquiais:
dar resultado = resultar
dar jeito = ser útil
dar um jeito = ajudar
questão de jeito = é preciso ter habilidade
não dar tempo a nada = ser muito rápido
passar pela cabeça = imaginar; supor
sem mais nem menos = sem explicação; repentinamente

CRIME DISSE ELE

Artur Varatojo, o nosso mais conhecido estudioso de criminologia, apresenta a sua versão do crime português.

Quando se procura um determinante do CRIME, quase sempre chegamos a um factor comum: o excesso!

Tanto excesso de fome, como o de luxúria o podem ser.

Em Portugal, no passado, a triologia em que assentava o homicídio era esta:

Ciúme, água a menos e vinho a mais!

Ciúme no crime passional, falta de água nas desavenças rurais, e vinho a mais, quer fosse vinho tinto ou whisky.

Recentemente a embriaguez foi substituída pela droga, como propulsora do roubo e do homicídio violento.

A violação transformou-se na "sobremesa" da delinquência. E a corrupção procura obter um lugar cimeiro nas estatísticas criminais.

Sábado, 30/04/93

HISTÓRIAS DE HOMENS E ANIMAIS

Necessidade, a quanto obrigas!...

Uma vizinha minha tem meia dúzia de gatos que vivem num regime de total liberdade. Vagueiam pelas ruas e quintais do bairro, mas em chegando a hora da refeição lá aparecem de rabo alçado à espera do prato da comida. E são pontuais, pois parece não haver mecanismo mais certo do que aquele que têm no estômago. Sempre que vai de fim-de-semana ou de férias, a boa da vizinha pede o nosso auxílio para darmos de comer à bicharada.

Aqui há tempos ausentou-se durante três dias e quando se foi dar de comer aos gatos notou-se a ausência de um deles, mas, admitindo-se que pudesse estar encantado por alguma gata da vizinhança (com direito a alimentação e tudo...), não foi grande a preocupação. Só quando a dona regressou ficámos a saber que tinha ficado fechado dentro de casa. Estava muito abalado, mas tinha sobrevivido à custa da água e dos peixinhos do aquário. Necessidade, a quanto obrigas!...

Guia, 11 Abril, 1991

BLOCO 8

Brasília

Resultado de uma velha aspiração brasileira alimentada desde a independência, Brasília é uma cidade projectada, concebida e geometricamente estudada. Projectada pelo génio arquitectónico de Oscar Niemeyer; concebida para albergar o poder, os centros de decisão, os ministérios.

Situada em pleno Planalto Central, no Estado de Goiás, Brasília abriu portas ao mundo no dia 21 de Abril de 1960.

Nessa mesma data a capital do país transferia-se do Rio de Janeiro para a recém-criada Brasília.

O plano urbanístico é de Lúcio Costa, os edifícios principais da responsabilidade do já citado

Oscar Niemeyer. Juscelino Kubitschek, o presidente que implementou decisivamente a sua construção.

A topografia da cidade é amena, de formas aplainadas, o clima tropical é convidativo.

Uma concha voltada para baixo é o Senado, uma outra voltada para cima é a Câmara. Entre eles, dois edifícios rectilíneos com vinte e oito andares.

No centro da cidade a Praça dos Três Poderes, metafísica abençoada da Democracia.

Destacam-se o Palácio do Supremo Tribunal Federal, o Palácio do Planalto, sede da Presidência da República, o Palácio da Alvorada, residência do Presidente da República — símbolo e ex-libris da arquitectura da cidade.

Ainda para ver, o monumento a Juscelino Kubitschek, o Jardim Botânico e o Catatinho, primeira residência presidencial, aquando da inauguração de Brasília.

Um grande lago artificial envolve a cidade embelezando subtilmente a visão dos cubos de cimento e vidro.

Contudo, apesar dos estudos e projectos medidos e efectuados milímetro a milímetro, a cidade não se conteve.

Projectada para albergar apenas quinhentos mil cidadãos até ao ano dois mil, a cidade não se conteve e explodiu para a periferia, provocando o despontar da cidade densamente povoada.

Só em Taguatinga e Ceilândia vivem quase dois terços da população do Distrito Federal.

Um outro problema a enfrentar pelos responsáveis é o da habitação. Durante 1989 foram distribuídos cerca de setenta mil lotes semi-urbanizados.

Paralelamente, recuperam-se hospitais, escolas, reequipam-se a Polícia militar e civil, bem como a área dos transportes, da cultura e da agro-pecuária.

Ao completar três décadas de existência, Brasília alcança a plena maioridade política, com a eleição directa do Governador e da Câmara Legislativa.

No futuro a cidade estará em condições de acolher 4 milhões de habitantes.

Por isso estão já em curso estudos sobre transportes, captação de recursos hídricos, ampliação e aperfeiçoamento do sistema sanitário, multiplicação dos serviços de saúde, multiplicação de moradias e empregos.

São, portanto, variadas e desafiantes, para quem quer que assuma o Governo do Distrito Federal, as prespectivas futuras, mas sem esquecer, no entanto, os problemas que a atingem no presente.

UCCLA, 1989

BLOCO 9

TEMA
Empregos: precisam-se

TEXTOS
A procura de um trabalho
Regras para um bom CV

GRAMÁTICA
Exprimir Concessão e Restrição

DIÁLOGOS
Dar continuidade a uma conversa

PARA CONVERSAR
O jovem quadro

LUSOFONIA
Rio de Janeiro

CONSELHOS CARREIRA

por LUÍS CABRAL

Terminei o curso de Gestão no final do ano passado e ainda não arranjei emprego. Sei que muitos dos meus colegas também não estão a trabalhar, mas têm sido chamados a entrevistas e eu não, apesar de termos as mesmas habilitações. Acho que o defeito deve ser meu, mas não consigo descobrir qual é.

Helena P.

Eu também acho que o defeito é seu. Mas, ao contrário do que você pensa, não tem a ver com o azar que tem na vida, com as suas capacidades ou falta delas, mas apenas com a forma como as apresenta. Não se esqueça que, ao responder a um anúncio de emprego, está a vender os seus serviços a outrem, geralmente uma empresa. Como em qualquer processo de venda , a apresentação do produto é o segredo do negócio. No caso do emprego, o candidato tem, através do seu *cirriculum vitae* (CV para os amigos), de convencer o empregador que é a pessoa indicada para a função.

No seu caso, pode ser esta a diferença fundamental entre si e os seus colegas que são chamados às entrevistas. Considere o seu CV como o único elemento de comunicação entre si e a empresa onde quer arranjar emprego. Por isso, ele tem de ser uma representação fiel, mas atraente, das suas qualidades. Aqui ficam algumas sugestões para a construção de um CV bombástico:

a) Não se limite às habilitações escolares. Explore outras actividades que possam ter contribuído para o seu desenvolvimento profissional: trabalho nas férias, actividades associativas (AE), investigações em que participou, seminários e conferências a que assistiu ou interveio, línguas que aprendeu, conhecimentos de informática.

b) Apresente os seus predicados de uma forma sintética e clara, escolha apenas o que é fundamental; dispense a descrição dos seus *hobbies*. Nenhum empregador lê CV's de recém-licenciados com dez páginas; em ccm candidatos teria que ler mil páginas(gostaríamos muito mas não temos tempo).

c) Utilize uma linguagem directa, verbos de acção (realizar, vender, coordenar, fazer) e, sempre que possível, medidas quantificáveis do seu trabalho (discrimine as notas das cadeiras ou estágios que possam estar, mais relacionados com a função).

d) Nunca se esqueça de enviar o seu contacto. Para além disso, telefone a saber se foi escolhida para a entrevista.

e) Torne o seu CV graficamente atraente. Aumenta a probabilidade de ser visto com mais atenção.

f) O *Curriculum Vitae* ideal tem duas páginas.

Cosmo, Maio 93

CURSO PARA NADIA

Se há alguém que não tem razões para estar optimista é Nadia Brito Pires, 25 anos, licenciada em Relações Internacionais e especializada em questões político-económicas. Ao entrar na Universidade, com a média de 17 valores, acalentava a esperança de um dia ser diplomata de carreira ou desempenhar funções num organismo internacional. Com o curso concluído há cerca de um ano, a única experiência profissional que conheceu foi o atendimento do público num banco, e apenas para substituir um funcionário que se encontrava de férias. Enviou currículos para todos os locais possíveis, departamentos de relações internacionais de ministérios, de bancos e seguradoras, de multinacionais, asociações de comércio e, claro, para todas as embaixadas. As respostas, ou não as teve, ou foram negativas.

Inscrita no Instituto de Emprego e Formação Profissional e em numerosas empresas de recrutamento e selecção de recursos humanos, já não acredita que a chamem. «A desmotivação é total», declara. A sua experiência no que toca a anúncios, também não é nada agradável. Convocada para uma entrevista, com o objectivo de ser admitida numa câmara municipal, que se escusou a identificar, afirma que lhe concederam «não mais de dois minutos para mostrar o que valia». Noutra ocasião, propuseram-lhe um lugar numa empresa de telemarketing e televendas. Indignou-se com as condições que lhe ofereciam: «Um horário completo por 40 contos mensais, com subsídios já incluídos.»

Nadia Pires atingiu o estado de «desespero e impotência». Não vislumbra qualquer futuro profissional e lamenta não ter capacidade para enfrentar «os lobbies e as influências que actuam, impunes, no mercado de emprego». Desiludida, afirma que neste momento a única alternativa para si é «talvez colocar artigos na prateleira de um qualquer hipermercado».

Visão, 20 de Maio 1993

As regras de um bom currículo

O bê-à-bá de um CV bem feito. O seu bilhete de identidade profissional visto à lupa pelos olhos críticos dos especialistas. Não há leis absolutas mas há erros a evitar se quiser ser chamado para a entrevista em que tudo se decide

por ISABEL CUNHA

Há currículos originais. Garante-se que houve quem imprimisse o seu sobre uma T-shirt, sob a forma de puzzle, em banda desenhada ou numa cassete de video. A um artista que concorra ao departamento gráfico de uma agência de publicidade, estas aventuras poderão ser permitidas, ou mesmo apreciadas pela sua criatividade. No entanto, neste domínio, a originalidade raramente compensa.

O único objectivo de um currículo é ser-se chamado para uma entrevista, em que tudo se decide.

O currículo é, normalmente, a primeira informação acerca do candidato que chega à empresa ou ao gabinete de selecção. É o primeiro exame por que o candidato passa e que ajuda quem lidera o processo de recrutamento a fazer a triagem e a decidir quais serão os convidados para uma entrevista ou para fazer testes. Não é mais do que uma apresentação.

Mas, por vezes, as primeiras impressões são fundamentais podendo influenciar todo o processo de recrutamento. Face a dezenas de candidaturas, a pessoa que está a fazer a pré-selecção irrita-se facilmente com o mínimo erro ou imperfeição.

É fácil perceber que não há paciência para ler até ao fim um currículo pejado de erros ortográficos, com espaços entre as linhas tão diminutos que tornam difícil a leitura, ou que é um autêntico testamento.

O CV deve ser manuscrito apenas se a letra for legível, porque a urgência no recrutamento não se compadece com perdas de tempo. Se a sua letra forem gatafunhos, é preferível passá-lo à máquina e, se possível num processador de texto, que permite uma apresentação gráfica mais profissional e agradável.

Os especialistas em Recursos Humanos aconselham a encarar o seu currículo como uma acção de marketing. Ele serve para vender a sua imagem, convencendo quem o ler de que você é a pessoa adequada. É como a publicidade sem mentir: sem mentir, deve ajudar a vender.

Mandam as regras que o currículo seja acompanhado de uma carta de apresentação. "Aqui, deve incluir a referência e a função a que se propõe, informações básicas para contacto, motivo da candidatura, breve apresentação do seu potencial como candidato, nome em letra de imprensa, mas com assinatura pessoal", explica Teresa Furtado, da MBA Consultores. Se preferir, redija toda a carta de apresentação à mão. É que muitos gabinetes de recrutamento garantem que só a lêem para, em caso de dúvida, procederem a exames grafológicos como informação complementar. É, pois, sempre importante personalizar a sua carta quer responda a um anúncio, quer se trate de uma candidatura espontânea.

Privilegie a simplicidade e a clareza e dê referências, sempre que as tiver. Acima de tudo, não minta, porque as suas informações serão confirmadas.

Fortuna, n.º 12, Março 1993

AS CÁBULAS DO CANDIDATO

O BILHETE DE IDENTIDADE
É correcto colocar estes elementos no princípio ou no final do currículo. Quem recruta sabe ser discreto: não tenha medo de dar o telefone do escritório onde actualmente exerce a sua actividade profissional e onde é mais fácil contactá-lo no horário normal de trabalho. Para que não corra riscos de uma quebra de confidencialidade, se der um só número de telefone, indique se se trata do domicílio pessoal ou profissional e, neste último caso, se é o número geral ou directo. Pode incluir uma fotografia actualizada "não muito estudada".

PROJECTO PROFISSIONAL
Se enviar espontaneamente o seu currículo, indique nesta rubrica o tipo de função que gostaria de ocupar. O gabinete de recrutamento ou a direcção de recursos humanos da empresa saberá imediatamente se a sua candidatura corresponde a algumas das pesquisas em curso e poderá mais facilmente classificá-la numa base de dados para futuros recrutamentos.

OS DIPLOMAS
Seja realista: ninguém é obrigado a saber qual foi a sua escola, por isso evite abreviaturas ou siglas. Há pessoas que inventam cursos no estrangeiro e você não quererá ser confundido com elas. Evite expressões como "especializado em" ou "frequentou", normalmente usadas por quem não tem um diploma. Refira as línguas e o grau em que as domina.

Fortuna, Março 93

CURRICULUM VITAE

António Bento
Rua da Alegria, nº 123, 1º esq. — 1000 LISBOA
35 anos, casado, um filho
Bilhete de Identidade nº 1233456
tel.: casa: 123 45 67 (com atendedor de chamadas)
escritório: 765 43 21 (geral, 7 linhas)

FUNÇÃO PRETENDIDA: Director de marketing

HABILITAÇÕES ACADÉMICAS:
• Licenciatura em Gestão e Administração de Empresas, pelo Instituto de Gestão e Administração de Portugal, concluída em 1982 com média final de 16 valores
• Master in Business Administration, Harvard Business School, Boston, EUA, concluído em 1985

FORMAÇÃO COMPLEMENTAR:
Línguas: • Inglês: First Certificate in English, Escola Portuguesa de Línguas Modernas
• Francês: língua curricular no ensino secundário
Prática de utilização de computadores pessoais na óptica do utilizador: processamento de texto, folhas de cálculo, bases de dados

HABILITAÇÕES PROFISSIONAIS:
• Estágio de três meses, em 1984, no departamento de marketing da Smiths & Brothers, multinacional produtora e comercializadora de bens de grande consumo, com especial incidência na elaboração de um plano de marketing
• Seminário Uma política de preço para os anos 90, organizado em Lisboa por Seminários e Convenções de Gestão, LDA, em 1984, ministrado pelo Professor Sigushi: "O preço como factor concorrencial e implicações na estratégia da empresa"

EXPERIÊNCIA PROFISSIONAL:
1987-1993: Empresa Nacional de Produtos de Consumo, SA. Responsável por novos projectos. Implementação de novos serviços para clientes de grandes contas: logística, manutenção, consultoria. Prospecção comercial em Espanha, França e Alemanha. Coordenação de equipas técnicas. Realização de vendas superiores a 7 milhões de contos.
1985-1987: Chefe de Produto
Responsável por uma gama de produtos de grande consumo: estudos de mercado, promoção de vendas, planos de marketing, implementação de uma política de preço

OUTROS INTERESSES:
Membro de Associação dos Engenheiros Electrónicos
Membro da Associação de Antigos Alunos de Harvard Business School: entrevistas a candidatos, actividades sociais de promoção e representação da escola
Teatro amador no Clube Recreativo e Cultural do Restelo

A CARREIRA
Apresente as empresas em que trabalhou, a função ocupada e as responsabilidades por que respondia ou os projectos que desenvolveu. Não descreva as funções por títulos. Quem faz selecção desconfia de pessoas para quem o título é mais importante. Forneça sempre todos os valores relevantes, particularmente os relativos a resultados obtidos nas diversas funções.
Resuma a sua experiência profissional por ordem cronológica e sem lapsos de tempo. Os consultores preferem um CV à americana, em que a experiência profissional é apresentada começando pela mais recente, mas a ordem cronológica normal não é incorrecta. O importante é destacar a experiência profissional que melhor se adequa à função pretendida.
Evite termos como "consultor, empregado por conta própria, colaborou em". São expressões muitas vezes encaradas como desemprego dissimulado. Se, no entanto, corresponderem à verdade, pormenorize os trabalhos desenvolvidos. Refira as datas exactas de transferência de uma empresa para outra, se nunca esteve desempregado. Muitas vezes indica-se nos currículos "a partir de 1990" para encapotar períodos de férias prolongadas. Não justifique que deseja o novo emprego porque "tinha divergências com o chefe" ou "discordava da política da empresa", expressões que, com frequência encobrem as razões reais. Guarde os seus motivos para a entrevista. Nela terá oportunidade de se explicar de viva voz, com mais clareza e desenvolvimento. Mas não deixe de justificar por que quer ingressar na empresa.

OS TEMPOS LIVRES
Duas actividades em particular chamam a atenção da pessoa que recruta: Hobbies originais e as actividades sociais e de interesse para a comunidade (associações, mandatos em autarquias) que denotam capacidade de iniciativa. Não vale a pena referir que gosta de "cinema, viajar e estar com amigos".

BLOCO 9

EXPRIMIR CONCESSÃO E RESTRIÇÃO

Uma frase concessiva inicia uma subordinação onde se admite um facto ou contrário ou restritivo ao facto principal em sequências reais, hipotéticas e irreais.

Pode indicar:
1. ocorrência de uma situação inesperada relativamente a outra.
2. situação que não corresponde às expectativas iniciais

Ex: ***Por mais que*** *procure não encontra emprego*
Embora *esteja inscrita no Instituto do Emprego e Formação Profissional (...) já não acredita que a chamem*
(...) também não estão a trabalhar, mas têm sido chamados a entrevistas e eu não, ***apesar de*** *termos as mesmas habilitações*

Processos mais frequentes para exprimir concessão

1. Conjunção / Loc. Conjuncional + V. Conjuntivo (excepto Futuro)

embora, ainda que, se bem que, apesar de que, mesmo que, a menos que, ...
Ex: Ela aceita o emprego embora não goste dele = Embora não goste ela aceita o emprego
Embora não gostasse ela aceitou o emprego = Ela aceitou o emprego embora não gostasse dele

2. Loc. Prep. + V. Infinitivo

apesar de, a despeito de, não obstante...
Ex: *Apesar de não gostar ela aceita o emprego = Ela aceita o emprego apesar de não gostar*
Ela aceitou o emprego apesar de não gostar(ter gostado) = Apesar de não gostar (ter gostado) aceitou o emprego

3. Advérbio (Loc. Adv.) + (adj. /adv./nome) + V. Conjuntivo

Por mais (...) **que, por menos** (...) **que, por muito que...**
Ex: *Ela não encontra emprego por mais que procure = Por mais que procure não encontra emprego por muito simpática que seja...*
Ela não encontrou por mais que procurasse (tenha procurado) = Por mais que procurasse (que tenha procurado) não encontrou...

Com um valor hipotético:

4. Mesmo se + V. Conjuntivo (excepto Presente)

Ex: *Ela aceita um emprego mesmo se não gostar*
= Mesmo se não gostar ela aceita um emprego
Ela aceitava um emprego mesmo se não gostasse
= Mesmo se não gostasse ela aceitava

5. Conjunção + V. Gerúndio, Part. Passado, Adj., Prep ou Adv.

embora, ainda que, se bem que, conquanto
Ex: *Embora não gostando do emprego ela aceita-o (aceitou-o, aceitava-o)*
Ainda que contrariada ela aceita (aceitou, aceitará) o emprego

Pode substituir parte da frase...

6. Preposição (Loc. Prep):

Apesar disso, apesar de tudo
Ex: *Apesar de tudo ela não encontrou (encontra, encontrará) emprego...*

7. Sintagmas concessivos:

embora com, mesmo com, se bem que com...
Ex.: *Embora com dificuldade ela tem que conseguir um trabalho...*

8. Concessivas com repetição
Ex.: *Custe o que custar tenho que encontrar um emprego...*

DUAS NOTAS:

1. Alternância nos elementos de frase
Outras conjunções alternativas que ligam dois ou mais enunciados:
ou ... ou; quer ... quer; seja ... seja; nem ... nem; quer ... ou; seja ... ou
Ex: *Deve ter sempre um CV actualizado quer tenha emprego quer (ou) não = Quer tenha ou não emprego deve ter sempre um CV actualizado*
Respostas, ou não as teve ou foram negativas

2. Expressão de Tempo
AO + V. Infinitivo = QUANDO + V. Indicativo
sempre que
= QUANDO + V. Conjuntivo
sempre que

Ao entrar *na Universidade (...) esperava um dia ser diplomata*
= ***Quando entrou*** *na Universidade (...) esperava...*

Não se esqueça que, ***ao responder*** *a um anúncio de emprego, está a vender os seus serviços...*
= Não se esqueça que, ***quando responde*** *a um anúncio...*
= Não se esqueça que, ***sempre que responde*** *a um anúncio...*

B L O C O 9

EM CONVERSA: DAR CONTINUIDADE, ENCADEAR, PROLONGAR

por um lado...por outro...
Passemos à frente... a propósito (de)
por falar em... continuando
é justamente por causa de...
como eu ia dizendo... além disso...
além do mais e olha que...
Já agora sabia que...
Bom, adiante!

e depois a...
e então o...
isso quer dizer que...
Veja bem como as coisas são!

...como calcula(s)! ; ...como imagina(s)!
...como deve(s) calcurar ;
...como deve(s) imaginar

9.1. O Tiago fica surpreendido por encontrar o João...

T — Olá! Julgava-te ainda em S. Tomé. Quando é que chegaste?

J — Há três dias e já tenho saudades. É o local mais próximo do paraíso que eu conheço. Por um lado o ritmo de vida é mais lento mas por outro há mais tempo para pensar e organizar as ideias... E depois tem paisagens!!! ...

T — Imagino! Deve ser uma vida super calma, não?

J — A propósito de calma, tenho de me habituar outra vez a esta correria da cidade. Ainda me sinto um bocado aparvalhado! Parece que não sei atravessar uma rua...

T — Por falar em rua, tenho o carro mal estacionado, tenho que me ir embora. A gente fala-se logo à noite, 'tá?

J — 'Tá bom. Eu telefono-te. Até logo.

9.2. A D. Manuela entra subitamente no escritório do Dr. Silveira para o informar que a sua viagem foi alterada...

M — Dr. Silveira, desculpe interrompê-lo, mas eu precisava de lhe falar. São só dois minutos. Posso?

S — Pode, mas depressa, porque eu já estou de saída.

M — Pois é justamente por causa da sua saída que eu lhe quero falar. Telefonaram agora mesmo da Agência de Viagens a dizer que houve um engano no seu bilhete. É preciso alguém passar por lá.

S — Isso quer dizer que...

M — Que não tem lugar neste avião e só pode ir amanhã.

S — O quê? Não pode ser! Já tinha reuniões de trabalho confirmadas para esta tarde em Braga sem contar com um outro programa...

M — Eles lamentaram o sucedido e pedem muita desculpa. Segundo me disseram, foi uma pequena distracção do funcionário. Mas, Sr. Dr., se me permite, eu posso telefonar para um taxi aéreo e o senhor vai na mesma, sem qualquer prejuízo...

S — Guarde o seu humor para si, Srª D. Manuela. Isto é mais sério do que pensa. Posso perder bastante dinheiro com um erro de uma agenciazita... Ah! mas eu vou processá-los! Ainda por cima uma pequena distracção do funcionário!... Nem fazem ideia dos transtornos que provocam...! Incompetentes! São todos uns incompetentes!

M — Mas era exactamente o que eu queria dizer. A conta do taxi aéreo teria de ser paga pela agência...

9.3. É tão fácil fazer férias...

B — Não esperava ver-te aqui tão cedo. Então essa viagem à Madeira?

A — Indescritível. foram umas férias de sonho. A propósito de férias. Onde é que foste passar as tuas?

B — Ainda não fui. Como mudei de emprego só tenho direito a férias daqui a quatro meses, em Janeiro, o que não dá jeito nenhum, como calculas.

A — Não dá?

B — No Inverno, com chuva e frio, só apetece estar em casa.

A — Essa é boa! Se está frio no Hemisfério Norte vai-se para o Hemisfério Sul! É a regra... Olha, Vai à Austrália ou ao Brasil que já não tens frio de certeza!

B — Era giro! Mas é bom para gente com dinheiro! E além disso é muito longe! Mudemos de assunto.

A — Que disparate! O Atlântico atravessa-se numa noite. Metes-te no avião, adormeces, e quando acordares estás no Rio. É como quem diz, estás outra vez em casa. E pelo dinheiro, olha que há agências com preços fabulosos.

Expressões coloquiais:
a propósito de = por falar em
super calma = muito tranquila
é giro = é uma ideia engraçada; é uma boa ideia
sentir-se aparvalhado = não estar integrado; sentir-se idiota
na mesma = de igual modo; da mesma maneira

LEVANTE-SE O RÉU

O JOVEM QUADRO

O Jorge entrou decidido na sala do Tribunal de Polícia, em Lisboa, como se estivesse a entrar no escritório para começar um produtivo dia de trabalho. Disse um sonoro "Bom dia" a todos os presentes e pousou vários "dossiers" no banco dos réus, ondre ele próprio se sentou a seguir.

Mantendo a sua pose de executivo contou o seu caso ao juiz. Ele tinha sido apanhado há alguns dias atrás a conduzir um automóvel sem ter carta de condução. Mas, em sua opinião, ele considerava que merecia alguma clemência porque as suas razões se prendiam com o seu próprio trabalho. E disse:

— Sr. Doutor Juiz, neste momento desempenho funções de medidor orçamentista numa empresa, o que me obriga a trabalhar até tarde.

(Convém dizer que o "neste momento" quer dizer exactamente "ontem". O nosso herói iniciou efectivamente há um dia o seu primeiro emprego a sério em 21 anos de vida!)

E continuou imperturbável:

— Naquele dia eu tinha-me deitado por volta das cinco e meia da madrugada apenas para descansar um pouco e, quando dei por mim, ainda ensonado, já faltava pouco para picar o ponto. Vesti-me à pressa e peguei nas chaves do carro de um amigo meu que às vezes deixa lá o carro para algumas emergências. Mas, coisas são assim mesmo. Quando alguma coisa tem que correr mal, de certeza que corre... Apareceu-me na frente uma patrulha da PSP numa vulgar "operação Stop".

Agora não há nada a fazer, o mal está feito, reflectiu o juiz. O Jorge ainda pediu que se atendesse ao facto de no seu caso ter sido por razões de trabalho, mas o juiz condenou-o a 120 contos de multa ou 40 dias de prisão.

O Jorge saíu da sala tal como entrou; muito digno, de dossiers debaixo do braço e um "então muito bom dia" geral. Mas já vai a pensar noutra coisa: "Como explicar a lamentável falta de pontualidade?" É muito pouco rigor para quem quer ser perito na medição de preços de materiais para a construção civil. Sai do tribunal à procura de um transporte público e a pensar: "Enfim, azares... agora tenho de arranjar uma boa desculpa no escritório. Isto ia dar um certo ar de irresponsabilidade..."

Rui Cardoso Martins
Público, 22. 11. 92
(Texto Adaptado)

Rio de Janeiro

Não raramente, interrogamo-nos sobre a origem dos países, das cidades, dos seus nomes. A História, as lendas e as tradições fazem parte de nós e por isso os guardamos na memória com gratas reminiscências de um passado pleno de importância e vitalidade.

Brasil deriva da abundância do pau brasil... e Rio de Janeiro, porquê esta designação?

Em noite de lua cheia, mesmo quando a maré desce, entrando na Baía de Guanabara o viajante nocturno depara inesperadamente com uma forte corrente.

A 1 de Janeiro de 1502 os portugueses chegaram ao local, confundiram-no com um rio e chamaram-lhe então Rio de Janeiro.

Quando em 1572, o rei de Portugal dividiu o Brasil em dois estados, transformou o Rio de Janeiro em capital do Sul; em 1763 tornou-se capital do vice-reino; de 1822 a 1889 foi sede do Império e daí até 1960 capital do país.

Hoje, a cidade é conhecida pela beleza natural que a caracteriza: as praias, a floresta da Tijuca, as longas avenidas, o colorido do carnaval, as explosões hilariantes do Maracanã.

Numa deslocação ao Rio de Janeiro pode ainda praticar-se atletismo no Hipódromo da Gávea ou passear tranquilamente pelo Jardim Botânico.

Voltando às praias, suprema paixão dos genuínos cariocas, o destaque vai inteirinho para Copacabana, Ipanema, Leme, Praia Vermelha, Arpoador, Leblon.

Mais a sul fica Vidigal, São Conrado e Pepino, sempre sobrevoadas por praticantes acérrimos de Asa Delta.

No centro da cidade ficam os Arcos da Lapa, aqueduto construído em 1750.

Na Praça 15 de Novembro, o Paço Imperial, recentemente restaurado, aquele em que viveu

o Vice-Rei, onde o Príncipe recusou voltar a Portugal, e ainda o local onde a Princesa Isabel assinou a Abolição e D. Pedro II foi banido pela madrugada.

O Rio tem também igrejas e mosteiros recheados com obras preciosas em dourado barroco; um Museu Histórico Nacional — testemunho dos séculos passados; um Museu Nacional — instalado na residência do Imperador; um Museu Nacional de Belas Artes.

Ao longo da costa recortada há hotéis, clubes, residências de luxo, mais de 300 maravilhosas ilhas. Há também restaurantes com cozinha diversa e de todas as nacionalidades. Não falta a boa comida portuguesa nem a feijoada com feijão preto ou cozido.

E há ainda, e acima de tudo, Búzios — região dourada, de beleza tranquila e repousante.

No Rio de Janeiro, cidade que vive muito em função do seu mar, a noite da passagem de ano é inteiramente dedicada aos rituais.

Milhares de cariocas caminham em direcção às praias onde fazem orações e oferendas a Iemanjá, a Rainha do Mar. Pedem um ano bom em troca de flores, bebidas, velas acesas, cantos, danças e fogos de artifício monumentais.

É assim o Rio de Janeiro, uma cidade populosa, cheia de vida e emoções fortes. Uma cidade colorida cheia de luz.

UCCLA, 1989

REGIÕES AUTÓNOMAS

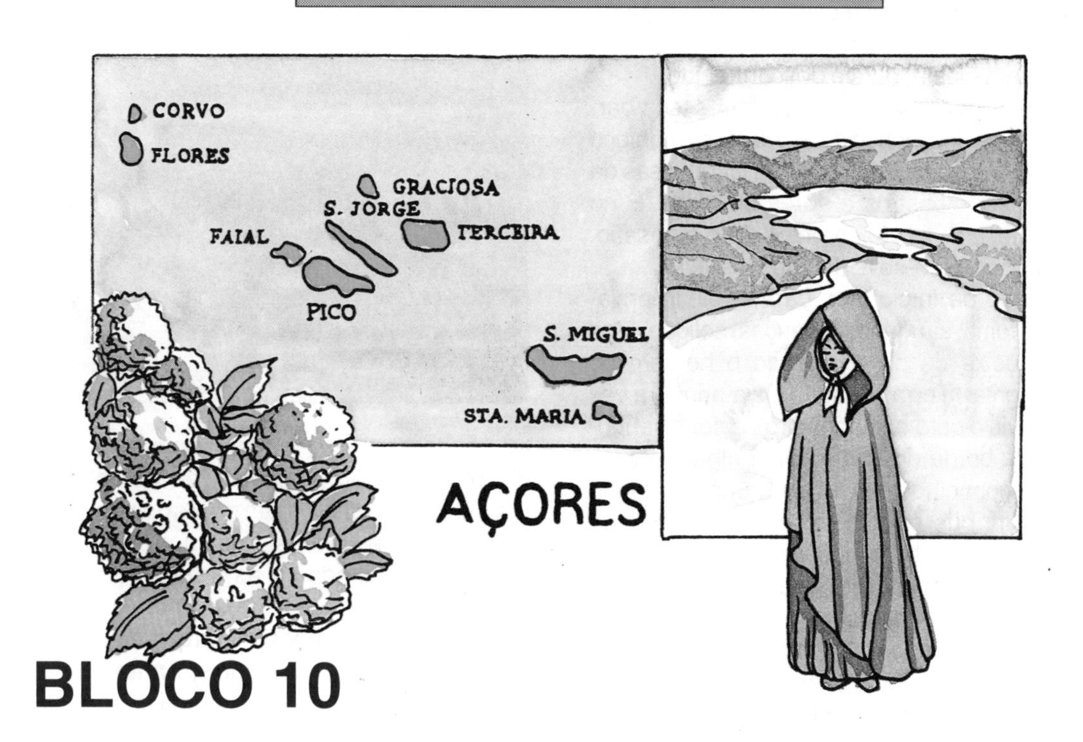

BLOCO 10

O Silêncio das Crónicas. O Povoamento. O Clima

Madeira — Ilustres Visitas

Açores: O Mar, as Baleias e as Pessoas

Ondem Nascem as Tempestades

Terra à Vista

Vulcanismo

Angra do Heroísmo

Frutos e Flores

O Vinho da Madeira

BLOCO 10

TERRA À VISTA

Estávamos em finais do séc. XIV / início do século XV quando barcos, apenas habituados a rotas junto à costa, ligando o Atlântico norte e o Mediterrâneo se põem a caminho para Oeste, para o desconhecido.

Para os homens que tripulam esses barcos, esse "desconhecido" é o lugar demoníaco onde se encontram as forças insubmissas da natureza, monstros e seres do além. E no entanto, eles ali vão, prontos para o desafio, em busca sabe-se lá de quê.

Tudo de início lhes parece inútil; privações, fome, saudades, doenças, solidão. Mas tudo deixa de o ser quando o homem do leme grita: "Terra à Vista!". Pela primeira vez se ouviu o grito e, marinheiros e seus senhores, da borda do barco ainda olham o horizonte com olhos medievais, nunca podendo acreditar que esta terra seria a primeira de muitas, uma ilha a que se deu o nome de **Porto Santo** à qual se seguiram outras ilhas, arquipélagos, costas continentais. As suas mentes não podem descortinar por meio das brumas que aquele momento encerra um desafio para o país e para a Europa — o de ser capaz, no isolamento dos mares, de fundar novas sociedades. A sua imaginação povoada de demoníacos pressentimentos que a fome e a miséria ajudam a avolumar, não vê a ilha, vê muito mais:

Havia fama entre os navegantes e homens do mar que desta ilha de Porto Santo aparecia um negrume muy grande e espantoso aos que o viam de longe, quanto mais a quem o via de perto, que nunca se desfazia e, como coisa nunca vista no mundo, era tão temido por sua negra e medonha sombra, que se afastavam dele e fabulavam grandes coisas da sua obscuridão, dizendo uns que era o abismo que estava no mar, outros que era a boca do inferno, e que aquele negrume era o fumo que de lá saía, porque parecia fumo negro de fornalha. E por esta fama cantavam tantos espantos e armavam tantos medos nesta paragem, que os mareantes se afastavam dela e os que isto viam, muito mais.*

Aparentemente, este rumo incendiado foi

retomado apenas um ano depois, já que só em 1420, de novo se ouviu "Terra à Vista" — era a ilha a que chamaram da **Madeira** por ser exuberante de árvores. Nos anos que se seguiram, espraiando-se as frotas mais para oeste, vão aportando sucessivamente a mais nove ilhas que compõem o arquipélago dos **Açores**, a primeira das quais, **Santa Maria**, 1427, cuja descoberta é atribuída a Diogo de Silves.

A uma, davam-lhes nomes ditados pelo calendário da sua religiosidade (**S. Miguel, S. Jorge**), a outras, não conseguindo resistir ao cenário, ali as baptizavam da forma mais espontânea (**Flores**, **Graciosa**, **Faial**, **Pico**) e até uma outra, talvez porque não tivessem gostado do primeiro nome ou por compreensível falta de imaginação, a chamaram **Terceira** por ser esta a ordem da sua descoberta.

"Terra à vista" terá ecoado inúmeras vezes por entre brumas angras e calhetas, ali, no meio do Atlântico, o mesmo grito, cada vez mais seguro de si, cada vez menos medieval. O marinheiro tinha aprendido finalmente o jogo perigoso de tornar o desconhecido em conhecido, atravessando fronteiras.

Pouco mais tarde o mundo estaria pronto a receber sem hesitação as notícias que esse marinheiro traria do outro lado do mar.

* *Livro Segundo das Saudades da Terra*, Gaspar Frutuoso. Instituto Cultural de Ponta Delgada, 1979

Foto cedida pelo Instituto do Bordado, Tapeçaria e Artesanto da Madeira

UMA ARTE REQUINTADA

Os bordados da Madeira constituem uma recordação cobiçada pelos visitantes, tanto pela sua beleza como pelo esmero da execução.
Podem encontrar-se sob as mais variadas formas, que vão das sumptuosas toalhas de mesa a delicados lenços de mão.

O vinho da Madeira

O vinho foi introduzido na ilha da Madeira por ordem do infante D. Henrique, nos primeiros tempos do povoamento. Datam de 1455 referências escritas que já enaltecem a sua superior qualidade.

A primeira casta introduzida na Madeira parece ter sido a Malvasia, importada da ilha grega de Cândia. No entanto, no século XV a exploração da cana-sacarina ocupava lugar cimeiro na economia da ilha (ciclo do açúcar), e só no declíneo deste ciclo, no século seguinte, principia o do vinho, que culminará no século XVIII e 1º quartel do XIX com uma reputação internacional que coloca este produto da Madeira na honrosa posição de «o vinho mais caro e apreciado do Mundo».

Segundo documentos existentes, a primeira exportação de Malvasia para a Europa data de 1515, destinada à corte de Francisco I de França.

Em 1665, quando Carlos II de Inglaterra proibiu os navios estrangeiros de transportarem para as Antilhas e colónias americanas produtos cultivados ou fabricados na Europa, abriu uma única excepção para o vinho da Madeira. A ilha estabelece-se assim como a rota e porto de paragem para o abastecimento de vinho aos navios que rumavam ao Novo Mundo ou dele regressavam. A partir daí, a fama do vinho da Madeira universalizou-se, e a ele ficaram ligados nomes de imperadores, reis e altos dignatários. A sua indústria e comercialização fica fortemente ligada a mercadores ingleses que se radicaram na ilha.

Embora importadas, as videiras encontravam no solo e no ameno clima da ilha uma situação privilegiada que lhes conferia características próprias. Existem na Madeira mais de 30 castas diferentes, mas as mais nobres, cultivadas sobretudo no Sul da ilha e Porto Santo, são a Malvasia, o Verdelho de Porto Santo, o Sercial e o Boal.

À Descoberta de Portugal, Selecções do Reader's Digest, 1984

Quis o acaso que um lote de vinho, não podendo ser desembarcado, ao voltar à Madeira ganhasse perfume e sabor. Os antigos mercadores passaram então a fazer os seus vinhos viajar além do equador — Os Vinhos da Roda.

Foto cedida pelo Instituto do Vinho da Madeira

BLOCO 10

O silêncio das crónicas
O povoamento
O clima

Um misterioso silêncio encobre os dramas vividos pelas tripulações dos pequenos navios à vela que demandaram para oeste em busca de novas terras e que acabaram por descobrir as ilhas dos Açores e da Madeira.

Nem ao menos os cronistas da época nos referem o nome ou nomes dos descobridores e as datas precisas das suas descobertas.

Como explicar que, tendo sido essas ilhas locais de passagem de comandantes e heróis regressando de grandes descobrimentos, como Colombo vindo da América (em Santa Maria) e Vasco da Gama vindo da Índia (em Angra do Heroísmo), as crónicas da época lhes tenham dado tão pouca atenção?

Mas estes dois arquipélagos têm em comum muitas outras coisas, para além da penumbra das datas e do seu descobrimento. O clima, por exemplo, não pode fugir à influência moderadora da grande massa oceânica do Atlântico Norte. Assim, a amplitude térmica anual é, em média, nos Açores, de 8° e no Funchal de 6° C. A temperatura da

MADEIRA — ILUSTRES VISITAS (1)

Cristóvão Colombo

Cristóvão Colombo é conhecido em todo o mundo pelo papel que desempenhou nos descobrimentos marítimos mas da sua vida pouco se sabe.

Chegado a Portugal no ano de 1476, Colombo dedica-se fundamentalmente a duas actividades: O *comércio,* na busca de fortuna que a cana de açúcar prometia dar, e a *navegação,* tendo viajado a bordo de embarcações portuguesas e frequentado a Escola Náutica de Sagres. Nesses longínquos anos, palavras como cana de açúcar e navegação associavam-se facilmente à Madeira e Colombo decide juntar-lhes mais uma — Filipa, com quem casa. D.ª Filipa Moniz, é filha de Bartolomeu Perestrelo, também ele navegador e primeiro Capitão Donatário da ilha de Porto Santo.

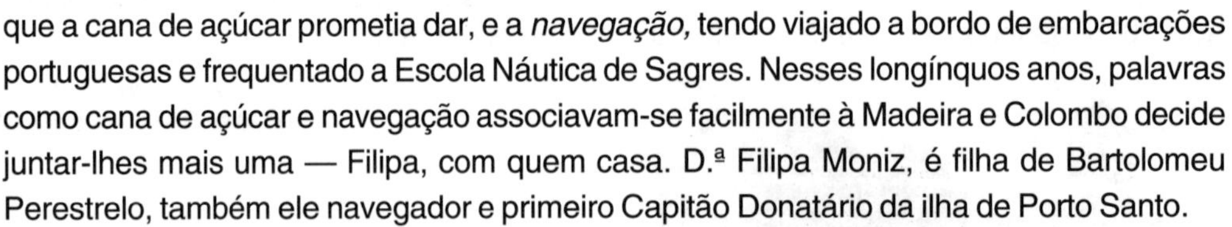

A perpectuar esta relação, ao mesmo tempo sentimental, familiar e económica, restam hoje alguns documentos, uma rua e uma estátua. A rua Cristóvão Colombo foi aberta no local da sua antiga casa no Funchal, entre as ruas Esmeraldo e Sabão. A casa em estilo gótico da 2ª metade do Séc. XV, estava, à data da sua demolição (1877), bastante alterada pelos vários arranjos e restauros. Restam os vestígios de uma janela…

água do mar, beneficia da corrente do Golfo e situa-se, nos Açores entre os 17 e 24°C e, na Madeira, entre 18° e 23°. A pluviosidade varia de ilha para ilha, sendo mais significativa nos Açores do que na Madeira, até porque naquele arquipélago a chuva faz a sua aparição nos meses de Agosto e Setembro. Na Madeira, em especial na costa sul e nas baixas altitudes, a chuva é pouco significativa no período de Abril a Setembro.

Em ambos os arquipélagos se podem encontrar frutas tropicais, madeiras exóticas e, sobretudo, flores, muitas flores que crescem espontâneamente como as hortênsias, os hibiscos, as camélias, as azáleas, aves-do-paraíso, manhãs-de-Páscoa etc.

O povoamento destes dois arquipélagos assentou também em bases semelhantes. Contudo, as características climatéricas e os condicionalismos da paisagem agrária, sobretudo o relevo, provocaram algumas diferenças.

Nos Açores, o trigo foi a cultura cerealífera dominante até ao séc. XIX, sendo então suplantada pelo milho. O principal recurso é, contudo, a pecuária, favorecida por um clima propício ao desenvolvimento da pastagem. A Madeira até meados do Séc. XVI, foi dominada pela cultura da Cana do açúcar, tendo esta entrado em declínio pela concorrência do Brasil. Introduziu-se então o vinho que mantém grande importância ainda no nossos dias.

MADEIRA — ILUSTRES VISITAS (2)

O Imperador Carlos 1º da Austria

Carlos, imperador por dois conturbados anos, vê desenrolarem-se todas as peripécias da 1ª guerra mundial e o seu império desmoronar-se. Em Abril de 1919 a Assembleia Nacional Austríaca decreta o exílio do seu imperador e este parte para uma primeira estadia na Suiça. Numa última tentativa para recuperar a dignidade e o poder perdido, ainda tenta a sua sorte na Hungria, mas o futuro político deste imperador está esgotado e a hostilidade militar aí encontrada levam-no a exilar-se definitivamente.

Chega à Madeira a 19 de Novembro de 1921, acompanhado de sua mulher que, afinal tinha alguma coisa a ver com a escolha da ilha — A imperatriz Zita era de ascendência portuguesa, neta de D. Miguel (irmão do rei D. Pedro IV de Portugal e o primeiro imperador do Brasil).

A Carlos e à sua família é-lhes oferecida a quinta Gordon, no Monte, onde habitam. Ficaram para a história os seus passeios a cavalo e as suas visitas à igreja paroquial, através dos quais estabelece laços fraternos com o povo retribuindo a simpatia com que era tratado.

Infelizmente o excelente clima madeirense não o conseguiu curar duma bronco-pneumonia da qual viria a falecer em Abril de 1922.

AÇORES: O MAR, AS BALEIAS E AS PESSOAS

No Séc. XVIII era relativamente frequente encontrarem-se em águas açorianas barcos e marinheiros de origem norte americana. Da influência destes, ficou a prática da pesca ao cachalote que se tornou numa importante fonte de riqueza, sobretudo para algumas ilhas. O Pico polarizou esta actividade por isso se situa nesta ilha a vila baleeira por excelência — Lajes do Pico, tendo sido aí construídas inúmeras embarcações por mestres locais.

Desde 1984 que, por decisão da Comissão Baleeira Internacional, a que Portugal aderiu, nenhuma canoa mais foi posta na água com o objectivo de capturar cetáceos. Já nessa altura a actividade baleeira estava em declínio e os pescadores tiveram que aprender a encarar o futuro contando com outras formas de sobrevivência.

De sobrevivência também se pode falar falar quando se analisa o estado actual das tradições festivas relacionadas com a memória colectiva da comunidade baleeira. A Vila das Lajes é o local onde se realiza a Semana dos Baleeiros, festividade que, como muitas outras nos Açores, conjuga actividades religiosas com divertimentos profanos.

É na última semana de Agosto, (celebrando um longínquo dia de 1882 em que várias tripulações baleeiras foram salvas, segundo a crença, por intervenção de Nossa Senhora de Lourdes) que a fé da população repete ano a ano a procissão em que, num andor ornamentado de belas flores, a

ONDE NASCEM AS TEMPESTADES

Quando em 1873 se funda em Viena (Austria) a Organização Meteorológica Mundial, já em Angra do Heroísmo funcionava um posto de observação instalado num antigo convento franciscano. Este facto atesta a localização estratégica das ilhas para estudos meteorológicos, havendo quem então considerasse os Açores como barómetro do mundo.

Cerca de vinte anos depois, por acção e impulso, entre outros, do então Príncipe do Mónaco, estabelece-se uma arrojada empresa para a época — a ligação por cabo submarino dos Açores à Europa permitindo a circulação de informações meteorológicas que foram cruciais para o Velho Continente em determinados momentos da sua história. Curioso é saber que o príncipe, mais apaixonado por meteorologia do que por poesia, definia os Açores como as terras de onde partem as tempestades e onde nascem e partem os ventos mais favoráveis à navegação aérea.

Senhora de Lourdes visita as canoas, uma a uma, onde as tripulações a esperam de joelhos. Ainda nessa semana de Agosto as canoas são postas na água, não para partirem em busca de cetáceos, mas para participarem em regatas organizadas.

Hoje, a caça foi substituída pela observação. Em pleno oceano, os cachalotes e outras espécies como os golfinhos são observáveis, tendo como meio de transporte, não já a eficiente canoa de antigamente, mas um barco pneumático que, mais veloz com a ajuda de um motor potente, leva o amante da natureza a presenciar espectáculos verdadeiramente inolvidáveis.

Ao contrário do que crenças antigas faziam crer, os cachalotes são animais pacíficos e até tímidos, reagindo de forma defensiva ao barulho do motor. Se a aproximação for cuidada e a sorte ajudar, é possível surpreender cinco ou seis fêmeas dispostas em círculo, tendo no centro uma jovem mãe-cachalote amamentando a sua cria.

Completando as tradições e observação guiada, a vila baleeira perpetua a sua história num precioso museu (Museu do Baleeiro) em que é possível reviver todos os gestos de séculos que se desenharam sobre as lages de basalto do cais.

A PADROEIRA DOS BALEEIROS

Do alto do seu ponto de observação o vigia tinha a bandeira negra içada, sinal de baleia à vista. Os homens disponíveis respondem ao sinal e precepitam-se para as canoas com a alma cheia de esperança numa safra frutuosa, que os tempos iam difíceis. A remos e músculo saem até ao largo, depois à vela até ao território da caça onde avistam quase uma dúzia de cachalotes. Aí o mar, tantas vezes amigo, prepara-lhes uma traição e uma medonha tempestade colhe-os longe da costa. Encetam a viagem de regresso comandados pelo experiente mestre, mas tanto eles como a família em terra não acreditam na salvação. Reunida na igreja, a população ergue uma súplica pelos seus maridos, irmãos, amigos, até que, ao cair da noite, começam a regressar com vida, um a um, todos os embarcados. A senhora de Lourdes intercedera por eles, por isso, num gesto de gratidão a elegeram sua padroeira. Estava-se num longínquo dia de Agosto de 1882.

VULCANISMO

AÇORES — ERUPÇÕES ATÉ AOS NOSSOS DIAS

Se ambos os arquipélagos são de origem vulcânica, o dos Açores mantém uma actividade que chega aos nossos dias, tendo formas de relevo vulcânico muito mais nítidas do que a Madeira — grandes cones que se abateram e alargaram dando origem a crateras que, por sua vez, originaram as chamadas caldeiras (lagoas).

Nos séculos XV e XVI, em que teve lugar o povoamento dos Açores, houve no arquipélago forte actividade sísmica. Em 1552, na ilha de S. Miguel-Vila Franca; em 1562, na base do monte da ilha do Pico; em 1580, na ilha de S. Jorge um vulcão com quatro chaminés.

Em 1630, o Vale das Furnas, na ilha de S. Miguel, foi fustigado por intensa actividade vulcânica, podendo ver-se ainda hoje, fumarolas, fendas nas rochas e inúmeras fontes de água quente.

Em 1957, junto à costa ocidental da ilha do Faial, emergiu o vulcão dos Capelinhos formando uma nova ilhota que chegou a ter 800 metros de diâmetro e 99 metros de altura acima do mar, numa zona em que o mar tem uma profundidade de 70 metros.

Em 1980, no dia 1 de Janeiro, foi a última grande crise que atingiu as ilhas da Terceira, Graciosa e S. Jorge, em que a cidade de Angra do Heroísmo ficou parcialmente destruída.

No subsolo persistem grutas, algumas visitáveis, resultado de torrentes de lava que, secas à superfície, continuaram a sua viagem interior, criando túneis de vários quilómetros de comprimento. Fumarolas, furnas, grotas e caldeiras subterrâneas atestam também a intensa actividade vulcânica que atravessou os séculos. Por isso existem, em quase todas as ilhas, nascentes termais com lamas e águas minero-medicinais.

Mas não só na paisagem e constituição do solo se encontram os vestígios de actividade sísmica, na memória do povo também ficaram intimamente gravados os relatos de crises, directamente vividas ou não; os medos, as incertezas, os perigos. E, se não é certo que este facto tenha desenvolvido na sua personalidade um especial sentido temerário, já é seguro que nas suas populações encontramos a prática e o culto da solidariedade na sua forma mais natural.

ROMANCE QUE SE FEZ D'ALGUMAS MAGUAS E PEDRAS QUE CAUSOU O TREMOR DE VILA FRANCA DO CAMPO EM 1552

(Lição de Gaspar Frutuoso)

Em Vila Franca do Campo
que de nobre precedia
na ilha de S. Miguel
a quantas vilas havia,
era de mil e quinhentos
e vinte e dois que corria,
vinte e dois dias de Outubro,
quarto de lua seria:
Era uma quarta-feira,
quarta-feira triste dia,
e em a noite mais serena
que o céu fazer podia,
inda que corre Levante
nada dela se sentia;
não corre bafo de vento,
nem folha d'árvore bolia,
estrelado estava o céu,
nuvem não o escurecia.
Ante manhã duas horas
inda não amanhecia,
começou a tremer a terra,
mais que outras vezes tremia,
e a dar fortes balanços
parecendo maresia:
não treme de baixo a cima,
mas para os lados tremia;
nem abre boca nenhuma
o espírito que isto fazia;
sacudiu somente a terra
dos lados em que feria.
Sacode a terra dos ombros,
com o peso que sentia
o grão gigante Almoural
que deitado ali jazia.
Movem-se todas as cousas
quando seu corpo movia;
estrondo que faz a terra
roncos são do que dormia;
que de ser velho cansado
ronca quando adormecia.
Correu a terra dum monte
que d'alta serra pendia,
e com ímpeto furioso
sobre a vila se estendia,
ali começou a dar gritos
a gente que se afligia,
deles chamaram por Deus,
deles por Santa Maria.
Quando chegou a manhã
nenhum deles parecia
que correu daquela terra
que sobre a vila jazia,
essa gente que escapara
como pasmada morria;
outra que viva ficava
vivendo assim não vivia.

(...)

E chegando a Vila Franca
do Campo, campo só via,
Campo em que estivera Troia
que soberba ser soía
de mui populosas casas
nem uma só aparecia,
seus paços postos por terra
terra que neles cobria,
com o seu filho e duas filhas

Armando Cortes Rodrigues
Romanceiro Popular Açoreano,
Instituto Cultural de Ponta Delgada, 1987

Angra do Heroísmo

Angra retirou o seu nome original da baía que lhe fica fronteira. Esse casamento da cidade com a sua baía viria a ser duradouro, sem grandes crises, ultrapassando os tempos e resistindo aos efeitos, por vezes devastadores do progresso.

Angra mantém hoje a singeleza do seu traçado inicial como quando se tornou o primeiro grande exemplo português de uma cidade renascentista, crescendo em ruas desenhadas a régua e esquadro, partindo e regressando à sua baía. Sempre.

Honra-se de ter sido sonhada pelo delírio de marinheiros e delineada com a paciência de cartógrafos que acabaram por fazer da sua baía o núclo de todas as andanças que nunca mais deixaram de a animar desde que Vasco da Gama por ali passou em 1499. Trinta e cinco anos depois, a então vila, era já um posto estável de passagem obrigatória para toda a navegação que da Índia e Mina se dirigia à Europa. Apesar da inclinação do terreno ser excessiva para os desejos da época, e cada palmo deste ser conquistado à natureza com pundonor e astúcia, os seus habitantes acomodavam-se serenamente na muralha natural que a envolve e proteje dos ventos dominantes. Com alguma visão, e movidos pelas necessidades dos que por lá aportavam, construiram fortalezas indispensáveis à sua defesa. Por tudo isto, e apesar da sua juventude, Angra é elevada a cidade em 1534 e passa a ser a sede da Diocese dos Açores. Era já a «escala universal do mar do poente» na expressão de um dos mais brilhantes estudiosos das ilhas — Gaspar Frutuoso.

Não raros são os momentos de glória para esta cidade ao longo do seu crescimento e desenvolvimento. D. João IV, rei de Portugal, sente-se na obrigação de conceder-lhe o título de «Heroísmo» e, quando a 3 de Março de 1852 D. Pedro IV desembarca na sua baía, determina que Angra seja a capital de Portugal e sede da sua Regência na menoridade de sua filha, acrescentando-lhe o epíteto de «sempre constante». Idêntico e harmónico desenvolvimento sofrem os seus habitantes

que se orgulham de, ainda hoje, a animarem de uma atmosfera cultural e poética pouco vulgar em espaços distantes dos grandes centros.

Angra é hoje uma cidade moderna e equilibrada, verdadeira ponte atlântica entre a Europa e o continente americano, recebendo de ambos influências que sabiamente vai integrando na sua personalidade singular.

Angra, distinguida pela UNESCO como cidade património mundial, deve essa distinção à excelência da natureza e do espaço que a circunda, ao potencial histórico conservado em cada pedra dos seus edifícios históricos.

No Salão Nobre da cidade encontra-se a primeira bandeira (azul e branca) da monarquia constitucional oferecida ao Senado angrense pela Rainha D. Maria II e bordada pela própria rainha.

Sempre foi assim: Angra impôs-se nos momentos fulcrais da história de Portugal, captando a admiração e a paixão de todos quantos nela vivem e por ela passam.

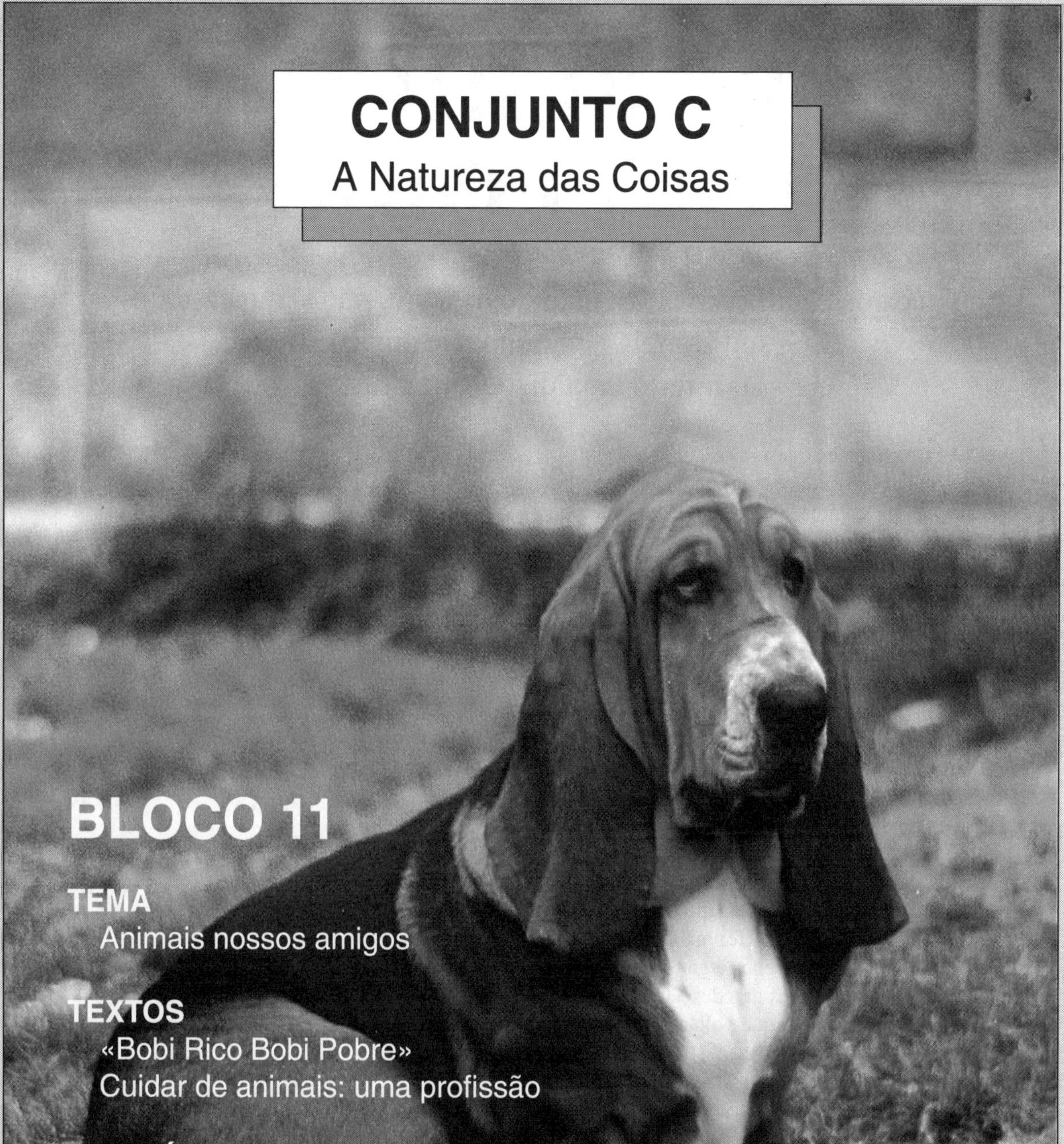

CONJUNTO C

A Natureza das Coisas

BLOCO 11

TEMA

Animais nossos amigos

TEXTOS

«Bobi Rico Bobi Pobre»

Cuidar de animais: uma profissão

GRAMÁTICA

Exprimir finalidade e consequência

DIÁLOGOS

Convites formais / informais e graus de recusa

PARA CONVERSAR

Barba e cabelo para cão

LUSOFONIA

Maputo

BOBI RICO BOBI POBRE

Os canis e gatis privados, quando nascem, não são para todos. O Grand Danois tem donos de cinco estrelas, o rafeiro amaldiçoa a madrasta.

As dificuldades que uma camada da população tem em pagar a pessoas ou a canis e gatis *para ficarem* com os seus bichos de estimação sempre que têm de se ausentar das suas casas, não pode ser desculpa *para que todos os anos surjam* nas estradas, aldeias, vilas e cidades, cães e gatos abandonados.

Situação curiosa foi a que encontrámos no Canil e Gatil do Monte dos Vendavais, um hotel de bichos, onde o proprietário acolhe de momento uma cadela cega, que dá pelo nome de "Menina", e dois cães.

Orlando Almeida, proprietário do Canil conta-nos como foram lá parar. Tudo começou há sete anos atrás quando resolveu transformar a sua quinta de recreio em canil para acolher os animais dos amigos. Depois achou que poderia ser bom alargar a clientela e fez mais alojamentos para cães grandes, pequenos e gatos, sobretudo para o período das férias grandes. Hoje não tem mãos a medir e já teve que voltar a investir no alargamento das instalações.

Consciente de que pode não ser fácil à maioria das pessoas pagar uma diária situada entre os 900 e os mil escudos, tem mesmo alguns preços especiais para casos igualmente especiais.

É o caso dos donos de três cães abandonados que ali estão alojados. "Há pessoas — diz — que encontram animais abandonados, que os vêm aqui colocar e que pagam a diária do seu bolso, porque não os podem ter em casa ou por terem já outros animais, ou por questões familiares, ou até por não terem condições logísticas. Assim, para estes casos, porque de todo não posso abdicar da cobrança, faço preços reduzidos, porque desta forma ajudo as pessoas e ajudo os animais".

As condições são de facto óptimas. Os alojamentos têm boa ventilação, têm as dimensões

desejáveis para que cada animal não esteja como que enclausurado. A limpeza parece ser a palavra de ordem.

O outro grande cuidado que nos foi dado observar, prende-se com a alimentação que segundo Orlando Almeida ali é feita à base de ração, "apesar de fugirmos a esta no caso em que os animais estão habituados a comer outras coisas e rejeitam a ração".

Seja cão ou gato, todos têm uma ficha que é preenchida no acto de admissão. Dessa ficha constam informações importantes para que as férias dos animais corram sobre rodas. Tal é o caso por exemplo de ficar registado o nome do veterinário que acompanha a saúde do animal, *para que*, no caso de haver algum problema o veterinário do canil possa intervir. Depois fica registado o que o animal mais gosta de comer, se tem ou não quintal, se precisa de ser passeado por alguém ou se costuma sair sozinho, etc.

"Isso tudo, porque a experiência ensinou--nos a ter estas precauções. Nomeadamente, porque uma vez alojámos um cão que esteve três dias sem fazer qualquer necessidade. Quando percebemos isso entrámos em contacto com um familiar do dono que nos explicou que este não era nada meigo e uma vez tinha batido muito no animal por ele se ter descuidado. O bicho ficou de tal forma que não se atrevia a fazer nada em casa. Assim, agarrámos nele e levámo-lo a passear. De então para a frente perguntamos aos donos e em caso de dúvida logo ao fim do primeiro dia se o animal não fez nada levamo-lo logo à rua", salienta.

Não aceitam animais por vacinar, salvo a apresentação de um atestado médico que explique as razões, todavia essa questão é solucionada pelo veterinário do canil que semanalmente visita e observa os bichos.

"Claro que os animais no primeiro dia estão sempre agressivos, afinal, estão num meio que desconhecem, mas ao terceiro dia a pessoa que lhes vai dar de comer passa à categoria de amigo e deixam de reagir. Quando temos alguma desconfiança quanto à agressividade do animal, principalmente dos cães utilizamos um pequeno

truque: entramos com uma mangueira com o jacto virado para a frente e eles ao verem a água afastam-se e deixam-nos trabalhar à vontade".

Com os gatos outro galo canta. Para Orlando de Almeida embora se pense que são mais fáceis de tratar, na verdade são mais difíceis. O gato é normalmente mais independente que o cão e por isso chega aqui e quer ditar as suas próprias leis, pois está habituado em casa a fazer o que quer e a comer só o que gosta, logo quando aqui chega arma-se em difícil. Os casos de recusa total de comer são raros, mas acontecem. Tivemos cá um que durante 15 dias teve de ser alimentado de duas em duas horas, com um complemento alimentar que normalmente se dá às crianças, porque ele pura e simplesmente se negou a comer. É natural que estranhem a mudança de espaço, mas nós não podemos deixá-los sem comer, assim muitas vezes tentamos aliciá-los dando--lhes peixe cozido e cru, carne cozida e crua e como último recurso um alimento que ainda nunca nenhum resistiu: uma latinha de atum de conserva. Depois de comerem a primeira vez, o problema está resolvido. A seguir é só brincar um bocadinho com eles, fazer-lhes festas, em suma dar-lhes um pouco de atenção".

Os canis podem de facto ser uma solução a considerar, mesmo quando o dinheiro é pouco. Aliás, o ideal era que as pessoas antes de comprarem ou aceitarem um animal pesassem os prós e os contras de tal responsabilidade.

Isabel Carvalho
Sábado, 09/10/92

IDEIA GENIAL

VAI A CASA E TRATA-LHE DO BICHO

A Cat & Dog Sitter é uma pequena empresa que se inspira no trabalho dos baby sitters. Nasceu no Verão e até criou mais postos de trabalho do que o previsto.

ISABEL CARVALHO

Há pessoas de tal modo criativas que passam a vida a descobrir o que, depois de feito, parece sempre o ovo de Colombo. É o caso de um professor que montou uma mini-empresa de guarda de animais domésticos. E não leva mais caro por tratar também das plantas. Ele substitui hotéis para cães e gatos, gatis e canis, e oferece um serviço personalizado. Melhor que tudo: vai a casa!

A ideia que viria a proporcionar a formação da empresa surgiu precisamente em meados do passado mês de Agosto e partiu da confluência de duas ordens de acontecimentos, como o próprio explicou.

"Por um lado foi e é infelizmente o abandono dos animais, particularmente no período de Verão, mas também em outras épocas do ano, porque às vezes as pessoas têm compromissos inadiáveis que surgem para complicar a vida do animal que é abandonado ou doado a alguém. Por outro lado, foi o facto de circunstancialmente frequentarem a minha casa quer amigos quer colegas que estão ou mal empregados ou até desempregados e que de alguma forma procuravam alguma actividade. Assim, pensámos que criar esta empresa era uma maneira de, sendo útil às pessoas e aos animais, sermos igualmente úteis para nós próprios."

Nas visitas estes tratadores domiciliários têm sido muito bem recebidos pelos animais, apesar de existirem algumas peripécias inerentes ao facto de os bichos não estarem habituados a estas pessoas que a partir de uma dada altura entram pelos seus territórios adentro.

A relação com os gatos é normalmente fugidia, segundo António Serzedelo, não gostam de intimidades e escondem-se por debaixo de qualquer coisa que os proteja ou então por cima de um armário. Quanto aos cães ainda nada há a assinalar, salvo quando são grandes e têm de ser passeados. Aí, o caso muda de figura pois como diz o professor "não sou eu que os passeio, mas o inverso".

Situações de perigo ainda não constam do rol de visitas, "embora seja um potencial perigo sabermos que vamos entrar no território por exemplo de um cão, que nalguns casos estão ensinados para o defenderem, só que até agora tudo tem corrido optimamente, todos os que nos chegaram perto eram simpáticos e bem educados, independentemente de serem de raça ou rafeiros, grandes ou pequenos".

"Claro que — diz — se verificarmos que o cão não gostou do tratador durante o primeiro contacto que é feito sempre na presença do dono, este tem de perceber que não vai ser possível sequer lá voltarmos. Logo, é imperioso que exista uma certa empatia entre nós e o animal a tratar. Só assim recebemos a chave e a narrativa oral ou escrita de todos os condicionalismos pretendidos".

Sábado, 15/101992

DIA A DIA COM A BICHARADA

Conhecem-lhes as manhas, as brincadeiras e as zangas. Dão-lhes de comer, lavam-nos e castigam-nos quando é preciso. Intimidades? Raras e à cautela. Por vezes saem-lhes caras.

ALFREDO PRADO

A sua profissão é tratar de animais. Uns mais dóceis, outros tão ferozes quanto lhes permite a vida em cativeiro. A experiência adquirem-na no dia-a-dia. Com o tempo ganham alguma especialização.

Em alguns casos desenvolve-se uma relação de afeição, de predilecção entre tratador e animal. Acontece, sobretudo, com os macacos, chimpanzés e gorilas. As cenas de ciúmes são frequentes e a algazarra instala-se. Mas, normalmente, prevalece a ordem do reino animal, a supremacia do mais forte sobre o mais fraco. Na distribuição da alimentação, os tratadores conhecedores sabem como fazê-lo, de modo a evitar as lutas e os despiques.

DAS VACAS AOS ELEFANTES

Entre os bovídeos, nem todos são iguais. O búfalo de água, por exemplo, mostra-se mais pacífico que o bisonte. Quem o diz é Eduardo Santos, 36 anos, natural de Lisboa, que trabalha no Zoológico desde há três anos. Até então era polidor de metais.

"Com quem lido mais são os bisontes e búfalos". Mas também conhece as feras, que ajuda a tratar três vezes por semana.

"Apanha-se um susto de vez em quando". Mas, quanto a episódios que recorde, nenhum lhe merece registo especial.

Há mais tempo no Zoo está Albino Pinto Barbosa, 33 anos, natural de Lamego. Desde há 11 anos trabalha no parque.

Lembra a primeira vez que entrou no "território" dos elefantes. "Fui apanhar a bosta de uma fêmea. Levava uma cenoura na mão. Claro que ia com algum receio. Depois disseram-me que não podia habituá-la mal. Da segunda vez, não levei nada. Ela lembrava-se da cenoura e começou a rondar-me, mas não fez mal".

O INESPERADO. Desde o início do mês, Albino Barbosa já não convive com os elefantes como convivia. É que Joaquim Porfírio Teles, com quem compartilhava a tarefa apareceu morto. Uma fêmea espetou-o com um dente. Não houve testemunhas. Joaquim Porfírio estava há 21 anos no Zoológico e desde há 15 tratava dos elefantes. Acidente ou "memória de elefante"? Seja como for, para Albino Barbosa já nada é como dantes e agora todos os cuidados são poucos.

Para o dr. Fernando Paisana, da Direcção do Zoológico de Lisboa, é estranho que o elefante não o tenha pisado. "Era um belíssimo tratador de elefantes, embora manifestasse excesso de confiança".

O excesso de confiança não é recomendado, mas por vezes estabelece-se entre tratadores e animais uma autêntica afeição. Quem visitou o Zoo há 28 anos recorda ainda um pequeno gorila, transportado ao colo ou num carrinho de bébé e, já mais crescido, passeado à trela pelos arruamentos do parque.

Arminda Lourenço é a tratadora que ajudou o "Matias", hoje um corpulento gorila, a crescer. E é ela, ou uma sua colega, Maria José, que continuam, todas as manhãs, a servir-lhe o pequeno almoço, leite com "tody", na jaula. Mas, as intimidades do passado terminaram há muito tempo. É que, "os bichos são traiçoeiros e nunca fiando".

Sábado, 25/09/92

BLOCO 11

EXPRIMIR FINALIDADE E CONSEQUÊNCIA

FIM / FINALIDADE

Preposição Loc. prep. + V. Infinito	Loc. conjuncional + V. Conj.
para a fim de de maneira a de modo a de forma a	para que a fim de que de maneira a que de modo a que de forma a que

Ex.:

*... transformou a quinta **para receber** os animais dos amigos*
*... pagar a pessoas ou a canis **para ficarem** com os seus bichos*
*Os alojamentos têm as dimensões mínimas **para que** cada animal não **esteja** enclausurado*
*Dessa ficha constam informações importantes **para que** as férias dos animais **corram** sobre rodas*
*... os tratadores sabem como fazê-lo **de modo a evitar** as lutas... = **de modo a que se evitem** as lutas... = **de modo a que sejam evitadas** as lutas...*

+ V Infinito	ou	+ Nome
com vista a a fim de com a finalidade de		ter em vista ter por fim ter por objectivo

Ex.:

*Os canis existem **com vista a** proporcionar maior comodidade aos animais...*
*= Os canis existem **para** proporcionar...*
*A empresa **tem por objectivo um tratamento** personalizado*
*= A empresa existe **com o objectivo** de apresentar um tratamento personalizado*
*= A empresa existe **com o objectivo de apresentação** de um tratamento personalizado*

CONSEQUÊNCIA

Ex.:

*Há pessoas de **tal modo criativas que** passam a vida a descobrir...*
*O bicho **ficou de tal forma que** não se atrevia a fazer nada em casa*
*= **ficou tão assustado que** não se atrevia a...*
*O susto foi **tal** (=tão grande) que nunca mais lá entrou*

Alguns processos mais frequentes de expressar a consequência:

1. Justaposição através do uso de ":":
Ex.: *... um serviço personalizado. Melhor que tudo**:** vai a casa.*

2. Advérbio que associa a causa ao efeito:
(assim, então, portanto, por conseguinte, por consequência, por isso, por esse facto, etc...)
Ex.: ***Assim**, pensámos que criar esta empresa era uma maneira de (..)*
*...que haja empatia entre o tratador e o animal. **Só assim** recebemos a chave...*

3. Um verbo que associa a causa ao efeito:
(conduzir a; resultar que; ser desculpa para; etc..)
Ex.: *A dificuldade que uma camada da população tem em pagar (..) não **pode ser desculpa para que** todos os anos **surjam** (..) cães e gatos ..*

4. Verbo no Futuro ou no Condicional:
Ex.: *A ideia que **viria a proporcionar** a formação da empresa surgiu precisamente em meados do mês de Agosto*

5. **Advérbios de intensidade (com incidência em Nome, Verbo, Adjectivo ou Advérbio):**
(de (tal) forma que; de (tal) maneira que; de (tal) modo que; a tal ponto que; a ponto de; etc..)
Ex.: *Há pessoas **de tal modo** criativas que passam a vida a descobrir o que, depois de feito, parece sempre um ovo de Colombo*

Advérbios de intensidade com incidência sobre um nome
tanto... que.. ; um tal... que; bastante/demasiado... para (+ infinitivo)/ ... demais para bastante/demasiado... para que (+conjuntivo)/... demais para que

Ex.: *Os animais abandonados são tantos que não há espaço para todos*
Têm tido problemas demais para que queiram continuar a trabalhar no Zoo
Ela tem um tal gosto por animais que não se cansa de os tratar

Advérbios de intensidade com incidência sobre um verbo
tanto... que; a (um) ponto tal que; a ponto de (+infinitivo) bastante/demasiado/demais para (+ infinitivo) bastante/demasiado/demais para que (+conjuntivo)

Ex.: *Ele gosta tanto de gatos que tem 6 em casa*
Ele gosta demasiado de animais para os pôr em jaulas

Advérbios de intensidade com incidência sobre adj. ou adv.
tão... que (+indicativo) bastante/demasiado... para (+infinitivo)/... demais para bastante/demasiado... para que (+conjunt.)/... demais para que

Ex.: *Os bichos são tão traiçoeiros que é sempre bom desconfiar deles*
Os gatos são demasiado independentes para ficarem presos

BLOCO 11

CONVITES FORMAIS / INFORMAIS E GRAUS DE RECUSA

VÁRIAS FORMAS DE CONVIDAR:

Formal

Faço questão em que esteja presente...
Gostaria imenso que comparecesse...
Dava-nos imenso gosto que viesse

Informal:

Quando é que a gente se encontra?
Então é hoje que...
Quando é que dá jeito?
Pode ser amanhã?

Convidar por convidar

(o convite não é real se não tiver data)

Um dia destes...
Havemos de conversar...
Qualquer dia...
Temos que combinar...

VÁRIOS GRAUS DE RECUSA

Formal

Lamento mas não vai ser possível...
Terá que ficar para uma próxima oportunidade...
Se pudesse ficar para...

Informal

Hoje não dá jeito
E se for para a semana?
Convinha-me mais noutra altura.
Não. Assim não...

11.1. A Mafalda e o João combinam ir jantar

— Então é hoje que vamos jantar juntos?

— Por mim pode ser. A que horas?

— Passo por tua casa às sete, tá bom?

— Ai não! A essa hora ainda nem estou em casa. Se calhar é melhor encontrarmo-nos já num sítio certo lá para as oito. Assim não preciso de ir a casa antes do jantar.

— Ok. Então às oito e um quarto no "Cais do Peixe". Queres?

— Mas esse sítio é muito caro, não é?

— Não faz mal, sou eu que pago e faço questão em que estejas presente

— Mas eu não estou suficientemente arranjada. Lembra-te que não vou a casa antes.

— Não te preocupes. Tu estás óptima. Não faltes.

— És um amor.

11.2. Um convite semiformal para jantar

— Nós damos uma pequena festa lá em casa e seria muito bom que estivessem presentes.

— Mas com certeza, teremos o maior prazer.

— Então, sexta feira a partir das sete e meia. Contamos convosco.

— Mas diga-me, é alguma data festiva?

— Não. É apenas um pretexto para reunirmos algumas pessoas amigas. Se ninguém tomar a iniciativa nunca nos encontramos.

— É bem verdade. Então, sexta feira lá estaremos em sua casa. Está prometido.

11.3 Ao telefone...

— Mais uma vez obrigado pelo seu jantar do outro dia. Estava excelente.

— Para nós foi um prazer ter-vos em nossa casa.

— Sabe que nós também queríamos convidar-vos agora para o concerto de domingo na Gulbenkian. Temos dois bilhetes a mais porque os nossos filhos não vão. Querem ir connosco? Davam-nos imenso prazer.

— E nós teremos muito gosto em vos acompanhar.

11.4. Eles combinaram encontrar-se p'rà semana

— Nós podíamos discutir isto com mais calma num outro dia ao almoço.

— Óptima ideia. Pode ser na próxima quinta?

— Na quinta? não dá. Tem que ser p'rà semana.

— Nesse caso, convinha-me que fosse logo na segunda feira porque eu tenho que ir a Faro durante uns três dias.

— Excelente. Então por mim pode ser na segunda feira à uma no "Tasco", concorda?

— Inteiramente. Vemo-nos na segunda.

11.5. Será um encontro pouco provável...

— Então que é feito? Nunca mais te tinha visto!

— É verdade. Circuntâncias da vida! Agora trabalho lá para baixo, raramente venho aqui, é mais difícil a gente encontrar-se...

— Pois é. Olha, quando quiseres aparece para a gente conversar um bocado, tá bem?

— Ok, a gente fala-se um dia destes...

11.6. Amigos sem vontade de se encontrarem...

— Olá Jorge. Por onde é que tens andado?

— Eu? Pelos sítios do costume. Casa — trabalho, trabalho — casa...

— Temos de combinar um jantar, uma ida ao cinema, ou qualquer coisa do género. A gente nunca se encontra...

— Acho que sim. Telefonamo-nos para aí num fim de semana...

— Isso. temos que combinar um programa qualquer... Prazer em ver-te

Expressões coloquiais

noutra altura = em outro momento; noutra ocasião
fazer questão de/em = exigir, querer; insistir
para aí num fim de semana = um fim-de-semana qualquer
a gente = nós

BARBA E CABELO PARA CÃO

Barba, cabelo, corte de unhas, limpeza de ouvidos e banho completo incluindo desparasitação. O cliente só tem de cumprir uma condição: manter-se quedo e mudo sobre a mesa, enquanto lhe tratam da higiene. Vida de cão é assim mesmo.

LL/Lusopress

Teresa Coimbra, de 25 anos, e o marido, Fernando Ferraz, de 29, abriram a loja há pouco mais de dois anos e foram bem sucedidos. Hoje, em certos dias, atendem mais de uma dezena de clientes.

Cockers, caniches, fox-terriers, shenauzers, yorkshires, cães-de-água portugueses ou bobtails são dos mais assíduos, mas aparecem de todas as raças. Até São-Bernardos, que por si só ocupam todo o "salão". Mas depois de entrarem na profunda banheira encostada a uma das paredes, por ali ficam, sentados, resignados com a sorte.

É uma atitude que, aliás, é comum a quase todos os cães. Enquanto a máquina de devastar lhes corre o corpo ficam estáticos. Mesmo quando mãos conhecedoras manuseiam a tesoura nas partes mais delicadas do focinho evitam qualquer movimento. Provavelmente por guardarem más recordações de gestos mais irreflectidos em ocasiões anteriores. Mas, também, certamente, porque instintivamente captaram a segurança de quem os manipula.

Há exemplares mais desconfiados ou pouco experientes que reagem um pouco mais agressivamente, mas um açaime de segurança e muita "psicologia canina" são suficientes para resolver os problemas.

Claro que a beleza ainda constitui a principal motivação dos donos. E, nesse campo, também ali vêem satisfeitas as pretensões. Os menos conhecedores são aconselhados quanto ao tipo de corte indicado, e os já *experts* limitam-se a dar uma indicação particular conforme os seus gostos específicos.

Rapado, meio corte, com feitios ou corte de exposição, são os tipos de opção. Os preços variam entre os dois e os cinco contos, segundo o corte ou a corpulência do animal. Mais um suplemento para o corte de unhas, limpeza de ouvidos ou banho completo.

Curiosamente, a loja oposta, do outro lado do corredor, é um salão de cabeleireiro para homens. Sentados, e de bata a proteger o vestuário, os clientes vão desviando os olhos do espelho para o "salão", observando talvez os exemplos vivos da paciência canina que, no fundo, lhes é comum.

Sábado, 05/03/93

BLOCO 11

Maputo

Maputo, capital da República Popular de Moçambique, situa-se no extremo sul do país.

Com uma área de 675 Km2, em 1987 a população estimava-se em 1. 200. 000 habitantes.

A génese e fundação da cidade são partes integrantes da História portuguesa e dos Descobrimentos. No período da colonização empreendeu-se o desenvolvimento económico e social que os actuais governantes procuram incrementar e consolidar.

Em 1498 Vasco da Gama fez escala na Baía, em 1502 o território é descoberto por outros navegadores portugueses. Lourenço Marques procede ao seu reconhecimento geográfico e económico em 1544.

El-rei D. Luís eleva a povoação a vila, atribuindo-lhe a designação de Lourenço Marques em homenagem ao navegador que primeiro desvendou os mistérios do território. Algum tempo depois Lourenço Marques é proclamada cidade por ordem do mesmo monarca (1887).

Em 1975, depois de muitos acontecimentos, é proclamada a Independência e empossado o primeiro Presidente da República — Samora Moisés Machel, que em Fevereiro de 1976 anunciou a alteração do nome da cidade. A partir de então chamar-se-ia Maputo.

Fisicamente, a cidade é constituída por três zonas distintas: uma área urbana, a Ilha de Inhaca e Catembe, separadas entre si por um Estuário bonito e agradável para quem observa. Administrativamente está organizada em distritos urbanos, bairros e quarteirões.

No seu conjunto, a cidade compõe-se de oito distritos, quatro localidades, noventa e oito bairros residênciais com uma densidade populacional de 1. 254,7 habitantes por Km².

Os orgãos máximos, responsáveis pela administração do território são a Assembleia do Povo, constituída por cem deputados, e uma Comissão Permanente com um orgão executivo no intervalo das sessões da Assembleia.

As explorações agrícolas repartem-se pelo sector familiar, cooperativo e privado.

Nas zonas suburbanas predominam as pequenas actividades industriais, o artesanato e o comércio.

Já no centro de Maputo o aspecto é bem diferente. Aí se encontra o maior parque industrial do país. Destacam-se as indústrias do calçado e do aço, cerâmica e química, fábricas de pneus, cerveja e moagem, entre outras.

Os problemas com que a cidade de Maputo se debate actualmente situam-se na área da habitação, dos transportes, abastecimento, saneamento e salubridade pública.

Refira-se ainda que em Novembro de 1987 a cidade comemorou o seu primeiro centenário com organizações diversas.

Actualmente na cidade há de tudo um pouco — pormenores imprescindíveis para quem pretende deslocar-se e permanecer algum tempo em Maputo.

UCCLA, 1989

BLOCO 12

TEMA

Em busca da natureza quase perdida

TEXTOS

Norte paraíso

Sem a companhia dos lobos

GRAMÁTICA

Exprimir a causa

DIÁLOGOS

Desmarcar um encontro

PARA CONVERSAR

Touros de morte em Portugal: sim ou não?

LUSOFONIA

Macau

ÀS PORTAS DE GAIA

NORTE PARAÍSO

São onze hectares de campo e mato onde os visitantes se cruzam com gamos, aves de rapina, raposas e pássaros silvestres...

Paulo Caetano (texto) Rui Gageiro (fotos)

Em Vila Nova de Gaia, a poucos quilómetros do centro urbano, reconstruiu-se uma antiga quinta e deu-se-lhe o nome de Parque Biológico. Aí, é possível passear como se o tempo estivesse parado. O ruído dos automóveis desaparece e os visitantes aventuram-se em trajectos definidos ou circuitos alcatroados.

Com calma e curiosidade, há quem goste de explorar as margens do rio Febros, um dos afluentes da margem esquerda do Douro, procurar a vegetação típica que aí floresce ou tentar observar as trutas, os barbos e as solhas que povoam o riacho. Por vezes quando os níveis de poluição industrial e urbana decrescem, consegue-se avistar uma lontra fugidiça.

Ali perto, foi reconstruído o velho moínho tradicional e a casa de campo antiga. Nada foi esquecido: a barragem que solta as águas e faz rodar a grande mó de pedra, a cozinha rústica em pedra e madeira escurecida pelo tempo, a roca de fiar no quarto de dormir. Cá fora, entre carroças recuperadas, o estábulo alberga um burro e os porcos da quinta.

As espécies são, todas elas, oriundas da fauna nacional. Chega a acontecer algumas espécies migradoras utilizarem o lago como local de alimentação e descanço, antes de retomarem a sua jornada. Dispõem de um *habitat* perfeito e sabem que estão em segurança sem caçadores atrás de cada arbusto. De facto, os animais nem sequer são incomodados pelos visitantes, obrigados a observá-los à distância através de pequenos visores abertos em paliçadas de madeira.

"Incompreendido por muitos, que o confundem com um jardim zoológico ou com um jardim formal mal feito; odiado por outros que gostariam de plantar aqui blocos de cimento armado em vez de árvores, o Parque Biológico de Vila Nova de Gaia afirma-se como a grande zona verde da região, já visitada por meio milhão de pessoas".

O velho moínho, a casa rural, o grande lago artificial e o rio Febros estão ligados entre si por uma infinidade de pequenos caminhos pedonais, em terra batida e, por vezes, lamacentos. É fácil

deambular por aí. Descobrir o covil das raposas; observar as aves silvestres que nidificam naturalmente ou que decidiram ocupar os 150 ninhos artificiais colocados em pontos estratégicos; pasmar com a paisagem que se avista no alto dos niradouros; acompanhar — sempre atrás de visores abertos na paliçada — a corrida dos gamos.

"No Parque Biológico, mais importante do que aprender o nome das árvores ou dos pássaros, é perceber o contraste. Largar a estrada e entrar nos caminhos, deixar para trás o barulho dos carros e ouvir os pássaros, o marulhar do rio Febros e, após uma hora de mergulho no mundo que estamos a perder, regressar de chofre à confusão de uma movimentada metrópole. Assim, abrem-se os olhos e os espíritos para a necessidade de planear o território, de manter amplos espaços verdes nas cidades, de proteger os rios, a fauna, a flora, a construção tradicional, todo um conjunto de valores referenciais da nossa civilização", garante Nuno Gomes de Oliveira.

Desde que o parque abriu ao público — há cerca de sete anos — foram recolhidos 126 animais de 18 espécies diferentes: águias cobreiras, calçadas e de *bonelli,* grifos, milhafres, tartaranhões, corujas e mochos. Eram juvenis caídos de ninhos. Alguns foram feridos a tiro por caçadores sem escrúpulos, outros estavam ilegalmente em cativeiro.

Quando um caso destes aparece, o animal é examinado por veterinários e, se estiver em boas condições, é libertado em zonas onde a sua espécie ocorre. Se necessitar de um período de reabilitação, o animal é enviado para o Centro de Recuperação de Aves de Rapina da Peneda Gerês, para ser devolvido à natureza.

O pior é quando os animais estão comprovadamente irrecuperáveis. Aí, a única possibilidade é proporcionar-lhes um cativeiro digno e usá-lo em acções de educação ambiental, tentando — com o seu exemplo — preservar os espécimes que ainda se encontram no mato.

"O choque emocional provocado nos visitantes do Parque por um belo exemplar de águia cobreira ou de coruja das torres, incapaz de viver em liberdade devido a uma chumbada criminosa, motiva a ligação afectiva a estes animais e a repulsa por todos os actos de vandalismo que os possam vitimar. Da caça ao roubo de ninhos, da destruição de *habitats* ao comércio".

"As pessoas percebem que, aqui no Parque, apesar da humilhante postura de bicho de gaiola, estas aves irrecuperáveis encontram a sua derradeira possibilidade de sobrevivência, embora não desempenhem o seu importante papel de elementos dinâmicos do ecossistema. E compreendem que, no Parque, tentam-se minimizar as condições de cativeiro, procurando pelo volume, arranjo interno, acesso discreto do observador, cuidados sanitários de alimentação, recusar o modelo degradante de muitas gaiolas de zoos baratos", defende Nuno Gomes de Oliveira.

Numa instalação ampla, com arbustos e água corrente, estão várias águias sem asas, com ferimentos nas patas ou de tal forma habituadas ao homem que o seu regresso à natureza é inviável. É o Monumento ao Caçador.

Sábado, 07/5/93

SEM A COMPANHIA DOS LOBOS

Os cerca de 200 lobos que existem em Portugal continuam a ser vítimas do homem e a registar baixas.

Paulo Caetano

Francisco Fonseca é um homem preocupado. Há mais de dez anos que se envolve com os problemas que ameaçam o lobo ibérico. Investigador no terreno, autor de vários livros e brochuras, presidente do Grupo Lobo — que gere um Centro de Recuperação do Lobo Ibérico, na Malveira —, este professor da Faculdade de Ciências de Lisboa não tem mãos a medir.

Umas vezes, aparecem lobos envenenados pelos pastores. Outras vezes, são as ninhadas retiradas do covis e mortas à paulada. Ou, então, são os furtivos que se aventuram na serra e disparam indiscriminadamente sobre tudo o que encontram, incluindo espécies protegidas e em perigo de extinção, como o lobo.

Desta feita, foi um caso de atropelamento nos arredores de Lamego, onde se sabe que existem alguns lobos. Muito poucos.

"Recebi a notícia na segunda feira, quando estava em Bragança, no Parque Natural de Montezinho. Nesse dia, um automobilista atropelou um lobo num cruzamento. Quando cheguei à zona do acidente, já à noite, batemos toda a área e não encontrámos nada. No dia seguinte, pela manhã, retomámos as buscas. O lobo estava escondido, imóvel, perto do local onde tínhamos andado na noite anterior."

Após um exame breve, o animal foi trazido para o Jardim Zoológico de Lisboa, para receber tratamento veterinário. Estava num estado péssimo, bastante magro. "As feridas do acidente são fáceis de curar. O problema é que o animal já estava doente e muito debilitado. Talvez, por isso, não tenha conseguido atravessar a estrada a tempo", afirma Francisco Fonseca.

"Nesta região, os lobos dispõem de poucas presas naturais. A sua única alternativa de sobrevivência são os animais domésticos, o que suscita a ira das populações rurais, até porque as indemnizações pelos prejuízos que o lobo causa continuam a sofrer atrasos de vários anos", garante Francisco Fonseca.

Os pastores, que consideram como natural a morte de algumas ovelhas pela acção da geada ou outra causa natural, encaram como ameaça a existência do lobo. "Antigamente, os lobos matavam cinco e seis ovelhas e ninguém dizia nada. Agora, basta matar uma e logo se gera um clima de perseguição ao animal, que acaba muitas vezes com o seu envenenamento. Não é tanto o medo ancestral do lobo, já ultrapassado pelas gerações mais jovens, mas uma questão económica."

Dificilmente se pode censurar que um lobo entre num cercado de fácil acesso, sem guardas e com cães esfomeados e mal treinados e mate uma ovelha. É, que, durante séculos, o homem exterminou veados, gamos, cabras selvagens e corças — presas naturais deste predador — e ninguém lhe pediu responsabilidades.

Para minimizar esta situação, Francisco Fonseca propõe o pagamento imediato de indemnização aos pastores, sempre que o ataque seja comprovadamente atribuído ao lobo; o recurso a cães de guarda treinados; e a construção de melhores recintos de recolha de gado. "Se tudo isto for feito, então talvez seja possível a coexistência pacífica entre o homem e o lobo." Enquanto ambos existem.

Sábado, 21/5/93

TEMPO DE FOLGA

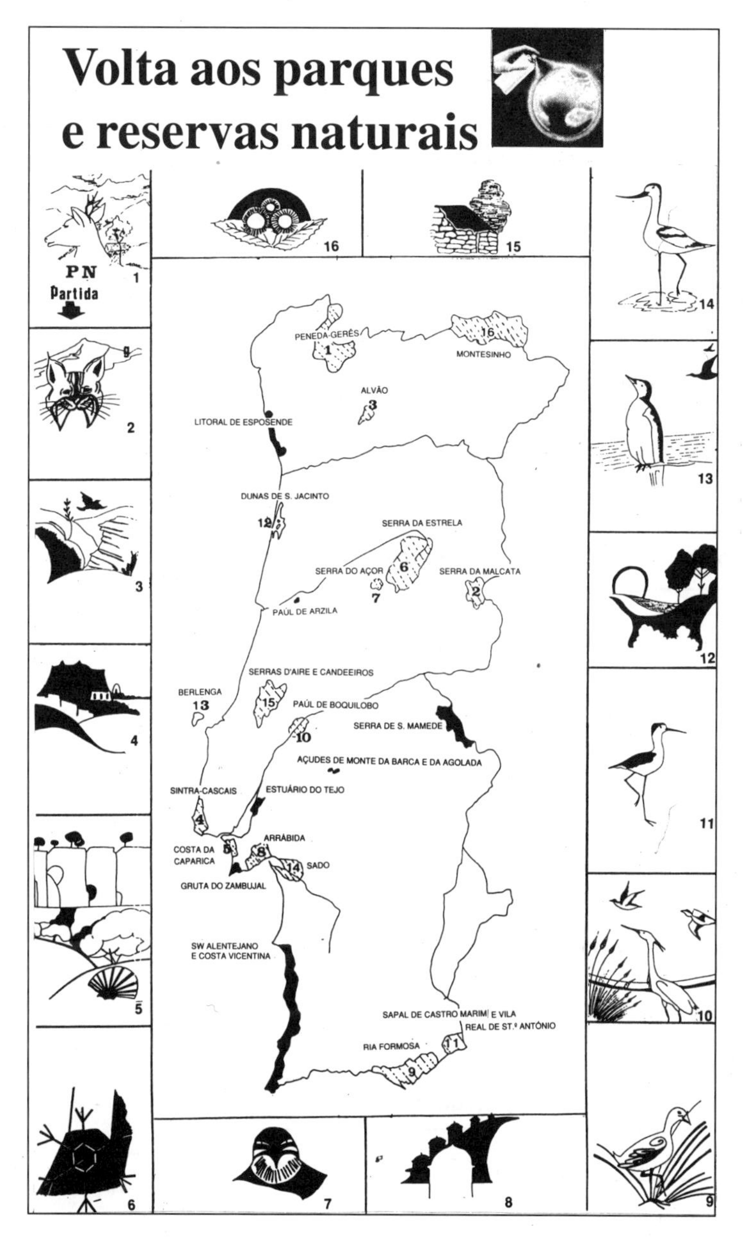

Viva Voz, n.º 113

■ Jogo

A paisagem protegida é um espaço para respeitar e usufruir garantindo o seu valor futuro com algumas regras simples.
Cada uma das afirmações seguintes são para assinalar como verdadeiras ou falsas.

1 — Andar pelos caminhos e trilhos existentes.
2 — Conduzir o carro pelas estradas e caminhos existentes.
3 — Evitar colher plantas, flores, frutos e amostras minerais.
4 — Andar fora dos caminhos explorando toda a zona.
5 — Colher plantas e tudo o mais de que se lembrar
6 — Fazer barulho em todos os locais
7 — Acampar em qualquer sítio.
8 — Deitar o lixo nos locais próprios.
9 — Acampar só nas áreas destinadas para esse fim
10 — Não fazer escavações ou aterros sem autorização
11 — Manter a tranquilidade nos locais.

■ Material

Um dado e vários peões
Um dos jogadores será o árbitro que fará as perguntas e controlará as respostas.

■ Regras

— Começa quem primeiro tirar um seis.
— Começa na casa de partida (Parque Peneda Gerês).
— Percorrer todas as casas do jogo de 1 a 16. Se errar nas respostas vai para a zona do mapa correspondente àquela em que se encontrava: se for sul fica de castigo na parte sul, conforme o lugar em que se encontrava, etc.
— Se errar uma, duas ou três vezes, fica de castigo uma ou duas vezes e à terceira volta ao início do jogo.
— Se acertar três vezes seguidas tem um bónus: mais três casas do que aquelas que saíram na pontuação do lado.
— Ganha quem chegar em primeiro lugar à última casa numerada — (nº 16 — Montesinho).

■ Solução:

1-v 2-v 3-v 4-f 5-f 6-f 7-f 8-v 9-v 10-v
11-f 12-v

BLOCO 12

EXPRIMIR A CAUSA

Observe os seguintes enunciados:

*...O animal foi trazido para Lisboa **porque** estava num estado péssimo*

*Ele já estava muito debilitado, talvez **por isso** não tenha conseguido atravessar a estrada*

*Incompreendido por muitos **que** o confundem com um jardim zoológico..*

*Dificilmente se pode censurar que entre (..) e mate uma ovelha. **É que** (..) o homem exterminou (...) e ninguém lhe pediu responsabilidades.*

*...consideraram natural a morte de algumas ovelhas **pela** acção da geada*

Preposição + Nome	**Preposição + V. Infinitivo**
por	por
por causa de	
graças a	
seja por... seja por... ou por	seja por... ou por
pelo facto de	pelo facto de
visto	visto
por motivo de	
sob pretexto de	sob pretexto de
devido a	
com	

Ex.: *...incapaz de viver em liberdade **devido a** uma chumbada...*
= por causa de uma chumbada...
= pelo facto de ter apanhado com uma chumbada

Conjunção + V. Indicativo
porque; como; dado que; que; uma vez que; visto que; é que

Nota: ***Como**: Com sentido causal ocorre sempre em posição inicial de frase.*
Ex.: ***Como** não encontrámos nada retomámos as buscas no dia seguinte*
*= Retomámos as buscas no dia seguinte **porque** não encontrámos nada*

Conjunção + V. Conjuntivo
não é que... (mas); não porque... (mas)

Ex.: ***Não é que** não seja importante conhecer as árvores **mas** é mais importante compreender a natureza.*

Alguns verbos e expressões verbais que indicam causa ou origem:

Verbo + nome	Verbo + V. Conjuntivo
conduzir a;	conduzir a que
levar a;	levar a que
motivar;	motivar a que
originar;	originar a que
dar origem a;	dar origem a que
estar na origem de	
provocar;	provocar que
causar	
explicar-se por	explicar que
dever-se a	
ficar a dever-se a	

Ex.:

*O choque emocional (..) **motiva a uma ligação** afectiva a estes animais...*
*(O choque emocional (..) **motiva a que tenhamos** uma ligação afectiva a estes...*
*O choque emocional **explica que haja** uma ligação afectiva a estes animais...*
*A ligação afectiva a estes animais **fica a dever-se ao choque** emocional provocado por*

Algumas expressões de conexão causal

por isso	é por isso que
por isso meso	era por isso mesmo que
por essa razão	foi por essa razão que
por esse motivo	tem sido por esse motivo que
por esse facto	é mesmo por esse facto que
exactamente por isso	etc..
de forma que	
de maneira que	por isso
de modo que	

Ex.:

*Os lobos matam as ovelhas e **por isso** os pastores matam os lobos*
*Os lobos mataram as ovelhas. Foi justamente **por esse motivo que** os pastores começaram a matar os lobos*

Particípios: Passado e Presente (Gerúndio)
(Com o mesmo sujeito para o particípio e o verbo principal)

Ex.:

Os animais nem são incomodados pelos visitantes, obrigados a observá-los à distância...
*(= os animais nem são incomodados pelos visitantes, **que são** obrigados a observá-los à distância...)*
***Sendo os visitantes** obrigados a observar à distância, os animais não são incomodados...*
***Sendo obrigados** a observar os animais à distância, **os visitantes** não os incomodam...*

BLOCO 12

DESMARCAR OU ALTERAR UM ENCONTRO JÁ COMBINADO

Formal:

Ter que adiar/cancelar/desmarcar
Ficar adiado (a)/ cancelado (a)/ desmarcado (a)
A primeira data fica sem efeito
Combinar para outra altura

Informal:

Dá para ir outro dia em vez de ir hoje?
Surgiu um imprevisto, hoje não posso sair
Afinal não posso estar aqui mais tempo...
Trocamos. Em vez de irmos hoje vamos amanhã.
Em vez de amanhã dava mais jeito na próxima semana
Amanhã não é totalmente impossível mas...
Convém-me mais daqui por uns dias
Era bom se pudéssemos encontrar-nos noutro dia com mais tempo.

12.1. Desmarcar uma consulta...(ao telefone)

— Boa tarde minha senhora. Eu tinha uma consulta marcada para amanhã às seis e um quarto, mas é-me completamente impossível estar aí a essa hora.

— A consulta está em nome de...

— Madalena Costa.

— Sim, sim. Fica marcada para depois de amanhã à mesma hora. Pode ser?

— Está óptimo. Muito obrigada.

12.2. Não há reunião mas há trabalho...

— Ferreira, a reunião que estava marcada para hoje tem que passar para outra altura. O Presidente adiou-a.

— Para quando?

— Não sei. Acho que ele ainda não marcou nova data.

— Isso é uma boa notícia. Até posso sair mais cedo.

— Não se fie nisso! Surgiu um novo projecto e vai ser preciso fazer uma apreciação ainda hoje.

12.3. O Dr. Andrade teve que desmarcar o jantar em casa do Dr. Tavares

— Meu caro amigo, lamento ter de lhe dizer que não vamos poder estar presentes no seu jantar. Surgiu um contratempo com os meus sogros. A minha mulher e eu temos que ir ao Norte urgentemente para ver o que se passa.

— Nada de grave, espero.

— Neste momento não lhe sei dizer. Mas, como sabe, o meu sogro tem uma idade avançada e tudo é possivel. Estão os dois lá sozinhos, compreende, não é?

— Bom, nós ficamos com muita pena que não possam estar presentes mas, claro, compreendemos perfeitamente. É uma razão mais do que prioritária. Só esperamos que não seja nada de cuidado e que tudo corra pelo melhor.

— Obrigado.

— Ficará para outra oportunidade.

— Com certeza, com todo o gosto.

12.4. Este parece um encontro difícil de se realizar!...

— Marco, desculpa ligar-te assim, mesmo em cima da hora mas...

— Não me digas que não podes vir!

— Pois infelizmente é isso. Surgiram-me aqui em cima da minha mesa uma série de problemas a tratar e eu acho que não vou conseguir chegar aí à hora que tínhamos combinado.

— Se é só uma questão de hora podemos atrasar para daqui a uns três quartos de hora. Dá?

— Sim... duas horas pr'aí... talvez... Mas achas que não daria para marcarmos para outro dia? Amanhã, por exemplo...

— Aí já não dá porque eu parto amanhã à tarde para S. Paulo e só volto daqui a duas semanas...

— Oh! E a seguir vou eu para Luanda e vou lá ficar cerca de dois meses. Andamos com as voltas trocadas.

— Ou daqui a duas horas ou então, este nosso encontro sempre adiado, terá que ficar em águas de bacalhau, mais uma vez!

— Aguentas duas horas?... então óptimo. Prometo estar aí assim que me despachar...

— Pois! mas se te puderes despachar mais cedo, melhor!...

Expressões Coloquiais:

andar com as voltas trocadas = desencontrar-se
= andar cada um para seu lado
aguentar = suportar; esperar
fica em águas de bacalhau = fica sem efeito
duas horas p'raí = para aí duas horas
= aproximadamente duas horas

TOIROS DE MORTE EM PORTUGAL: SIM OU NÃO?

Toiros de morte em Portugal: sim ou não? Esta é a pergunta do habitual inquérito «DN» de domingo, a que respondem conhecidas figuras do meio tauromáquico

Francisco Silva:
Presidente da Sociedade Protectora dos Animais

O Povo português não quer

O touro, sem dúvida animal nobre de sistema nervoso bastante desenvolvido — e como tal altamente sensível ao sofrimento —, sofre com os maus tratos infligidos pelos toureiros.

Quanto à afirmação, por nós ouvida há dias, de que deve ser abatido na praça, porque, se o não for, sê-lo-á dois ou três dias depois, já em estado febril, não colhe, pois, a ser assim, teríamos de pôr em dúvida a idoneidade profissional dos veterenários municipais — o que não nos passa pela cabeça.

Portanto, toiros de morte? Não.

Diamantino Viseu:
Matador

Morrendo na praça o animal sofre menos

Sou a favor da morte do toiro porque ela é o epílogo clássico e lógico de uma confrontação plena de viril dignidade, caracterizada pela arte, pelo belo, pelo dramatismo e pelo risco.

Penso que estamos, ainda, muito longe dos tempos em que já não haverá lugar para o espectáculo de toiros. Como não o haverá para a caça; nem para o boxe; nem para a fome, a guerra e a mentira política. Mas, olhando quantos, na morte do toiro, só têm sensibilidade para o sofrimento sem sentirem a alma beliscada pela emoção de uma arte balética que o perigo dramatiza, direi que com a morte na praça, o toiro sofre menos; não tem, assim, de aguardar, um, dois, três dias pelo abate no matadouro, depois de ferido por seis ou oito ferros de oito centímetros.

Alçada Baptista:
Escritor

Sou contra embora não seja vegetariano...

Sou contra os toiros de morte, embora não seja vegetariano. Acho que há uma diferença metafísica entre o abate no matadoiro e um espectáculo feito na base do sofrimento e da morte de um animal. Não sei se sabem porque é que não há touradas no Brasil: em 1934, o prefeito Faria de Morais quis lançar a festa brava no Rio. Mandou vir toiros e toureiros, só que surpreendentemente, o público torcia pelos toiros e os toureiros ficavam desmoralizadíssimos. Estas subtilezas são timbre dos sentimentos de um povo e de uma civilização. Não vejo, por isso, que o povo português, na sua maioria, seja a favor dos toiros de morte.

João Seabra:
Padre

Discussão tem passado ao lado da questão

Como aficcionado de toda a vida, sempre me pareceu que a discussão sobre os toiros de morte passa ao lado da questão. Ou se entende que um espectáculo em que o homem luta com um animal é um espectáculo bárbaro e, então, deveria ser proibido cravar bandarilhas, espetar ferros compridos, estafar um toiro numa praça durante meia hora, ou se reconhece o valor, a arte e a nobreza da corrida e, então a fazer-se, deve fazer-se a sério. A lide apeada termina com a morte de toiros. Sem ela a corrida «à espanhola», à portuguesa, resulta num espectáculo que não faz sentido.

A gritaria humanitária dos que preferem o toiro morto por atacado no matadouro, em vez de cair em combate face a face, na praça, sempre me pareceu particularmente desprovida de sentido.

Emídio Pinto:
Cavaleiro

Corrida à portuguesa não seria prejudicada

Penso que o Governo deve permitir a existência de corridas com toiros de morte em Portugal, pois há neste momento muito público que gosta de assistir a esse espectáculo e só o pode fazer deslocando-se a Espanha. Isto, a meu ver, em nada prejudicaria a corrida à portuguesa, com cavaleiros e forcados pois são dois espectáculos completamente diferentes.

Julgo que se poderiam organizar umas tantas corridas só com matadores, em que os toiros sairiam em hastes limpas, eram picados e depois mortos na arena pelos matadores.

Creio que, deste modo, o público português poderia escolher entre as corridas de morte e as corridas à portuguesa onde os toiros não são mortos mas sim pegados pelos forcados após a lide dos cavaleiros, recolhendo em seguida aos curros.

Deste modo alargar-se-ia o leque de escolha para os aficcionados e o público em geral, permitindo-lhes escolher o género de espectáculo a que preferiam assistir.

Diário de Notícias, 23.09.84

Macau

Macau é porventura o território mais misterioso e intrigante de todos quantos Portugal conheceu durante a época áurea dos Descobrimentos.

Lendas, rituais e feitiçarias povoam o imaginário de um povo milenar que de braços abertos recebeu os marinheiros portugueses.

A presença da cultura ocidental cristã, a sua harmoniosa vivência com a cultura chinesa, a forma como se completam e interpenetram constitui um rico património, que é hoje ávida e

oportunamente preservado como relíquia singular e sedutora, quer aos olhos orientais, quer aos dos mais pacatos ocidentais.

Historicamente, os portugueses chegaram em 1557, levaram de vencida o famoso pirata Chan Tsi-Lao.

Em troca, receberam do Imperador da China autorização para se estabelecerem em Macau e se considerarem senhores daquela terra.

Assim se formalizava o estabelecimento da presença lusa no Extremo Oriente, constituindo Macau o primeiro entreposto europeu, no continente asiático.

A princípio a actividade aí desenvolvida confinava-se exclusivamente ao comércio; depois, assumiram particular relevância o aspecto religioso e cultural.

Sob a administração portuguesa o território cresceu e desenvolveu-se, estabeleceu ligações diversas entre a Europa e a China, incrementou o comércio e o tráfego das riquezas próprias do Oriente. Ganhou e seguiu em frente.

Mais tarde, devido à prosperidade de que usufruia, foi vítima da cobiça holandesa. Logrados os interesses alheios Macau manteve-se território e colónia portuguesa.

Ao nível cultural, encontram-se a par e passo marcos importantes, monumentos significativos, locais agradáveis, que atestam bem a presença lusa nestas paragens.

Há o Farol da Guia, o mais antigo da Costa do Sul da China, construído em 1865 e ainda em funcionamento; a Fortaleza do Monte; as Igrejas de S. Domingos e da Penha; a Porta do Cerco; o Museu Luís de Camões; a Ponte Nobre de Carvalho projectada pelo arquitecto Edgar Cardoso.

Hoje, prestes a entrar numa nova era, os 16 km² de superfície de Macau acolhem cerca de 400 mil pessoas, das quais os portugueses representam apenas 3% distribuídos pela Função Pública, Ensino, Profissões Liberais e negócios.

O ritmo de trabalho é impressionante e Macau deixa de ser vista apenas como a grande capital dos Casinos.

Embora o jogo continue a ocupar um papel importante, não se pode tomar como certo ser este o único motor de desenvolvimento existente no território.

Uma larga percentagem da população desenvolve a sua actividade nas numerosas fábricas de estrutura mais ou menos industrial, que povoam quer a cidade do Santo Nome de Deus, quer as ilhas Taipa e Coloane.

UCCLA, 1989

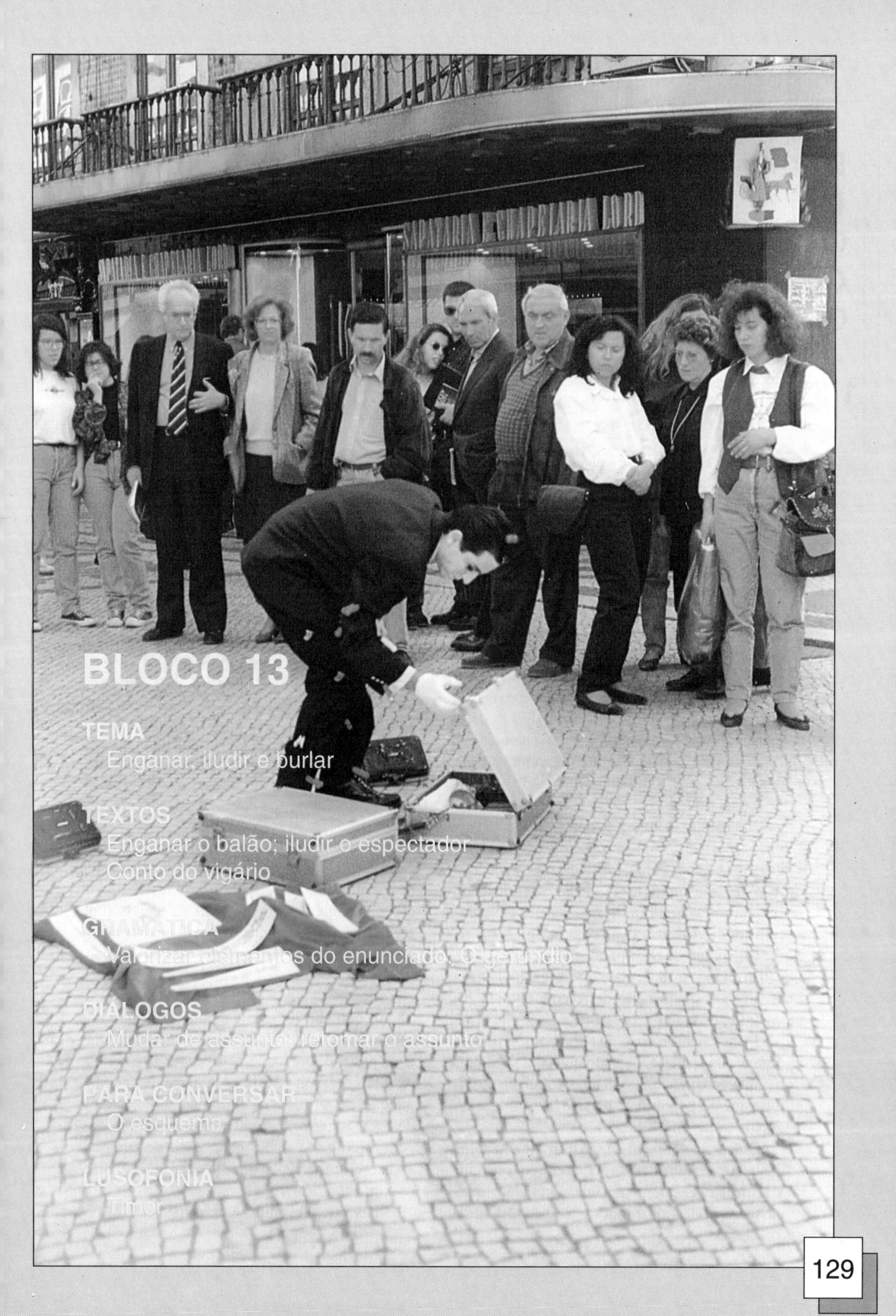

BLOCO 13

TEMA
Enganar, iludir e burlar

TEXTOS
Enganar o balão; iludir o espectador
Conto do vigário

GRAMÁTICA
Valorizar elementos do enunciado. O gerúndio

DIÁLOGOS
Mudar de assunto; retomar o assunto

PARA CONVERSAR
O esquema

LUSOFONIA
Timor

FLAGRANTE DE *LITRO*

A nova lei do álcool está aí e é bem pesada. Uns queixam-se, outros previnem-se, alguns de forma bem original. Há quem deixe o automóvel estacionado à porta do bar. Mas também há quem recorra a receitas miraculosas para iludir o «balão»

Mónica Marques

Alhos, ervilhas, café e açúcar. Não é uma receita culinária, mas há quem já não saia de casa sem eles. As novas invenções «antibalão» já dão que falar e, embora haja quem não acredite nelas, outros há, que juram a sua infalibilidade. Como Pedro, estudante de Engenharia que não dispensa «uns copos a mais ao fim-de-semana» e já experimentou a «técnica dos alhos». «Não sei se foi pelo sabor, só sei que fiquei muito mais lúcido» conta ele a rir.

Mas cuidado. Se o agente da autoridade suspeitar da utilização de «meios susceptíveis de alterar o resultado do teste, pode voltar a submeter o suspeito aos exames tidos por convenientes». É caso para se dizer que todos os cuidados são poucos.

Certo, é que a «fobia» do balão já se instalou nas zonas críticas da noite lisboeta, onde a cerveja sem álcool não tem admiradores. Basta dizer que nos bares e tascas mais concorridos do Bairro Alto são consumidos, em média, 400 litros de cerveja normal por fim-de-semana, e apenas cinco litros de cerveja sem álcool.

Uma mina de ouro para os comerciantes do bairro que não estão, é claro, preocupados com as possíveis consequências da recente entrada em vigor (20 de Outubro) desta lei.

Jaime Lucas, o dono do bar Apolo XIII, desdramatiza a questão, dizendo que para se atingir o limite máximo de alcoolemia estipulado na lei, meia grama por litro, é preciso «apanhar uma grande carraspana».

Quem não confia nisso são os frequentadores daquela e de outras casas que preferem prevenir a remediar. E porque a sumos ninguém quer passar as noites, os truques e as mezinhas proliferam. Além dos que já referimos, outro método está a ser bastante utilizado, pelo menos nestas primeiras semanas, em que o susto é maior, especialmente com as imagens na televisão de alguns incautos apanhados em flagrante. Consiste em ter sempre um motorista de serviço para a noite, normalmente escolhido à sorte entre os amigos.

Ao que parece, esta tem sido a forma mais segura de os bebedores fugirem ao apertado controlo policial.

Mais drástica é Marta, estudante de Sociologia que, desde que a lei entrou em vigor, deixou de levar o carro «para as noites». Sempre que pode, aproveita para apanhar boleia dos amigos. «Isto está um perigo. E onde ia eu arranjar dinheiro para a multa?»

Mais vale prevenir do que remediar!

OS NÚMEROS EM 1992

	1.º Sem. 1992		
Distritos	Testes efectuados	Positivos (Taxas 50 a 0.89 = > 0,90	
Lisboa	25.938	775	2.265
Porto	14.428	71	258
Coimbra	6.084	41	175
Aveiro	5.683	22	143
Beja	5.860	14	49
Braga	5.929	104	282
Bragança	3.249	31	132
C. Branco	6.387	48	215
Évora	9.881	57	166
Faro	10.702	122	337
Guarda	4.018	22	105
Leiria	9.015	88	234
Portalegre	4.353	102	202
Santarém	6.310	119	632
Setúbal	8.672	119	347
V. do Castelo	4.055	47	164
V. Real	2.489	43	123
Viseu	4.036	23	83
TOTAL	137.089	1.849	5.912

Fonte B.T. da GNR

Teoricamente, para que isso aconteça basta beber duas ou três cervejas ou dois copos de vinho.

As multas vão aumentando e, se for encontrado ao volante do seu carro com uma TAS entre 0,80 e 1,2 gramas por litro habilita-se a uma multa de 80 a 150 contos e dois a três anos de inibição de conduzir.

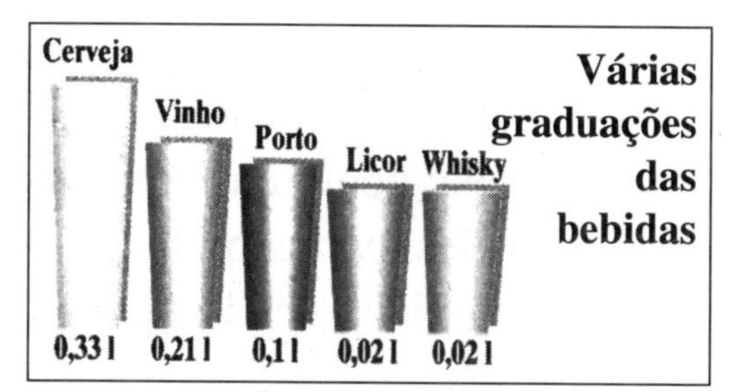

O pior é se o nível de álcool no sangue for igual ou superior a 1,2 gramas por litro. Pode ir preso, com uma pena até um ano ou uma multa até 200 dias, e ficar até cinco anos privado de conduzir. Para tal basta que beba vinho ao jantar e um uísque depois.

Segundo fontes da PSP, o período do dia em que se registam mais acidentes envolvendo condutores fortemente alcoolizados é entre a meia-noite e as seis da manhã. Por norma são condutores entre os 22 e os 30 anos os responsáveis.

ABC das multas

A grande confusão reside ainda naquilo que se pode beber sem que o sangue fique envenenado. Isto é, com uma taxa de alcoolemia (TAS) inferior a 0,50 gramas por litro, já que, até este valor, a lei considera que um indivíduo se encontra em condições para conduzir qualquer veículo. Depois é que é a questão e uma questão com muitos ses.

As variáveis nunca mais acabam: depende da estrutura física de cada um, da forma como se bebe; só ou à refeição, das misturas alcoólicas que se fazem, dos exercícios que se pratica antes de voltar ao carro, dos cigarros que se fuma e dos cafés que se bebe. Estes últimos, por aumentarem o ritmo cardíaco, são formas privilegiadas de limpeza do sangue.

O que a nova lei prevê é que com uma TAS entre 0,5 e 0 80 gramas por litro o condutor tenha de pagar uma multa que vai de 15 a 75 mil escudos, podendo também ficar sem a carta de condução por um a seis meses.

TAS = Taxa de Alcoolemia no Sangue

Época, 13 Nov. 92

A ARTE DA ILUSÃO

COM A MENTIRA ME ENGANAS

Por trezentos contos pode serrar o cônjuge; por mais umas centenas poderá fazer levitar ou desaparecer qualquer elemento da família; com menores recursos multiplique moedas, rolas, cartas ou lenços. Aqui se revela o segredo mais bem guardado desde tempos imemoriais: é tudo truque.

Luís Lopes (Texto)

Faz truques quem quer, mas só faz ilusão quem sabe, que para tal é preciso algum engenho e muita arte.

«O ilusionista é um artista, não um fazedor de truques», diz António Cardinal. «O nosso objectivo é fascinar o público que temos diante de nós, criando uma atmosfera que o envolva e prepare para os *milagres* a que vai assistir».

Num espectáculo de ilusão nada é deixado ao acaso. As luzes, a disposição dos aparatos em cena, o mínimo gesto de braço ou expressão facial. Tudo é previamente estudado e treinado intensamente de modo a criar e manter a atmosfera mágica ideal. E alguém levará a sério um ilusionista com calças de ganga?

«Antes de treinar um truque é preciso concebê-lo teoricamente, interiorizá-lo, decompô-lo mentalmente em todas as suas fases. Só depois se passa ao treino de movimentos. Os aparelhos são simples ferramentas da nossa arte. Nunca a frase «o gesto é tudo» teve tanta aplicabilidade como no ilusionista. Depois de estarmos seguros da perfeição da execução, o que implica muita perseverança, é necessário conceber o espectáculo e encená-lo de acordo com as audiências e hora de actuação. É de mau gosto fazer o número da guilhotina ou trabalhar com ratos à hora de jantar. Um ilusionista não descura o bom gosto e a elegância», ensina Cardinal.

«Um truque é simplesmente um truque. Quem o executa deve introduzir-lhe originalidade e criatividade. E assim o número passa a conter a personalidade do artista e vai distingui-lo de outro que o utiliza de modo diferente. E assim se faz a selecção entre artistas e fazedores de truques», insiste Cardinal.

ARTE E EMBUSTE

O ilusionismo é a arte das aparências, a «arte de contrariar a lógica das coisas», como alguém disse. Na sua órbita giram os géneros da adivinhação e do faquirismo. Se bem que, neste último, a par de efeitos especiais previamente preparados, subsiste a autenticidade dos efeitos genuínos, a adivinhação é geralmente apresentada como poder telepático, abrindo caminho ao embuste.

O ilusionista não finge ser detentor de poderes supranaturais. Pelo contrário, cada número é um desafio entre o artista e os assistentes, que tentam perceber como os truques são executados. Só por necessidade de encenação finge, rudimentarmente, usar poderes desconhecidos e pós de perlimpimpim para passar objectos de um lado para o outro. O público sabe que não é assim e, cúmplice, aceita pacificamente esta pretensão. A ninguém passa pela cabeça que a «mulher serrada» esteja mesmo a ser serrada.

Neste sentido, o ilusionista está mais protegido. Se o manuseamento de um truque lhe sai mal, o público entenderá que é um mau executante, enquanto que o crédulo, ao aperceber-se que a transmissão de pensamento não existe de facto naquele casal de «telepata e medium», acusará o seu autor de fraude.

Sábado, 12/02/93

P'RA CÁ VEM DE CARRINHO

CONTOS DO VIGÁRIO

O sistema da pirâmide volta ao ataque: a Universal marketing Development (UMD) oferece um carrinho de 2.500 contos a quem lhe entregar 30 notas de mil. Mal sabem os incautos que terão de aldrabar, com a mesma «receita», a malta amiga e conhecida para o conseguirem. D. Branca não se lembrou desta fórmula ainda mais fácil...

O «negócio» é assim: você entra com 30 contos, o que lhe confere o direito às assinaturas de uma «Solicitação de Compra» de um automóvel de 2.500 contos e de uma «proposta de Agente». Daqui em diante, vai de carrinho até ao seu sonhado popó: só tem de angariar mais dois tansos, que terão de enganar outros quatro, que terão de enganar outros oito, etc. — quando a sua pirâmide já tiver 50 «patos», é um vigarista motorizado! D. Branca não foi tão elaborada. Embora o fim fosse previsivelmente o mesmo: acabam-se os novos investidores, porque o mercado está saturado, cai o negócio, aos trambolhões. Os últimos enganados que se aguentem...

Os estratagema já vem nos livros: quem entra com a massa, proporciona liquidez para pagar a quem os antecede na rede. É uma vigarice de pai e mãe: chama-se «pirâmide», ou «bola de neve», e significa que novas entradas vão sempre originando benesses para quem os precede na cadeia que conduz ao vértice.

No caso, segundo o tal folheto explicativo do negócio, assim que «você» aldraba os dois «patos» que lhe vão suceder na rede, recebe logo 12.500$00 (6.250$00 por cabeça de alho chocho).Quando esses dois «aviarem», cada um, mais 4 tansos, e estes outros 8, «você» tem à sua disposição 87.500$00 de comissões (14x6.250$00), mais um bónus de 25 notas de mil. E o par inicial também vai facturando em relação ao quarteto, tal como este em relação aos que fecham este primeiro degrau.

Como anda tudo a aldrabar o próximo, a rede que montou vai continuar a dar cabo da carteira e da conta bancária dos amigos e conhecidos, «você» factura que se desunha sem se chatear e, daqui a nada, está ao volante do seu maravilhoso popó, à conta do par de crédulos a quem enfiou o barrete que lhe enfiaram a si. E depois é sempre a facturar «até, para além dos objectivos conseguidos (carro e casa), ser possível ganhar cerca de mil contos por semana, só à conta das comissões directas e indirectas conseguidas» — foi-nos jurado na sessão de esclarecimento pela pessoa responsável.

«E é tudo legal!» — afiançou-nos. Pena que, quando lhe pedimos para ler o Art.º 13 do dec.-Lei 272/87, tenha insistido por reter-se no preâmbulo, recusando-se a ler em voz alta o que lei diz: proíbe aquele tipo de negócio com as letras todas. Quando ouviu, finalmente, o texto jurídico da nossa boca, deu a conversa por acabada.

Vale aos potenciais aldrabados que Beja Santos, Presidente do Conselho Consultivo dos Consumidores, tem menos dúvidas, após ver a «proposta de negócio» da UMD. A sua opinião é taxativa. «Indicia-se um crime por burla, visto que implicitamente se transforma um adquirente de um carro num agente. E isso é probido!» disse ao «T&Q».

Aquele jurista refere-se, obviamente, aos parágrafos 1 e 2 do artigo já citado. Neles se diz claramente: «É proibido organizar vendas pelo sistema denominado de "em cadeia", "em pirâmide", ou de "bola de neve", bem como participar na sua promoção. Considera-se venda em cadeia o procedimento que consiste em oferecer ao público determinados bens ou serviços fazendo depender o seu valor do número de clientes ou do volume de vendas que consiga obter directa ou indirectamente para o vendedor, o organizador ou um terceiro».

Tal & Qual, 1 Out. 93

BLOCO 13

PARA DESTACAR UM OU MAIS ELEMENTOS DO ENUNCIADO

Alguns processos enfáticos:

A. Alteração da ordem das palavras na frase:

Complemento — Verbo

Ex: *... e embora haja quem não acredite, outros há que juram a sua infalibilidade...*
= há outros que...
A ninguém passa pela cabeça que a mulher serrada esteja mesmo a ser serrada
(Não passa pela cabeça de ninguém que...)

Adjectivo — Nome

Ex: *Mais drástica é Marta (...) que desde que a lei entrou em vigor, deixou de levar o carro...*
(Marta é mais drástica. Desde que a lei...)

B. Alteração da sequência frásica num enunciado:

Anteposição da consequência à causa

Ex: *E porque a sumos ninguém quer passar as noites, os truques e as mesinhas proliferam.*
(Os truques e as mesinhas proliferam porque ninguém quer passar a noite a sumos)

C. Anteposição de uma conjunção, advérbio, ou outra palavra de ligação, em início de frase:

E...; Mas...; Com...; Até...; Nunca...; ...

Ex: *E porque a sumos ninguém quer passar a noite...*
(... porque ninguém quer passar a noite a sumos...)
Nunca a frase «o gesto é tudo» teve tanta aplicabilidade como no ilusionismo.
(A frase «o gesto é tudo» nunca teve tanta...)

D. Inclusão de expressões, modalizações e ênfase:

É que...; O certo é que...; A verdade é que...; O facto é que...; A ideia é que... A questão é que...; O problema é que...; O que acontece é que...; O que se passa é que...

Ex: *Certo é que a «fobia» do balão já se instalou...*
(A «fobia» do balão já se instalou...)
Depois é que a questão é uma questão com muitos ses
(A questão apresenta muitas interrogações)

VALORES DO GERÚNDIO

1. Simultaneidade na ocorrência de factos pode ser substituído por:

e + V. infinitivo; quando + V. indicativo
ao mesmo tempo que + V. indicativo

Ex: *Jaime Lucas desdramatiza **dizendo** que para se atingir o limite máximo...*
*Jaime Lucas desdramatiza **quando diz** que...*
*considera-se venda em cadeia o procedimento que consiste em oferecer ao público determinados bens e serviços **fazendo depender** o seu valor do número de clientes...*
*determinados bens e serviços **ao mesmo tempo que se faz depender**...*

2. Modo

Pode ser substituído pela nominalização do verbo

Ex: O *nosso objectivo é fascinar o público **criando** uma atmosfera que o envolva ...*
*= O nosso objectivo é fascinar o público **através da criação** de uma atmosfera que o envolva*

3. Causa

Pode ser substituído por uma construção causal, como:
por + infinitivo; porque + indicativo

Ex: *Pena é que tenha insistido em reter-se, **recusando-se** a ler em voz alta o que a lei diz*
*= ... **por se recusar** a ler em voz alta*
*= ... **porque se recusou** a ler em voz alta*

4. Acção durativa progressiva ou por etapas sucessivas ou repetitivas:

Ir + V. Gerúndio
pode ser substituído pelo Presente do Indicativo do verbo principal

Ex: *... novas entradas **vão** sempre **criando** benesses para quem os prece na cadeia...*
*= ... novas entradas **criam** benesses para quem os precede na cadeia...*
*... e o par inicial também **vai facturando** em relação ao quarteto...*
*= e o par inicial também **factura** em relação ao quarteto...*

NOTA:

Alguns verbos admitem esta construção, mas com o verbo auxiliar **IR no Pret. Imperfeito + V. gerúndio**. podem ter significação contrária:

Ex: *Eu **ia acreditando** naquele conto do vigário*
= Eu quase acreditei... (Não acreditei mas estive prestes [= quase] a acreditar)
Não acreditei mas fui tentado a acreditar
*Ontem o Paulo **ia sendo** multado por excesso de álcool*
= Ele esteve quase a ser multado
= Ele não foi multado mas faltou pouco.

BLOCO 13

MUDAR DE ASSUNTO
RETOMAR O ASSUNTO

MUDAR DE ASSUNTO
Falemos de outra coisa, sim?
E se mudássemos de assunto?
Podíamos falar de outra coisa, não?
Não creio que isto conduza a alguma coisa
Já chega! Não falemos mais disso
Lembrei-me agora de...

RETOMAR O ASSUNTO
Onde é que nós íamos?
Em que ponto estávamos?
É melhor retomarmos o início
Isto já não tem a ver com o
Isto já não tem pés nem cabeça!
Voltemos um pouco atrás
Por este andar nunca mais saímos daqui!
Voltando à vaca fria...

13.1. Na sala de reuniões ainda está por decidir que deverá ser o representante...

(Ao telefone...)

A — Está combinado. Até amanhã. Desculpem esta interrupção. Onde é que nós íamos?

B — Estávamos a discutir quem devia ser o representante do nosso grupo junto da Federação.

A — Ainda não decidiram? Eu pensei que esse problema estava resolvido. Mantemos o Jorge que já conhece o ambiente.

C — Mas náo tínhamos pensado em si. Queríamos que fosse o Senhor o nosso representante.

A — Mas eu já disse o que tinha a dizer: não posso, não aceito! É o Jorge e acabou-se a discussão. Não vamos perder mais tempo com isto.

B — Vamos dar tempo ao tempo. Além disso podemos sempre voltar a este assunto noutra altura.

13.2. O João gosta de futebol. O Alfredo também mas prefere os animais...

— Alfredo, então que tal o jogo de ontem?

— Não vi. Tive reunião na Liga de Protecção dos Animais. Está numa situação difícil. No próximo mês não vai haver dinheiro nem para a comida dos pobres bichos.

— Ah! Tu fazes parte dessas politiquices, é verdade!

— Qual política qual carapuça! Tu nem imaginas como as pessoas tratam os animais... Primeiro gastam um dinheirão para comprar um cãozinho de raça, todo bonito, para mostrarem aos amigos. E depois, quando vão para férias, abandonam-no na primeira esquina. Sabes o que isso significa?

— Sei. Os cães complicam sempre a vida às pessoas, principalmente quando se vai para férias. Mas eu estava a falar-te do jogo de ontem entre o Benfica e o Sporting. Ultrapassou todas as expectat...

— Percebo. A conversa não te está a agradar. Se calhar também foste um dos que abandonou um cãozinho durante as férias...

13.3. A Terese mudou a cor do cabelo mas os amigos não gostam...

M — Teresa! Que cor de cabelo é essa? Que horror!

T — 'Tá bem. Já sei. Já meio mundo me disse isso. Eu vou mudá-la p'rà semana.

M — Espero bem que sim. Nem consigo olhar para ti a direito.

T — E se falássemos de outra coisa? O que é que fazes hoje à noite?

M — Vou ao cinema com o Tozé e o Mário.

T — Posso ir com vocês?

M — Com esse cabelo? Nem pensar! 'Tás com um aspecto!...

13.4. A Ana não quer que o Zé conte aos amigos algumas aventuras demasiado alegres...

Zé — ... nós estávamos todos com os copos, acho até que já não víamos muito bem o que se passava à nossa volta...

Ana — Mas quantas vezes é que eu já ouvi essa história? Poupa-nos por favor... Outra vez, não.

Zé — ... foi quando apareceu o touro na nossa frente e o Carlos queria ir arrancar-lhe uma orelha.

Tó — Ao touro?

Zé — Claro. Estávamos todos completamente...

Ana — Mudando de assunto, está uma noite linda. Ninguém quer ir passear?

Zé — Tu tens medo que eu conte o resto?

Ana — Chega. Que descaramento. Para que é que insistes? Ainda de se fosse uma história engraçada... Mas foi um horror! Nunca estive tão rodeada de bêbados.

Zé — Pois é. Ela pensava que era verdade e fez uma figura muito triste!... Ah, Ah...

Ana — Pois eu acreditava no que me diziam. Ia ficando por lá perdida se não fosse o Jorge!... tinha ficado mesmo.

Expressões coloquiais:
ter a ver com = estar relacionado com...
poupa-nos! = não nos obrigues a ouvir outra vez
chega! = basta! é suficiente!
todo bonito = muito bonito
qual... qual carapuça = que disparate
a direito = de frente; directamente
não tem pés nem cabeça = não faz sentido
voltando à vaca fria = voltando ao assunto
estar com os copos = estar embriagado

VENDER DESDE QUE SE PAGUE

O ESQUEMA

O mercado paralelo é a mola real de algumas economias. Desde os artigos de primeira necessidade, como os alimentos e os medicamentos, até aos televisores ou aparelhagens de alta fidelidade, tudo se encontra no «esquema»

Paulo Veiga

Estão comodamente instalados num hotel. Entenda-se, porém, essa comodidade no sentido que lhe é dado localmente. De facto, o hotel não costuma ter água corrente, durante o dia, mas permite condições especiais de alojamente a alguns hóspedes.

Numa noite em que precisámos de trocar doláres um hóspede do referido hotel prontificou-se a resolver a situação.

Conduziu-nos a um dos diversos quartos ocupados por uns comerciantes. Ao contrário dos demais quartos do hotel, este tinha casa de banho revestida a mármore, alcatifa no soalho e paredes com a pintura imaculada.

A presença destes comerciantes na sala de refeições do hotel raramente acontece. Dispõem de criados que os servem nas *suites*, não tendo que se sujeitar ao rígido horário imposto pelo estabelecimento. Além deste tratamento especial, possuem ainda outra particularidade: são a causa das três linhas telefónicas do hotel estarem ininterruptamente ocupadas com os seus negócios internacionais.

Dissemos ao que íamos. Logo, num inglês perfeito, um deles pergunta quantos dólares queríamos cambiar e qual o tipo de notas — o câmbio varia consoante as notas sejam de 100, 50, 20 ou 10 doláres.

Enquanto decorre a transacção, dois dialogam entre si e vão amontoando notas em cima da mesa. Perante a incredulidade e espanto do jornalista, que se via aflito para contar tal quantidade de notas, um dos comerciantes garantia não ser preciso conferir: «Temos máquinas de contar notas, nunca falha.»

Terminada a transacção, perguntámos-lhe em que mais negociava. «Depende do que você quiser comprar», respondeu. Depois de alguma conversa e da recusa em tomar um chá, ficámos a saber que vendiam de tudo.

Carros, apenas tinham em *stock* Mercedes e BMW; quanto a outros géneros é só «dizer o que quer». Ficámos a saber que num outro local dispunham de vários contentores cheios de mercadorias à espera de encomendas.

Já a despedir-se, quiseram saber o que fazíamos, se éramos empresários à cata de negócios. Se assim fosse prontificavam-se — mediante garantias — a disponiblizar em duas horas três milhões de dólares; em dinheiro, é claro.

Época, 23.Out.92
(Texto adaptado)

B L O C O 1 3

Timor

CANTAR FAZ PARTE DA VIDA

São frases e sons muito antigos que passaram de geração em geração, guardados como um tesouro. Onde tudo começou, ninguém sabe, e, mesmo que se recue muitos séculos, é impossível descobrir por que é que os antepassados cantavam assim ou tiravam aquele som dos *babodoks*. Mas tudo tem um sentido. O cantar de quem pisa o arroz é diferente do cantar de quem corta madeira, do mesmo modo que ninguém se enganaria ao ponto de tocar música de funeral num casamento.

Para os povos timorenses cada acto do seu quotidiano é vivido com música. Uma música muito antiga que remonta ao tempo do avô crocodilo, porque «katuas sira mak hateten» («são os velhos que o dizem»).

É difícil reconstituir a História dos Povos de Timor. Esta situação deve-se, em grande parte, tanto à inexistência de documentos escritos como de monumentos do passado e a circunstacionalismos históricos que os mesmos atravessaram: várias colonizações, inúmeras guerras inter-reinos que se saldavam na razia e destruição dos haveres e bens dos vencidos.

Daí a ausência de grandes cidades ou monumentos capazes de testemunharem, hoje, os tempos mais remotos.

A música timorense, é essencialmente vocal, ou melhor, coral-coreográfica, pois toda a manifestação musical está ligada à dança. Dança-se cantando em coro alternado de homens e mulheres.

Cantar diz-se, em Tetun, *Hananu*. Cantar dançando diz-se TEBE (isto é, dar pontapé cantando). Em todo o caso, TEBE tem um sentido bastante lato: tanto pode significar canção como dança-canção.

Há também a música instrumental de Timor-Leste que, geralmente não é acompanhada de canto. Trata-se de uma outra componente da música timorense cheia de ritmo e harmonia como é o caso do TEBEDAI (dança e orquestra de gongos e *babodoks*).

Assim, podemos afirmar sem receios que todas as construções da música vocal timorense se baseiam na forma TEBE: cantar em coro misto alternado, como regra, e acompanhado de dança, quase sempre.

Simão Barreto
Maestro e compositor Maubere
Rev. Coral, 1991

BLOCO 14

TEMA
Comunicação (inter-)pessoal

TEXTOS
Em serviço e na rua
Telefones: para que servem?

GRAMÁTICA
Para reformular enunciados

DIÁLOGOS
Evitar responder directamente — ser evasivo

PARA CONVERSAR
Um caso de atendimento público

LUSOFONIA
Caboverduras

PARA ONDE FOI O CLIENTE?

A imagem do hotel invocava uma sensação de sobriedade e confiança. O largo saguão e a decoração grave lembravam a tradição do estabelecimento. Também o recepcionista reflectia no olhar o marasmo que invadira o hotel, passada que foi a época alta.

Quebrando a monotonia daquela tarde de domingo, chegou o senhor António Borges que veio em serviço para ficar hospedado por duas semanas. Foi acolhido com sorrisos e simpatia e foi alvo das atenções de todos os empregados que o cumprimentavam procurando satisfazer os seus mais pequenos caprichos.

Dois dias depois inesperadamente o hotel amanheceu outro. Um grupo de turistas estrangeiros, recém-chegados, veio preencher o espaço ocioso e tomar a atenção dos empregados que, freneticamente, procuravam dar resposta a todos os seus desejos.

À hora das refeições a agitação era total. O restaurante, agora repleto, parecia tornar-se mais pequeno. O senhor António Borges passou a ser tratado como um cliente sem importância sendo relegado para segundo plano. Esquecido a um canto do restaurante, enquanto os outros clientes eram servidos sofregamente, sem lugar para se sentar, porque todas as mesas estavam reservadas, não havia espaço para ele no interesse dos empregados.

— Pode esperar um bocadinho, ou então petiscar qualquer coisa no bar? — sugeria o empregado numa passagem fugidia. Afinal ele servira apenas para tirar o empregado da sua apatia e os sorrisos haviam sido transformados em desatenção.

A euforia durou três dias e acabou com a ida daqueles clientes «especiais». Passado o alvoroço o hotel retomou o seu ritmo grave e sério do Outono e os empregados quiseram voltar a sua atenção para aquele senhor, cliente nada especial, deixado esquecido no meio de tão ilustre grupo de turistas. Mas ele não estava. Também já se fora, discreto como a atenção que não recebera.

No entanto, este é o cliente de todo o ano, de todas as estações. É o cliente fiel, ou, quem sabe, era. Quando ali chegou naquela tarde de domingo tudo o que esperava receber era um pouco de atenção. O funcionário pensara provavelmente que ele seria uma pessoa paciente, que não criaria problemas. Enganou-se. Este é o cliente que nunca mais volta.

Maria da Graça Balardim, *Dirigir*, Maio 91
(Texto adaptado)

Croniquinha

RITUAL DAS RUAS

Baptista-Bastos

Ando pelas ruas de Lisboa, a tarde é brumosa, as ruas estão quase despovoadas e as raras pessoas que caminham são pessoas possuídas de uma tristeza amável. Dos velhos muito velhos apenas dois velhos muito velhos estão sentados num banco de jardim, hirtos, distantes, doridos. Nem conversam: trespassam-se com o olhar. Um cego avança pelo lancil do passeio, junto do qual estão estacionados dezenas de automóveis. Com a bengala de cego, o cego vai batendo nos automóveis, enquanto avança com os restantes sentidos despertos. Surge um indivíduo aos gritos:

— Ó sua besta, então não vê o que anda a fazer?

O cego estaca, cativo de uma angústia tão imensa como o desprezo ou como o ódio. Ergue a bengala; agita-a:

— Onde é que você está, seu malandro, para lhe partir a cara?

Estão nisto: no domínio de uma espécie particular de teologia — a dos agredidos que afinal são ambos. Ando e penso: tudo isto é como se estivesse perto de mortos, sem manifestar o mínimo interesse por eles. Outrora a cidade era mais confortável e menos hostil. As pessoas cumprimentavam-se sem se conhecer. Não era a celebração da cortesia, nada disso: era, sim, um aceno, um humilde sinal de presença. Agora, as pessoas parecem assustados retirantes de todos os sítios, porque não se sentem bem em nenhum deles. Há nessas pessoas uma forma confusa de não estar em parte alguma e de desejarem estar em todas as partes.

Cegos. São cegos sem bengala e com olhos que não querem ver. Os tempos são ferozes e tornaram as pessoas assim. Os modos e as maneiras de comunidade, que ultrapassavam, pela sua fertilidade e constância, toda a nossa capacidade de imaginação, foram implacavelmente derruídos. Há outra gente que não é nova gente nem gente nova; é outra, na qual se manifestou e desenvolveu um acidente mosntruoso: o de rejeitar, anular e excluir os outros.

Puxo o andar. Aí vou eu, deixando de pensar em coisas ruins, feias e vãs. Aqui estou eu, apressado em dizer aos outros que estou com eles, fazendo a ronda inteira de uma luta velha como o tempo — e como o tempo, sempre remoçada. Homem ao lado do homem, homem visível e sempre próximo de todos os homens.

Época, 6. Nov. 92

TELEFONES

Desde o cheiro a gás até ao tempo que fará no dia seguinte, passando pelos resultados desportivos, há uma série de serviços telefónicos que nos permitem resolver inúmeros assuntos com rapidez

Solucionar pequenos e grandes problemas

Diversas são as situações para as quais necessitamos de apoio, não apenas informativo mas também psicológico. Em muitas delas encontramo-nos sozinhos e não temos com quem falar. Noutras não sabemos como o fazer ou quem procurar.
Para alguns casos específicos existem linhas SOS às quais podemos recorrer, com a virtude de nos ser possibilitado o anonimato

«Serviço de despertar. Bom dia»

De grande utilidade no nosso quotidiano, este é um dos serviços a que mais nos socorremos

Nada pior para começarmos o dia do que o iniciarmos depois da hora a que devíamos. O *stress* aumenta, o nosso coração ressente-se do sobressalto em que acordamos, o nosso humor não fica famoso e o mais provável é que tenhamos problemas pelo atraso com que chegamos ao emprego ou por faltarmos ao compromisso marcado. Enfim, corremos sérios riscos de ficar com o dia «estragado» pelo simples facto de não termos acordado a horas. Muito embora os despertadores sirvam exactamente para isso, a verdade é que em muitos casos e, particularmente quando andamos mais cansados, acabamos por os desligar mesmo a dormir e sem chegarmos a acordar.

Para grandes males, grandes remédios. Através do Serviço de despertar dos TLP é garantido que acordamos à hora exactamente pretendida desde que, obviamente, não ponhamos o aparelho junto à cama, pois nesse caso arriscamo-nos a voltar a adormecer depois de o termos atendido.

Para que tudo corra bem devemos telefonar na véspera para o 180055 e solicitar que nos despertem à hora pretendida. No dia seguinte o nosso telefone só parará quando o atendermos, mesmo que o sono seja pesado.

Saber o tempo que irá fazer

Acertar o relógio pela hora exacta, saber o tempo que fará nos próximos dias, ou as últimas notícias é fácil através do telefone

Quantas vezes, antes de um fim-de-semana, nos interrogamos sobre o tempo que fará? Dessa informação podemos fazer depender o local para passarmos esses dias, a roupa que levaremos ou, até, a decisão de irmos ou ficarmos.

Especificamente para o efeito, o Instituto Nacional de Meteorologia e Geofísica criou um serviço por telefone, com a previsão do tempo para os dias seguintes, incluindo a ondulação na costa marítima portuguesa.

Quando a vida perde sentido

A angústia da solidão aliada a outro tipo de problemas conduz, em demasiados casos, ao suicídio. No entanto, como afirma o Dr. Daniel Sampaio, especialista na matéria «Ninguém morre por querer».

A solidão podendo não ser desesperada, não deixa de ser solidão. Por isso, este serviço destina-se a ajudar e a apoiar todos aqueles que necessitem de um amigo anónimo. É que, acontece com maior frequência do que aquilo que se possa supor e há coisas sobre as quais necessitamos de conversar, mas que, por uma ou outra razão, não queremos abordar com conhecidos.

TELEFONES

Quando a saúde tem pressa

Pode tratar-se de uma farmácia de serviço à noite, de um médico ou de uma ambulância. Através de uma chamada telefónica podemos resolver, mesmo que parcialmente, a questão

Através do 115 (número nacional) podemos solicitar uma ambulância urgente, fazer uma queixa de emergência à Polícia, solicitar socorro por questões de saúde ou policiais.

Mais recentemente, passou a existir um serviço de atendimento telefónico específico para intoxicações. Através dele podemos solicitar a descrição das medidas a adoptar perante qualquer tipo de intoxicação. basta que, para o efeito, expliquemos qual a origem da mesma, as reacções do paciente, etc., a idade do mesmo.

Finalmente, também a indicação sobre as farmácias que se encontram de serviço permanente pode ser fundamental.

As «linhas» que a sida tornou necessárias

Oferecem apoio e informações. São os números da sida e podem ajudar a minimizar a solidão

Quando alguém descobre ser seropositivo é, desde logo, confrontado com inúmeras interrogações, a maioria das quais de foro psico-emocional. Como prosseguir a partir daí? Como contar à família, cônjuge, parceiros? Como se relacionar consigo mesmo e com a sociedade? No fundo, o que fazer? São questões prementes, graves e angustiantes, que se confundem e atropelam. Tomar contacto com a própria seropositividade é, seguramente, um dos grandes problemas com que o indivíduo se pode confrontar nos dias de hoje, em profunda solidão. No entanto, é possível obter-se ajudas e ir, a pouco e pouco, organizando as emoções e o raciocínio, como caminho indispensável para a meta essencial e que consiste em saber como se pode seguir vivendo.

O telefone tornou-se um instrumento imprescindível nos bons e maus momentos. É assim que, perante uma aflição, corremos velozes para ele, na busca de ajuda junto do serviço que, em competência, nos pode solucionar o problema.

Sempre que a nossa protecção é ameaçada

Muito embora o 115 também atenda urgências de índole policial, podemos socorrer-nos de outros serviços, segundo o caso específico da ameaça

Apesar de podermos, em qualquer dos casos, contactar a Polícia de Segurança pública (nas grandes cidades) ou a Guarda Nacional Republicana (na província) podemos em casos mais específicos (desaparecimentos de pessoas, por exemplo) contactar directamente o piquete da Polícia Judiciária. Uma outra solução consiste em telefonar directamente para o Serviço Nacional de Protecção Civil.

Os incansáveis soldados da paz

Apesar de a sua principal missão ser a de apagarem fogos, a verdade é que os bombeiros resolvem uma série de outros problemas

Ninguém hesita em recorrer aos bombeiros quando um incêndio se deflagra. Na nossa casa ou perto desta, em virtude de um fumo suspeito ou de uma labareda evidente, a ideia que ocorre imediatamente é a de se chamar os bombeiros. No entanto, outras situações acontecem em que devemos ter idêntico procedimento. É o caso das inundações quer elas sejam da nossa directa responsabilidade ou fruto de um cano que se rompe inesperadamente. Mas há ainda outro tipo de inundações, geralmente associadas a diversos problemas que importa resolver em simultâneo: aquelas que resultam de fortes chuvadas. No campo ou na cidade, os bombeiros possuem equipamento adequado para dar solução ao escoamente das águas, ao desentupimento de algerozes, desobstrução de vias, abate de árvores que ameaçam cair, entre outros.

Rifira-se ainda que pertencem aos bombeiros (sapadores e voluntários) grande parte da frota de ambulâncias existentes, destinadas ao transporte de feridos ou de pessoas cuja imobilidade seja deficiente e necessitem de tratamento hospitalar.

Por último, faz ainda parte das competências dos bombeiros o salvamento de animais, sempre que estes se encontram em situação de perigo e inacessíveis por meios normais

Guia, 1.Out.93

BLOCO 14

POR OUTRAS PALAVRAS...

Observe os exemplos:

*O recepcionista reflectia o marasmo que **invadira** o hotel passada a época alta*
*= ... que **tinha invadido** o hotel...*
*Afinal ele **servira** apenas para tirar o empregado da sua apatia*
*= ... ele **tinha servido** apenas para...*
*Mas ele não estava. Também se **fora**, ...*
*= ... Também se **tinha ido embora**...*
*...discreto como a atenção que não **recebera**.*
*= discreto como a atenção que não **tinha/havia recebido***

O PRETÉRITO MAIS-QUE-PERFEITO SIMPLES

Ocorre preferencialmente na língua escrita (formal, literária e jornalística) tendo nesses casos valor equivalente à sua forma composta.

ANDAR	anda(-ste)	+	ra; ras; ra; áramos; ram
FAZER	fize(-ste)	+	ra; ras; ra; áramos; ram
IR	fo(-ste)	+	ra; ras; ra; áramos; ram

Para além de fazer referência a um facto anterior a um outro facto passado, o pretérito Mais--que-Perfeito pode indicar ainda um facto situado vagamente no passado. (Será equivalente à forma composta do Pret. Imperfeito no modo Conjuntivo).

Ex:

*O funcionário **pensara provavelmente** que ele seria uma pessoa paciente...*
*= o funcionário **provavelmente tinha pensado** que ele seria...*
*= **talvez tivesse pensado** que ele seria...*

NOTA

É também usado com a conjunção comparativa condicional «Como se» e em substituição do Pret. Imperfeito do Conjuntivo

Ex:

Como se fora um cliente sem importância
= Como se fosse um cliente sem importância

Também raramente, no discurso formal , pode ser utilizado o auxiliar HAVER em vez de TER

Ex:

*... e os sorrisos **haviam sido transformados** em desatenção*
*= e os sorrisos **tinham sido transformados em**...*

ALGUNS PROCESSOS DE REFORMULAÇÃO DO ENUNCIADO

A. É possível modificar

1. O verbo

Ex.: *...enquanto os outros clientes* ***eram servidos sofregamente***
= ***eram sofregamente servidos***

2. O adjectivo

Ex: *... procurando satisfazer os seus* ***mais*** *pequenos caprichos*
= procurando satisfazer os seus pequenos caprichos
a cidade era ***mais*** *confortável e* ***menos*** *hostil*
= a cidade era confortável e não era tão hostil

3. A frase

Ex: *... os empregados, freneticamente, procuravam...*
= Freneticamente, os empregados procuravam...
= os empregados procuravam freneticamente

B. É possível economizar-se frases relativas

Ex: *... o restaurante,* ***agora repleto****, parecia mais pequeno...*
= ... o restaurante, ***que agora estava repleto****, parecia mais pequeno...*

frases comparativas

Ex: *Dois dias depois, inesperadamente, o hotel amanheceu outro*
= ... ***como se fosse outro***

C. É possível reforçar elementos da frase por

1. Repetição

Ex: *As raras* ***pessoas*** *que caminham são* ***pessoas*** *possuídas de uma tristeza amável...*
= As raras pessoas que caminham, são possuídas de uma tristeza amável...

2. Prominalização

Ex: *é outra* ***na qual*** *se manifestou e desenvolveu um acidente monstruoso...*
Um cego avança pelo lancil, junto ***do qual*** *estão estacionados dezenas de automóveis.*

3. Requalificação/oposição

Ex: *Há outra gente que não é nova gente nem gente nova;* ***é outra****,*

4. Valorização

Ex: ***Este é o*** *cliente de todo o ano. = O cliente de todo o ano é este*

5. Generalização

Ex: *Não era a celebração da cortesia,* ***nada disso****: era, sim, um aceno...*
Estão ***nisto****:*
Os tempos são ferozes e tornaram as pessoas ***assim****.*

6. Gradação

Ex: *... um acidente monstruoso: o de* ***rejeitar****,* ***anular*** *e* ***excluir*** *os outros.*

7. Exclamação (provocativa)

Ex: ***Ó sua besta****, então não vê o que anda a fazer?*
Onde é que você está, ***seu malandro****, para eu lhe partir a cara?*

EVITAR RESPONDER DIRECTAMENTE
SER EVASIVO

Manter uma posição subtil quando se discorda da opinião do interlocutor:
— Acha que sim?
— As coisas não são assim tão fáceis
— É um pouco difícil de dizer
— Não será necessário exagerar
— Ainda há tanta coisa por fazer
— Para dizer a verdade, não sei se será...
— Nem tudo o que luz é oiro
— Nem tudo o que parece é
— Se calhar!

Para não dizer não:
— Vamos ver o que se pode fazer
— Vou pensar nisso
— É bom dar tempo ao tempo
— O tempo é bom conselheiro
— Dê-me tempo para reflectir

14.1. Dois colegas comentam as notícias jornalísticas

A — Já não se pode ler os jornais! Só se vê mortes, feridos, guerras, acidentes, roubos... repare nesta fotografia! Isto admite-se? É chocante!

B — Bom, não se pode exagerar... tem que ver que esse é o trabalho do jornalista. Ele tem que informar, dizer o que se passa, o que acontece...

A — Não há mais nada para informar senão desgraças? Já é um bocado demais, não acha?

B — Bom, é preciso saber ler o que está por detrás da notícia e ver que o mundo é muito grande...

A — O senhor está a insinuar que eu não sei ler nas entrelinhas?

B — Não, não, de modo nenhum... mas há sempre outras formas de ver as coisas sem as tomar demasiado à letra, não é...

A — Está a chamar-me burro? Julga que eu não sei ler? Qual é o seu jogo? Está a defender os jornalistas! Elas parece que só gostam de sensacionalismo que...

B — Calma meu caro amigo. Vamos lá ver! eu não tenho nada contra os jornalistas. respeito o trabalho de cada um, é tudo.

14.2. Há convites que se podem recusar...

— Cerqueira, já pensou na minha proposta do outro dia?

— Não tenho pensado noutra coisa! Mas, como eu lhe disse na altura ainda tenho que falar com a minha mulher. Ela tem alguma dificuldade em ir viver para fora do país.

— Mesmo sabendo que você vai ganhar o dobro do que ganha cá? É uma oportunidade óptima para si. Já pensou bem?

— Eu tenho reflectido bastante mas não gostaria de tomar uma atitude que fosse contra a opinião da Mariana. Não a quero ver contrariada.

— Mas pense também no dinheiro que representa no fim do mês. Mesmo que seja uma contrariedadezita que importância tem se for bem pago?

— Pois é isso.Eu ainda não sei se esse salário compensa o sacrifício...

— Mas você não tem outras aspirações para além de ficar aqui nesta pequenez...

— Não será exactamente assim... Eu gostaria de uma maior tranquilidade do que aquela que tenho aqui...gostaria de ter mais tempo para mim próprio... gostaria de ter mais algum dinheiro que me permitisse ter uma velhice serena. Mas será que vou conseguir lá fora vendendo-me por um salário? Não creio...

14.3. Resultados do exame...

Francisco — Olá Cristóvão. Então o resultado do exame?

Cristóvão — É melhor não falar disso!

Francisco — Porquê? Houve azar?

Cristóvão — Bem... quer dizer... Não sei se terá sido azar! Mas sorte também não foi!

Francisco — Bom. Mas afinal passaste ou chumbaste? É que com essa conversa até parece que apanhaste um chumbo!

Cristóvão — Ainda não chumbei mas vou chumbar. Faço oral amanhã e... vou com 10! É a mesma coisa que chumbar.

Expressões Coloquiais:
tomar à letra = levar a sério
não ter nada contra = ter uma posição neutra
vamos lá ver = deixe-me explicar
ler nas entrelinhas = subentender o que não é dito
apanhar um chumbo = reprovar

UM CASO DE ATENDIMENTO PÚBLICO

O empregado, de farda e vénias verdes, era um limo deslizante entre as mesas.

Um rapaz e uma rapariga, casal insignificante, entra e senta-se, recebendo sorrisos e ementas, que acolhem timidamente. «Duas cervejas e duas sandes mistas». Balbuciam. O olhar do empregado faz-se gelo. «Só servimos refeições completas».

É então que irrompe uma senhora alta e loira, caniche de regaço e estola de vison, sonora, perfumada, misturando palavras portuguesas com inglesas.

O empregado reverencia-a. Murmura *pleases* exclamativos. «Traga um chá e meia torrada». Fixo-a. É duma arrogância deslumbrante.

Fixo a seguir o empregado. Lá vai de bule na mão e espinha curvada, melancólico, obediente.

Fernando Dacosta
Dirigir, n.º 6

Caboverduras

Duas coisas impressionam quem regressa a Cabo Verde depois de alguns anos de ausência. A primeira sente-se logo ao aproximar da capital, a Cidade da Praia, na multiplicação das casas e na profusão das construções. Fenómeno generalizado em toda a África, também aqui a cidade maior foi obrigada a acolher as populações que se cansaram das dificuldades acrescidas de viver fora da urbe.

A segunda impressão estranha é a da alteração na paisagem que se nota em algumas ilhas. Nada de muito evidente, apenas a visão de terem nascido pêlos nas montanhas. São os resultados do programa de florestação das ilhas que o Governo de Cabo Verde há muito prossegue.

Nas cidades as noites começam cedo e terminam tarde. Na capital, os seguidores da moda procuram o bar do Hotel Praiamar, a esplanada Paralí, na Prainha, e o Zero Horas, entre muitas outras hipóteses que nunca se excluem.

No Mindelo, as noites devem começar na praça principal, ponto de encontro obrigatório para debater as dificuldades de escolha de um roteiro único.

Apesar da música caboverdiana ser irresistivelmente dançável, não se deve esperar

que ela seja predominante nas discotecas. Aqui, a força da diáspora caboverdiana faz-se sentir de forma marcada, sobretudo na predominância de ritmos norte-americanos recentes.

Mas o que mais cativa o visitante em Cabo Verde são as pessoas. É impossível conter a admiração por um povo que ama de uma forma tão intensa uma terra ingrata e bela, que é capaz de partir para países ricos sem nunca perder a saudade que bate na hora di bai nem a vontade de voltar.

Quem fica nunca se conforma com o destino do seu país, e a vida é marcada pela vontade, semelhante à das acácias que teimam em resistir como uma bandeira de esperança.

Dessa vivência resulta uma produção cultural rica e com uma identidade única. Resulta também a capacidade de rir da própria sorte e de comentar os impulsos próprios com uma expressão singular «caboverduras».

Ana de Castro Sousa – ELO, Set. 92

BRASIL

BLOCO 15

"TUDO BEM" É BRASILEIRO. Tinha que ser. No Brasil está sempre "tudo bem". Mesmo que não esteja. Porque Brasil é sorriso, amizade, simpatia e... "tudo bem"... Eu acho até que eles só têm "não" no dicionário. E é enquanto a língua fôr o português. Porque um dia que mude, brasileiro corta. Para já, vão tendo, mas dão-lhe pouco uso. Lá, o pessoal tem horror a dizer «não». Pede-se uma coisa e garantem que sim. Que vão "arrumar" isso para nós, pode deixar... Aí, a gente pergunta quando vai ser e eles fazem uma pausa. Estão a pensar...

— Olha, aí você me telefona prá semana, viu?... Vou-lhe dar o meu número confidencial. Aí, você fala prá minha secretária, ela me liga e eu dou uma resposta prá você, tá?... Aceita um cafezinho?

Por dia, no Brasil, a pessoa toma 40 cafezinhos. Pelo menos... Quem sofrer do miocárdio, não convém ultrapassar. O recorde está nos 200, para quem não sofre. Ou ainda não foi ao médico... Porque cafezinho faz parte da casa e do emprego, da reunião e da entrevista, do bate-papo e da solidão. Entro num escritório para ver um amigo. A recepcionista vai preveni-lo. À porta, olha para trás e volta a sorrir:

— O senhor aceita um cafezinho?

E vão 56...

E creio que cheguei ao fim. Brasileiro quando se despede, nunca diz "adeus", como nós, mas "até logo". É que "adeus", para eles, é mau agouro, pode querer significar que as pessoas talvez não voltem a encontrar-se mais. Estou nessa com os brasileiros. Porque quero, um dia, regressar. Por isso, não vou mesmo dizer "adeus" ao Brasil.

Digo "até logo", viu?

A. Magalhães dos Santos
Correio da Manhã, 6 Dez. 92

POEMA DE HELENA LANARI

Gosto de ouvir o português do Brasil
Onde as palavras recuperam a sua substância total
Concretas como frutos nítidas como pássaros
Gosto de ouvir a palavra com as suas sílabas todas
Sem perder sequer um quinto de vogal

Quando Helena Lanari dizia o «coqueiro»
o coqueiro ficava muito mais vegetal

Sophia de Mello Breyner Andersen in "Geografia"

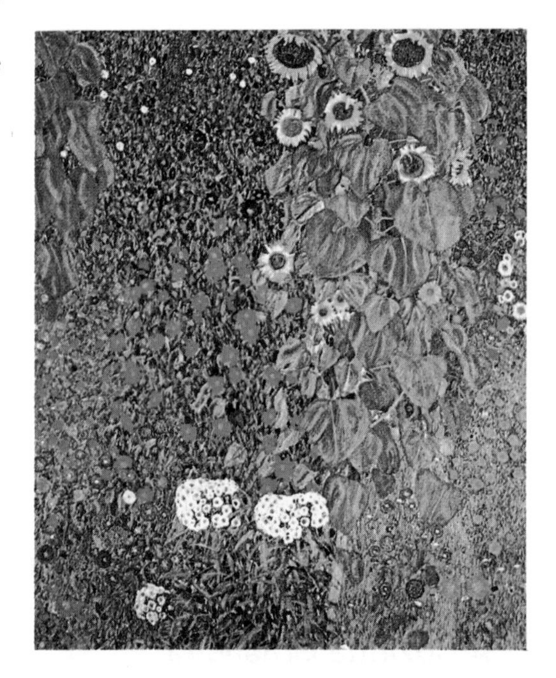

Klimt, «Jardin aux Tournesol», 1905-1906

BRASILEIROS FALAM PORTUGUÊS?

Aconteceu-me uma vez, há alguns anos, na cidade de S. Salvador da Bahia. Subia no elevador da casa onde morava, com um rapazinho de uns dez anos e outras pessoas. Disse umas palavras a alguém que me acompanhava, e o rapaz perguntou-me: "Que língua fala você?" — "Português" respondi. "Não, português falo eu", retorquiu ele. E eu fiquei a pensar.

Pensei que existe uma misteriosa diferença entre a realidade e a teoria. Todos dizemos: "O mundo de língua portuguesa." "Os 7 países em que se fala português: Portugal, Brasil, Cabo Verde, Angola, Moçambique, Guiné, São Tomé e Principe.

Nos últimos cinco, o português é língua oficial. Mas no Brasil... é a língua nacional — embora haja outras, sobretudo as línguas índias, que já existiam em 1500 e continuam a existir, apesar de tudo. O Brasil, país multilingue, país em que a língua índia teve tal força que, nos Sécs. XVII e XVIII, a "língua geral" falada por todos e de certo modo oficial era o tupi-guarani.

Hoje, porém, excepto nas comunidades índias e em algumas colónias de imigrantes, é o português que todos aprendem como língua materna. Mas então porque sentiu esse menino que falávamos línguas diferentes?

E não só ele. Conta-se que um americano, querendo vir a Portugal em negócios, procurou aprender português no seu país e tomou lições com uma brasileira. Quando considerou suficiente o seu conhecimento linguístico veio para Portugal. Passados poucos dias de ter chegado, enviou um telegrama angustiado: "Diga-me por favor que língua aprendi, porque não consigo entender nada do que me dizem."

Mas esta história não tem um recíproco na compreensão por parte dos portugueses, ou seja: o transmontano e o algarvio, o lisboeta e o beirão ouvem diariamente a(s) telenovela(s) brasileira(s) e entendem os diálogos, zangam-se com os "maus"e torcem pelos "bons". Realmente, em Portugal não é necessário "traduzir" com legendas as produções brasileiras, como no Brasil há quem pretenda fazer com as portuguesas (se alguma vez lograrem um lugar no império da Globo).

Já perceberam qual é a razão desta dificuldade? Trata-se na verdade da mesma língua?

Vejamos:

Basicamente, os problemas surgem com a língua oral — e aqui entra a televisão, o menino que me ouvia falar, o americano angustiado. Portanto a grande diferença está nos sons.

Mais concretamente: a grande diferença, está nas vogais que não são acentuadas. Enquanto os brasileiros de qualquer região pronunciam todas as vogais quer elas sejam tónicas ou não (pôrtuguês, cômeçar, mêmória), os portugueses reduzem-nas ao ponto de as suprimirem por vezes (port*u*guês, c*u*meçar, mmória). Em Portugal ouvem-se assim muitas consoantes seguidas, com predomínio dos *s* finais que soam *x* — por isso os estrangeiros sentem um sibilar constante na pronúncia dos portugueses. Esta diferença no sistema vocálico (que no século XVI era igual, em Portugal, ao que hoje funciona no Brasil) provém duma alteração que se deu no português europeu, uma "deriva" da língua que tem causas pouco claras mas que pode ser interpretada como uma evolução paralela da que apresentam outras línguas em que as vogais também se foram lentamente reduzindo.

Pode então falar-se da mesma língua?

Sim, porque as estruturas sintácticas são as mesmas com excepção dos aspectos de pormenor. Sim, porque o léxico é basicamente o mesmo. Sim, porque afinal o sistema de sons é muito próximo, apesar da diferença que causa tanta estranheza. E sim, porque afinal o conceito de língua é fundamentalmente um conceito político assente em factos linguísticos e não o inverso. Mas esta é uma história para contar outro dia.

Maria Helena Mateus
Época, 20 Nov. 92

B L O C O 15

VIAGEM

RIO DE JANEIRO

OLHA QUE COISA MAIS LINDA

AO DESEMBARCAR, O INGLÊS DARWIN ACREDITOU TER CHEGADO À BAÍA MAIS ESPECTACULAR DO MUNDO. ANTES DELE, OS FRANCESES TENTARAM INSTALAR-SE NELA EM CONDIÇÕES INEGOCIÁVEIS PARA OS PORTUGUESES, QUE TAMBÉM ERAM APAIXONADOS PELA CIDADE. JÁ NO NOSSO SÉCULO, NELSON RODRIGUES CHAMOU-LHE PECADORA. TERÁ SIDO ESSE O PRIMEIRO DE UMA LISTA DE ADJECTIVOS GALANTES QUE O RIO DE JANEIRO BEM MERECE

Texto de Filipe Braamcamp de Mancellos

Para quem ainda não sabe, o nome do Rio está relacionado com um pequeno erro topográfico cometido pelos portugueses quando ali chegaram em 1502. Para eles, a indescritível Baía da Guanabara não passava da foz de um rio onde emplumados índios tamoios e tupis receberam os navegadores numa bela manhã de Janeiro. Mais tarde, o colonizador chamar-lhe-ia ainda São Sebastião do Rio de Janeiro, numa homenagem óbvia ao actual padroeiro da cidade.

Segundo a História, as relações entre o anfitrião e o visitante nem sempre foram calmas ou funcionaram na troca de cortesias. Os franceses não deixaram de saber tirar partido disso, nas várias tentativas feitas para se estabelecerem no lugar. A última das ocupações deixou vestígios na gramática que o português deixou por lá. Mas, antes disso, baptizaram de Pão de Açúcar o rochedo de 400 metros de altura que guarda a entrada da baía, um dos pontos turísticos mais obrigatórios do Rio.

Amizade de Balcão

O melhor que o carioca conhece para discutir qualquer estado de coisas, continua a ser o botequim, cujo dono fatalmente emigrou de Portugal e é conhecido pelo galego. O galego e o carioca dão-se frequentemente mal, regra geral por via de contas pendentes, mas necessitam-se reciprocamente e, a partir disso, estabeleceram a chamada Amizade de Balcão, uma das mais sólidas instituições locais.

BLOCO 15

Nenhuma outra raça no mundo tem esse dom da palavra com que o carioca veio ao mundo. Qualquer conversinha de nada pode estender-se por uma tarde inteira, depende apenas da temperatura da cerveja que o seu Manuel vai servir. Quanto ao assunto, quanto mais descompromissado melhor já que para esse anfitrião nada mais pode ser tão estimulante quanto uma boa sessão de "jogar conversa fora". Foi assim que Tom Jobim e Vinícius de Moraes compuseram uma das maiores contribuições da MPB à música universal, a famosíssima "Garota de Ipanema".

É difícil ser um estranho entre cariocas, mesmo quando se acaba de chegar. Como ninguém leva ninguém muito a sério, nenhuma regra de comportamento passa por definitiva. Flexível com paixão, o carioca raramente define o que quer que seja, ignora datas e detesta horas muito marcadas. É lógico que adora o imprevisto, tanto quanto evita a palavra não. Prefere dizer que vai pensar, tarefa com que costuma gastar todo o tempo que houver neste mundo. Amigo dos dias, todo o carioca se gaba de ser um sedutor irrecuperável. Portanto, nada de mais natural que o verbo mais popular seja «paquerar», expressão que dificilmente encontra tradução correcta no português de Portugal, e que significa muito mais seduzir do que conquistar.

Cidade desvairada por modismos passageiros, nenhuma lista de locais a frequentar no Rio de Janeiro estará alguma vez em dia. Há quem veja nisso a inesgotável criatividade com que o carioca responde a estes tempos de crise.

Menos sujeito aos caprichosos ditames da moda, o tempo é quente de Outubro a Março e ameno o restante do ano. Em Novembro, chove com frequência e, talvez, prolongadamente devido às frentes frias vindas ora do Uruguai ora da Argentina. Em Janeiro, as chuvas são tipicamente tropicais, isto é, chegam com violência mas logo desaparecem e quem está na praia mal se dá ao trabalho de voltar para casa ou procurar abrigo.

A água deve ser mineral mesmo quando se pede um dos saborosíssimos sucos nativos. As frutas também andam atreladas à moda; aciola e kiwi estão em alta. Mas todos os outros, alguns dos quais desconhecidos para nós, valem a recomendação. Quando servidas com leite, estas bebidas dão pelo nome de vitaminas, a mais carioca forma de enfrentar o dia. As mais pedidas: maçã, manga, abacate, etc, etc. O gelo deve-se evitar a não ser nos hoteis.

Uma das maiores descobertas locais é a carne. Qualquer churrascaria apresenta um menu-rodízio muitas vezes inacreditável, na qualidade e no preço. As sobremesas sofrem até hoje de uma forte influência portuguesa, ainda que com pequenos reajustes tropicais.

Máxima, Maio 93

AMAZÔNIA
FORÇA DA NATUREZA

Anete Costa Ferreira*

Igarapé com arbustos e cipós, característica de toda a Região.

Continente onde a instabilidade começa pelo nome. Com ele designamos pelo menos no Brasil três conceitos distintos para a Amazônia. Necessário, se torna classificá-los para o perfeito entendimento. *Amazônia Clássica*, correspondente à Região Norte, formada pelos Estados do Acre, Amazonas e Pará e pelos Territórios de Rondônia, Roraima e Amapá. A superfície global é de 3,5 milhões de km2 e 6 milhões de habitantes. *Amazônia Legal*, é a 2.ª classificação decorrente da Lei n.º 1806, de 1953 que passou a incluir os Estados do Maranhão ocidental, o Mato Grosso e o Tocantins. A superfície aumenta para cinco milhões de quilômetros e a população para onze milhões de habitantes. Finalmente, a *Pan-Amazônia*, que tomando por base os oito signatários do pacto de Cooperação assinado em 1978, estende-se por sete milhões de quilômetros quadrados e treze milhões de habitantes, daí impossível esquecer que a Amazônia não se esgota nas fronteiras do Brasil, pelas peculiaridades locais que interessam a quantos vivem nessa imensa planície.

O Rio Amazonas nasce na Cordilheira dos Andes, no Perú a uma altitude de cinco mil metros, desemboca no Oceano Atlântico numa Foz que se abre por 320 km de largura na Ilha do Marajó, no Estado do Pará. As grandes quantidades de sedimentos que descarrega, calculados entre oito a nove bilhões de tonelados/ano e que são transportadas pela corrente equatorial das Guyanas, fazem esse litoral essencialmente lamoso. E no trecho entre os estados do Amapá e do Maranhão encontram-se os principais eco-sistemas que são os Manguezais. Outros eco-sistemas importantes são os Mundongos, na Ilha do Marajó e as Várzeas de Marés que se estendem ao longo do Baixo Amazonas, e de acordo com a época do ano, o Rio Amazonas mostra uma variação elevada estendendo-se dezenas de quilômetros pelas margens adentro.

A Floresta Tropical e Equatorial Úmida, ocupa uma extensão de cinco milhões de quilômetros quadrados englobando-se em grande parte com a Bacia Hidrográfica. Está dividida em: Floresta Densa (Aluvial, Terra Baixa e Sub-solo e montanha); Floresta Não Densa (Área Arenosa, Gramínea, Savana e Pântano); Vegetação Coberta (Campos Naturais e Serrados) e, Área Antropizadas (Vegetação secundária e Actividades Agrícolas).

Os ventos da região são predominantemente os *Quadradantes Este* que trazem o vapor de água de sua origem — Oceano Atlântico —, que contribui com cêrca de cinquenta por cento do vapor de água que dá origem à chuva da região. A outra parte é proveniente da recirculação interna do vapor de água propiciada pela evapotranspiração da floresta correspondente à ordem de 2 500 mm/ano.

Os animais da Amazônia são arredios ao passo do homem. Vivem quase sempre embrenhados na selva, preferindo as águas dos igarapés, igapós aos barrancos dos rios. Os mais ousados são os primatas. As aves preferem as copas dos arvoredos. As cobras confundem-se com os cipós, num mimetismo de defesa. Os peixes povoam o mundo submerso juntamente com as tartarugas num espetáculo difícil de descrever.

O plano de povoação do Brasil inicia-se no século XVI sob a ótica da colonização de exploração pelos portugueses, visando a retirada de recursos variados que pudessem fornecer riquezas à Coroa Portuguesa.

Inicialmente, o Pau-Brasil, de todo o litoral; depois a Cana-de-Açúcar, no nordeste; em seguida as Minas, no centro e no norte, e assim sucessivamente.

Peixe-boi. Mamífero aquático que se alimenta de ervas. Espécie rara: metade peixe e metade boi. Mede até quatro metros e pesa até seiscentos quilos.

Essa política resultou num povoamento periférico e desordenado culminando com desníveis sócio-econômicos muito variados.

Em 1755, Marquês de Pombal, através de Alvará de Lei, estabelece a liberdade dos índios, concedendo permissão de casamento entre portugueses e índios, oferecendo vantagens aos nubentes.

Na Amazônia, como em nenhuma outra parte do mundo, eram os índios, de fato, imprescindíveis pelo número, pelo conhecimento da região e pelo tipo de economia predominante. Com os servícolas, os portugueses, aprenderam a encontrar e valorizar as drogas do sertão: a Salsaparrilha, Puxurí, o Pau-Cravo, Guaraná, as raízes aromáticas, as gomas, resinas e sementes, os temperos, os corantes e as plantas medicinais como a Ipeca, Sucuba, o Quebra-Pedra, o Angico e a Jurubeba, entre tantas outras.

Por ordem do Marquês de Pombal, Francisco de Mendonça Furtado, seu irmão, substituiu a nomenclatura indígena de várias cidades amazônicas por nomes lusitanos. Daí, termos Aveiro, Oeiras, Bragança, Chaves, Alter-do-Chão, Santarém, Óbidos, Barcarena, Vizeu, etc., etc.

A descoberta do ouro e a devastação da floresta ostensivamente declarados a partir da década de 80, têm causado sérios conflitos entre servícolas e brancos. Mesmo com a tentativa de aculturá-los, os índios negam-se a receber os ensinamentos da civilização branca, arraigados que estão ao seu habitat, seus usos, hábitos e costumes.

Estão catalogados duzentos e vinte mil indígenas na Região, segundo dados fornecidos pela FUNAI (Fundação Nacional de Apoio ao Índio), vivendo em cento e noventa e três reservas demarcadas pelo Governo federal, numa área de 27 672 301 hectares, o que caracteriza o zelo das autoridades na preservação da cultura indígena amazônica.

Na Amazônia, está a maior população indígena da América do Sul, como os Yanomami, Kaiapó, Wai-Wai, os Kampas (descendentes dos Maias), os Baniwa, Wapixana, Makuxi, Kulina, Apurinã, Karajá, Nambiquara, Kalapalo e Awetí para citar como exemplos.

Verdadeira força da Natureza, sua riqueza advém do ciclo natural e regenerador que a floresta cria e recria. Uma vez perturbado esse ciclo sobra apenas a desolação que a ninguém serve, uma vez que a natureza processa seus próprios equilíbrios, não se compadecendo das loucuras praticadas pelo Homem.

Região misteriosa onde se desenvolve a fascinante aventura da existência do Homem sobre a Terra.

* Jornalista e conferencista.
Texto exclusivo para *Lusofonia*
gentilmente oferecido pela autora.

Índios, negros e brancos: a construção do Brasil

Carlos Rodrigues Brandão

Na praça principal da cidade de Goiânia, capital do Estado de Goiás, na região Centro-Oeste do Brasil, onde, um pouco acima, está localizada a própria capital do país, Brasília, existe um monumento que celebra a sua fundação, há menos de 50 anos. Três grandes homens esculpidos em bronze levantam juntos um grande monolito de pedra. Como não estão vestidos com roupas que mesmo de longe os façam parecer diferentes, é preciso chegar perto para perceber que as figuras são de um indígena, um negro e um branco.

Uma visão estilizada do Monumento às Três Raças *feita pelo artista plástico Simas*

É provável que por todo o país haja monumentos menores, semelhantes. Afinal, eles apenas materializam uma crença comum, que o interesse dos senhores da terra, o imaginário do povo e os livros de história do Brasil difundiram por muitos anos. O Brasil é um país cuja história e cultura foram e seguem sendo uma construção do trabalho de "três raças": os índios, habitantes originais de todo o território nacional, os pretos trazidos da África e os brancos vindos de Portugal a partir de 1500.

Tal como ocorreu em alguns outros países do continente, e à diferença do que aconteceu, por exemplo nos EUA, desde os primeiros anos da colonização portuguesa houve sempre um intenso intercâmbio sexual entre os homens e mulheres das "três raças". Dele resulta a formação de contingentes de mestiços em todas as direcções. O Brasil não é, portanto, uma nação onde etnias e culturas estão tão separadas. Não é também um país onde a miscigenação deu-se apenas em uma direcção, como entre índios e brancos, ou entre brancos e negros. Aqui houve sempre, principalmente entre os pobres e deserdados do poder e da fortuna, uniões e casamentos entre brancos e negros, entre índios e brancos, entre negros e índios. De acordo com a região do país, há nomes específicos para os sujeitos étnicos resultantes de tais uniões interétnicas. Mas, de modo geral, é comum o emprego da palavra mulato para designar a pessoa nascida de uma união entre brancos e negros, caboclo para pessoa nascida da união entre índios e brancos e mameluco (termo mais raro, para um tipo de união menos frequente) para filhos de negros com índios.

Correio da Unesco, Fev. 1987

MÚSICA, LÍNGUA MATERNA DO BRASIL

O Brasil nasceu cantando. Nas veias desse país continente corre o sangue vivo de suas influências étnicas. Do índio, primeiro habitante, o coro tribal, a dança de vozes em contracanto, os ritos sonoros de trabalho, festa e dor. Do invasor português, as cordas plangentes e nostálgicas, o hino do desterro e a celebração da conquista voraz. Do negro escravo, tangido a ferros, o canto cadenciado do trabalho à força, os códigos de luta e resistência, o baticum solto da revolta e paixão. Balizada por contradições, esta nação não podia soar uníssona.

É no Rio — bem no centro da cidade, na casa de baianas festeiras — que nasce o samba, identidade básica da música nacional. Este ritmo, derivado do afro lundu e ainda acasalado ao maxixe dançante em suas gravações iniciais, acaba geograficamente expulso de seu primeiro habitat. Sempre seguindo a rota das camadas populares perseguidas pela miséria, estabelece-se nas fraldas dos morros, onde nascem as primeiras escolas de samba. Organizações sociais autóctones, informalmente centradas na diversão, elas promovem o desfile anual de fantasias e costumes, comboiados por um samba-enredo. Com a instalação da indústria da música (fábricas de discos, rádios e, mais tarde, televisões), o chamado samba de morro "desce para a cidade". Deixa de ser uma espécie de código de conduta e malandragem de poetas populares, e passa também ao domínio "letrado" de autores da burguesia como Noel Rosa, Ary Barroso (da célebre *Aquarela do Brasil*), João de Barro (autor do postal sonoro, *Copacabana,* "princezinha do mar") entre outros.

Tárik de Souza
Correio da Unesco, Fev. 1987

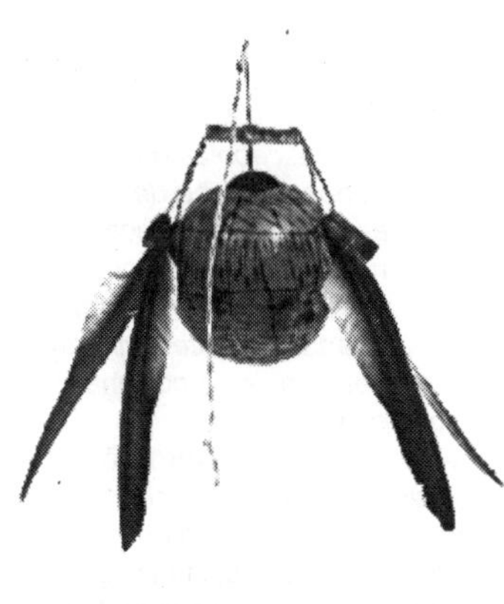

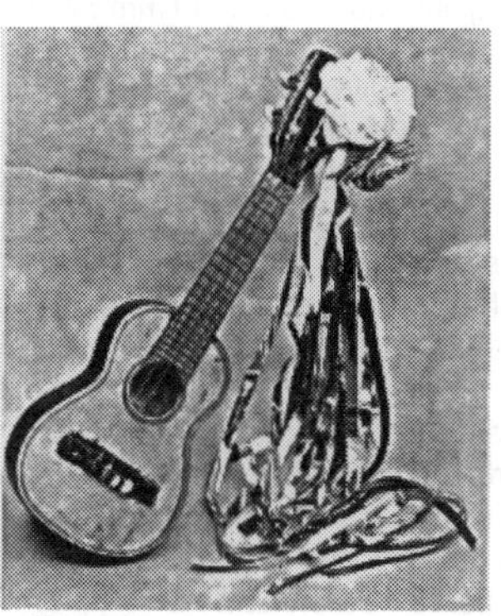

Três instrumentos musicais populares do Brasil: 1. Instrumento de sopro dos índios xevantes (Mato Grosso, no Centro-Oeste do país) feito com uma cabaça ornada de plumas. 2. Cavaquinho, espécie de violão pequeno de quatro cordas metálicas, originário de Portugal, que se toca com uma palheta. Bastante popular, integra numerosos grupos musicais. 3. Berimbau de barriga, instrumento proveniente de Angola, que consta de uma vara de madeira ou berimbau (a foto mede 128 cm de comprimento) com uma corda única. Na base uma cabaça funciona como caixa de resonância e permite ao músico, aproximando-a ou afastando-a de seu ventre, modular a nota na corda ferida. Este instrumento marca o ritmo das danças baianas, como a capoeira, também de origem africana.

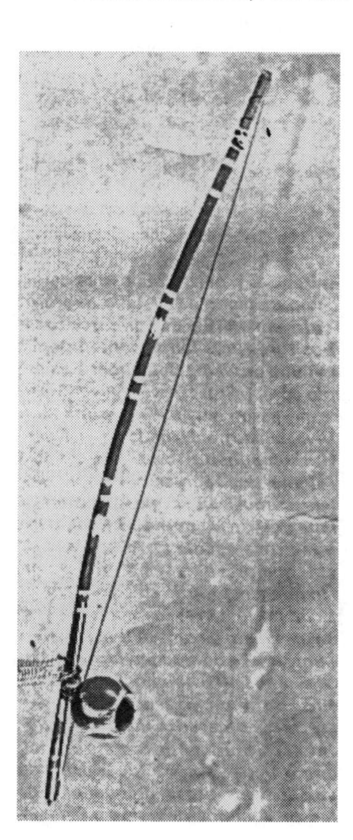

BLOCO 15

A cozinha brasileira

A contribuição européia, mais tarde africana, aliadas ambas aos recursos naturais dos indígenas do tempo da descoberta, deram como resultado uma cozinha agradavelmente miscigenada.

Os portugueses, grandes viajantes, trouxeram as especiarias descobertas no Oriente, o arroz, a cana de açúcar, a azeitona e finalmente o café. Imigrantes mais recentes fizeram surgir no Sul grandes criações de gado cuja carne, de excelente qualidade, faziam grelhar na brasa, resultando daí o churrasco, a nosso ver a maneira mais saborosa de se preparar a carne.

Os mouros, que tinham ocupado Portugal, legaram-nos indirectamente o gosto pelos ovos e pelo açúcar. Daí os doces brasileiros terem qualquer coisa de árabe.

Os africanos trouxeram o leite de coco e o azeite de dendê, logo assimilados, e definitivamente incorporados em especial à cozinha baiana. Apreciadores de boa comida, davam preferência a numerosos pratos de preparação bastante complicada, frequentemente apimentados, como é o caso do vatapá, o mais conhecido dos pratos baianos, para cuja preparação precisamos de uns dez ingredientes (castanha de caju, amendoim, camarão seco, leite de coco, azeite de dendê, coentro, gengibre, etc.)

Os índios gostavam de milho verde, de farinha, de banana, de peixes, de camarões. Foi o milho verde o primeiro produto brasileiro a fazer sucesso na Europa. Dom Manuel, Rei de Portugal, considerou-o superior "ao petit pois". Assado, afirmava ele, era ouro em cima da mesa. Lembremos que o feijão é originário da América do Sul. Não podemos, portanto, nos espantar ao vermos em todas as casas de famílias brasileiras o feijão preto ou mulatinho presentes diariamente em todos os fogões.

XINXIM DE GALINHA

1 galinha grande (ou 2 pequenas); 12 camarões médios; 100g de camarões secos; 50g de castanhas de caju; 50g de amendoim torrado; 1 pimentão picado; 3 tomates descascados sem sementes, e picados; 2 cebolas picadas; 2 dentes de alho socados; suco de 1 limão; louro, coentro; 3 pimentas malagueta; 1 coco; 2 colheres de sopa de óleo; 2 colheres de sopa de azeite de dendê; sal e pimenta do reino.

O xinxim de galinha é a nosso ver o prato mais saboroso da cozinha afro-brasileira da Bahia. Preparar um tempero: suco de limão, alho socado, sal e pimenta do reino. Preparar igualmente um leite de coco da seguinte maneira: esquentar o coco no forno, quebrá-lo. Descascar, cortar em pedaços e ralar. Acrescentar meio copo de água quente. Torcer num pano de prato para obter o leite. Reservar.

Cortar a galinha em pequenos pedaços, deixar de molho no tempero durante 30 minutos. Descascar os camarões e temperá-los igualmente em outro recipiente. Esquentar o óleo numa panela e dispor os pedaços de galinha. Deixar dourar em fogo brando. Acrescentar as cebolas, os tomates, o pimentão, o louro, o coentro e o restante do tempero. Juntar um copo d'água. Juntar os camarões e deixar cozinhar 10 minutos.

Moer juntos castanha de caju, amendoim, camarão seco e pimenta. Juntar esta preparação à galinha. Misturar bem. Acrescentar o leite de coco e cozinhar ainda 5 minutos. Por último, acrescentar o azeite de dendê que dará ao prato uma côr amarelada.

O xinxim de galinha pode ser servido com arroz branco.

VATAPÁ

200g de amendoim torrado; 200g de castanha de caju moída; 100g de camarões secos moídos; 1kg de peixe (garoupa); 6 pequenos filés de peixe, ou 12 camarões médios; 1 cabeça de peixe; 1/2 pão de forma; 1 xícara de leite; 2 cocos ralados; 2 cebolas grandes raladas; 4 dentes de alho socados; 1 molho de coentro, salsa e cebolinha; louro, gengibre e noz moscada (ralados); pimenta do reino em grão e em pó; suco de um limão; 2 colheres de sopa de azeite de dendê; pimenta malagueta amassada (macerada no azeite e vinagre).

O vatapá é o prato mais elaborado da cozinha afro-brasileira e o mais famoso da Bahia.

Preparar um tempero tradicional: suco de limão, alho socado, sal, pimenta do reino. Limpar e cortar o peixe em postas e deixar no tempero 2 horas. Extrair o leite dos cocos ralados. Moer juntos: amendoim, castanha de caju, camarões secos, gengibre e noz moscada. Num caldeirão preparar um caldo com um litro d'água, sal, pimenta do reino em grão, cebola, cheiro verde, louro, coentro. Quando estiver fervendo, acrescentar as postas de peixe e a cabêça para dar gosto. Quando estiverem cozidos retirá-los. Coe o caldo e ponha-o num caldeirão. Acrescentar, mexendo sempre os ingredientes moídos (amendoim, castanha de caju, camarões secos, etc.) acrescentar o pão, sem parar de mexer, e o peixe desfiado. Deixar cozinhar em fogo brando. Quando essa preparação estiver se transformando num mingao consistente e bem cozido, acrescentar o azeite de dendê e o leite de coco. Apimentar a gosto. servir bem quente. Acompanhamentos: servir no prato o vatapá com creme de arroz, um filé de peixe ou 2 camarões.

CONJUNTO D

Ao ritmo dos tempos

LEILÕES

NINGUÉM DÁ MAIS?!

Leilões há muitos e para todos os gostos. Peças boas ao desbarato e trecos à melhor oferta. Dos pechincheiros aos conhecedores todos podem entrar no jogo porque nada fica por vender. Fomos ver como é.

Alexandra Marcos (texto) Marcos Borga (fotos)

De vez em quando lá aparece mais um catálogo anunciando um novo leilão. Uns valem pelo nome da Casa Leiloeira, sem se olhar sequer ao espólio que está em venda. Outros há em que os objectos são de tal modo valiosos que atraem por si só, todos os "experts" na matéria.

Chamado o leiloeiro ao local onde se encontram as peças, estas são observadas e avaliadas de acordo com os conhecimentos do avaliador e o seu interesse no negócio. Por vezes, no meio de trecos velhos, é possível encontrar autênticas obras de arte que surgem depois destacadas no catálogo, com direito a foto e uma legenda pormenorizada sobre a sua origem, aquisição e condição actual.

Foi isto que aconteceu com os herdeiros da escultora norte-americana Eleanora Fischer Leys. Falecida a proprietária da Quinta das Raposeiras, no Algarve, o recheio da casa foi devidamente apreciado, inventariado e, por fim, catalogado para não se perder no transporte para a capital nenhum dos objectos, por menor que fosse.

Durante quatro dias is ser posto à venda para quem o quisesse levar. Espalhados pelos corredores e salas da casa leiloeira, móveis, colchas, carpetes, cerâmicas e telas entre muitos outros objectos aguardaram a sua hora. Havia muito por onde se escolher, mas eram poucos os verdadeiramente interessados, aqueles que correm Seca e Meca para apanhar a raridade dos seus sonhos.

À tarde, a sala estava repleta de compradores, antiquários e meros curiosos que, sem mais que fazer, para ali foram passar um bocado agradável.

O apregoador, qual vendedor de bilhetes de lotaria em dia de saída da Taluda, lá ia descrevendo sumariamente cada objecto enquanto os solícitos funcionários passeavam no ar as peças em debate. Ao ligeiro levantar de um dedo, subia a parada.

Na ocasião estavam em leilão um monóculo e um telescópio que, reformados da sua função original, apenas servirão para decorar uma mesa nua de algum canto menos provido de adornos. Cordões de ouro, candelabros, cadeiras e bonecos *kitsh* de outras modas, também por ali passaram à velocidade super-rápida de quem não tem tempo nem dinheiro a perder. Enquanto uns inspeccionavam com lenta minúcia a peça oferecida, já esta tinha ido parar a algum comprador mais astuto, com boa vista e melhor carteira.

Fomos então ver o que nos reservavam as salas anexas. Mesas cobertas de serviços de jantar, quadros sem interesse de maior e outros atribuídos a pintores portugueses conhecidos, como Bual, Almada Negreiros, Veloso Salgado, Mily Possoz. Da colecção fazia também parte um Picasso, que procurámos entre os destroços. E lá estava ele, na sala do fundo, uma reprodução em tamanho reduzido do *Guernica,* colorido a carvão, que modestamente espreitava no cimo de um roupeiro carcomido.

Nessa mesma sala havia também camas de pau-santo, uns sofás de meados do século, faianças estrangeiras e até alguns aparelhos televisivos que sem ecrã a cores poder-se-iam transformar em óptimos aquários de sala. Só é preciso ter um pouco de imaginação e olhar para o bolso antes de arriscar a compra, contando, é claro, com as necessárias despesas de restauro.

Até ao momento em que assistimos à sessão, algumas peças tinham já atingido valores exorbitantes como foi o caso de uma tela de um pintor holandês arrematada por 2.500 contos, um relógio por 1.950 contos e outras que decerto deixaram muitos dos presentes com vontade de serem multimilionários para as poder consigo levar. Mas também os mais modestos puderam fazer o gosto ao dedo. Os chamados pechincheiros, como nos disse um dos funcionários, estão sempre à espera da melhor oportunidade para conseguir qualquer coisinha. São estes, que quando sabem que é baixo o preço de um objecto se empenham afincadamente na disputa, abandonando os lances a meio, quando se apercebem que a peça já está fora do seu alcance.

Um divertimento caro, mas muito aconselhável para quem goste de aliviar a carteira e rechear a casa, embora casos há, que melhor seria levantar cedo e dar uma volta pela Feira da Ladra. É que há leilões e leilões...

Sábado, 05/03/93

BLOCO 16

QUANDO O PRODUTO NÃO É O QUE PARECE

Ao entrar há dias numa loja, tipo mini-mercado de bairro, deparei, junto à caixa registadora, com um boião de vidro onde se amontoavam uns "drops" coloridos imitando conchas. Achei-os de um tamanho um tanto ou quanto grande para o que é usual em produtos semelhantes. Mas, como está tudo em permanente evolução para levar o incauto consumidor a adquirir sempre mais e mais, não dei importância ao facto.

Feitas as compras, estava eu pagar a conta quando um garotito pede à mãe, que estava atrás de mim, um dos tais rebuçados. A mãe perguntou à empregada o preço dos rebuçados e qual não foi o meu espanto ao ouvir esta resposta: "Isso não são rebuçados, minha senhora! São perfumadores de gavetas."

E logo ali a mãe teve que explicar ao filho que aquilo não era para se comer.

Claro que o miúdo não percebeu nada, desatou numa gritaria e foi ameaçado pela mãe de levar uma bofetada se não se calasse.

Esta cena não teria nada de especial se aqueles "rebuçados" não constituíssem um perigo para a saúde pública.

Imagine o leitor situações várias que daí poderiam advir. Por exemplo:

— se aquela mãe, em vez de perguntar o preço, simplesmente tivesse comprado uma dúzia daqueles perfumadores, como se de rebuçados se tratasse…

ou então:

— se alguma criança mais curiosa tivesse dado com algum daqueles rebuçadinhos dentro de alguma gaveta, onde eles cumpriam o seu dever de perfumadores, e os pusesse na boca…

É facilmente previsível que, no primeiro caso, a criança, se sentiria mal depois de ter chupado uma coisa daquelas, e a mãe estaria longe de pensar que se tratava de uma intoxicação e que o devia levar imediatamente para o hospital...

E no segundo caso, como adivinhar o que se tinha passado quando a criança dissesse que se sentia mal disposta por ter comido um rebuçado? Ainda por cima, sem que ninguém tivesse visto nem onde nem o que ela tinha feito?

O QUE ESTÁ ERRADO COM O VAREL

É UM LAVA-TUDO TÃO BOM QUANTO OS OUTROS, É O MAIS BARATO DE TODOS MAS VENDE POUCO

por Isabel Cunha

O lava-tudo Varel apresenta a melhor relação qualidade-preço, o que lhe valeu o prémio Escolha Acertada, com base num estudo realizado pela Proteste revista da DECO (Associação Portuguesa para a Defesa do Consumidor) — em Janeiro de 92. "Todos os produtos que analisámos obtiveram apreciações aceitáveis ou boas e as diferenças de preço são reduzidas. Para calcular a Escolha Acertada tivemos em conta a quantidade de produto a utilizar para os lava-tudo diluídos e o preço base para um igual volume de detergente concentrado", explica a Proteste. O mais barato é o Varel, mas não convence os consumidores a tirá-lo da prateleira.

Afinal o que está errado?

A resposta é: IMAGEM

A embalagem é um factor de extrema importância na construção da imagem e na criação da capacidade apelativa do produto, de modo a permitir-lhe vender-se por si próprio quando colocado numa prateleira entre outros congéneres. No caso do lava-tudo Varel, parece ser um aspecto menos positivo o facto da embalagem ser muito semelhante, na forma e na cor, à do Sonasol. Poderá, por este motivo, deixar subentendido que pretende ser uma imitação daquele produto, colocando-se desde logo numa posição de segundo plano. No que toca ao rótulo, o do Varel tem menos força que o do Sonasol, as cores são mais suaves (o que pode contrariar a ideia de eficácia), os elementos gráficos menos perceptíveis e o texto tem menos impacto. Seria mais vantajoso para o lava-tudo Varel procurar distinguir-se dos produtos congéneres, assumindo uma personalidade própria e autónoma, afirmando-se pela diferença, de modo a criar na mente dos consumidores uma imagem clara e distinta, suficientemente forte para determinar a escolha. Isto passará pela reapreciação da embalagem e do rótulo e, porque não, da própria marca, especialmente se o Varel estiver por demais associado à ideia de lixívia.

Espera-se que o Varel tenha já mudado a sua imagem para, quando eu for ao supermercado, mais facilmente o encontrar na prateleira.

Fortuna, n.º 8, Nov. 92

BLOCO 16

EXPRIMIR TEMPORALIDADE EM FORMAS NOMINAIS

Simultaneidade

AO + V. (Infinitivo)		(Passado; Presente; Futuro)
Quando No momento em que Logo que	+	Indicativo ou Conjuntivo

Ex.: ***Ao entrar*** *(...) numa loja (...) deparei com um boião de vidro... =* ***Quando entrei****...*
Ao *ligeiro* ***levantar*** *de um dedo, subia a parada =* ***Logo que se levantava*** *um dedo...*
Qual não foi meu espanto ***ao ouvir*** *esta resposta... = ...* ***quando ouvi*** *...*
Como adivinhar o que acontecera se a criança ***ao sentir-se*** *mal apenas dissesse...*
= ... se a criança ***quando se sentisse*** *...*

Anterioridade

V. Particípio Passado	(Passado; Presente; Futuro)

Ex.: ***Feitas as compras****, estava eu a pagar a conta...*
Chamado o leiloeiro *ao local onde se encontram as peças, estas são observadas...*
Falecida a proprietária *da Quinta (...) o recheio da casa foi devidamente apreciado...*
Espalhados pelos corredores *(...), móveis, colchas, carpetes, (...) entre outros objectos...*
...um monóculo e um telescópio que, ***reformados*** *(...), apenas servirão para...*

Particípio Passado Composto (Ter inf. + Part. Pass.)

Ex.: *No primeiro caso, depois de* ***ter chupado*** *uma coisa daquelas começava a...*
...quando a criança dissesse que se sentia mal por ***ter comido*** *um rebuçado...*

NOTAS:

1. Esta construção pode ser equivalente ao Gerúndio composto normalmente em início de frase:

Gerúndio Composto (Ter ger. + Part. Pass.)

Ex.: *No primeiro caso,* ***tendo chupado*** *uma coisa daquelas começava a sentir-se mal...*
...quando a criança, ***tendo comido*** *um rebuçado, dissesse que se sentia mal...*

2. Pode verificar-se o apagamento do verbo na forma infinitiva em posição pós-preposicional

Ex.: *que* ***sem mais que fazer*** *para ali foram passar um bocado agradável*
(= ***sem terem*** *mais que fazer...)*
(= ***não tendo*** *mais que fazer)*

EVENTUALIDADE NO PASSADO

TER (Imperfeito Conjuntivo) + V. (Part. Passado)

1. Acção irreal no passado:

Ex.: *...se aquele não **tivesse comprado** uma dúzia de perfumadores...*
...se uma criança tivesse encontrado estes "rebuçados"...

2. Acção anterior[2] a outra acção passada[1]

Ex.: *...sem que ninguém tivesse visto o que ela tinha feito*
(sem que ninguém tivesse visto = 2; o que ela tinha feito = 1)

TER (Presente Conjuntivo) + V (Particípio Passado)

3. Passado (supostamente concluído)

Ex.: ***Espero** que o Varel já **tenha mudado** a sua imagem...*

EVENTUALIDADE NO FUTURO

4. Futuro (concluído[1] em relação a outro futuro[2])

Ex.: ***Espero** que ele não **tenha encontrado** aqueles rebuçados antes de eu voltar*
(Espero que ele não tenha encontrado aqueles rebuçados = 1; antes de eu voltar = 2)

TER (Futuro Conjuntivo) + V (Particípio Passado)

5. Futuro (concluído[1] em relação a outro futuro[2])

Ex.: *Quando eu tiver voltado quero ver a nova imagem do Varel*
(Quando eu tiver voltado = 1; quero ver a nova imagem do Varel = 2)

OUTROS PROCESSOS DE ÊNFASE

1. Alteração na sequência de constituintes na frase:

Ex.: ***Embora** (=mas) **casos há** que... = ...**embora haja casos**...*
= ...mas há casos...
***outros há** que = ...**há outros** que...*
*Esta cena **nada teria** de especial = Esta cena **não teria nada** de especial...*
Para ali** foram parar = foram parar (para) **ali
***Fomos então** ver = **Então fomos** ver*
*... que **melhor seria** levantar cedo e ir = **seria melhor***
*...**estava eu** a pagar... = **Eu estava** a pagar*
*Da colecção fazia também parte um Picasso (...). E **lá estava ele**, na sala do fundo...*
*= ... E **ele estava lá**, na sala do fundo...*

2. Partícula enfática: lá + V

Ex.: *De vez em quando **lá aparece** um catálogo...*
= de vez em quando aparece um catálogo
*O apregoador (...) **lá ia descrevendo** sumariamente cada objecto*
= o apregoador ia descrevendo sumariamente...

NOTA:
Coloquialmente pode ter valor negativo em expressões como: Quero lá saber! = não quero saber; Sei lá = não sei

COMUNICAÇÃO GESTUAL

"Esperteza saloia"

Fazer figas

Silêncio. Pouco barulho

Não sei
(encolher os ombros
e expressão facial)

Espera um pouco

"Vamos?"

"Boa — é isso mesmo!
descobri (?)
(estalar de dedos)

Adeus

"Uma delícia". Que delícia!

"Acertou em cheio"

Escuta. Deixa ouvir

" 'tá maluco";
não regula bem da cabeça

Piscar o olho. Cumplicidade

Pedir uma boleia

Roubar

CERTIFICADO DE VENCEDOR

A FAVOR DE

JOÃO NUNES

O Titular desta documentação venceu a fase de selecção para participar no GRANDE CONCURSO EDICLUBE DOS 15 MILHÕES com o número exclusivo de participação.

ESTE TÍTULO
É PESSOAL E
INTRANSMISSÍVEL

D870593

BLOCO 16

Assim mesmo, o Titular fica habilitado a receber um dos 6 magníficos Brindes

RELAÇÃO DE SELECCIONADOS

DISTRITO LISBOA

TITULAR	NÚMERO	RESULTADO
BENJAMIN F. TEIXEIRA	H005164	PERDE
JOSÉ S. MELO	I000008	PERDE
MANUEL A. FELICIANO	J008748	PERDE
MARIA L. CARDOSO	F552370	GANHA
MANUELA	K000006	PERDE
MICAELA C. RODRIGUES	LO13373	PERDE
CELESTE S. MARQUES	M000004	PERDE
MARIA T. FRANCO	N030226	PERDE
JOÃO P. RODRIGUES	0000002	PERDE
JOSÉ M. CARAPINHA	P059237	PERDE
VITOR A. FAUSTINO	Q000000	PERDE
MARIA E. MARQUES	R092462	PERDE
JOÃO NUNES	D870593	GANHA
MANUEL F. OLIVEIRA	S071439	PERDE
JOSÉ A. FIGUEIREDO	T020084	PERDE
MARIA A. FERREIRA	U032657	PERDE
ANA M. PEREIRA	V072152	PERDE
MARIA F. VINHAS	E595462	GANHA
DULCE C. GOMES	W049853	PERDE
MARIA L. FERNANDES	X031717	PERDE
ISABEL	Y012253	PERDE
SUZANA M. SARAIVA	Z053864	PERDE
MARIA A. BOTELHO	D095275	PERDE

TITULAR SELECCIONADO

Exmo. Sr. João Nunes
Alamada D. Afonso Henriques 19-5.º Esq.
Lisboa
1200 Lisboa

DE ENTRE ESTAS 23 PESSOAS SELECCIONADAS NO DISTRITO DE LISBOA SÓ3 GANHARAM UM BRINDE.
PARABÉNS SR. NUNES.

Responda antes de 15 dias e garanta a Sua participação no Sorteio do Grande Prémio

Prezado Sr. Nunes:

Como pode ver na relação junta, VOCÊ pode GANHAR UM DOS 6 GRANDES BRINDES por ter sido seleccionado para participar no Sorteio organizado por EDICLUBE.

Permita antes de mais SR. NUNES, que lhe dê os parabéns.

Este é um momento de boa sorte para Si, já que, de entre estas 23 pessoas seleccionadas no seu distrito — LISBOA — apenas 3 ficaram habilitadas a ganhar um brinde inicial e Você é uma das afortunadas.

Qual o brinde que Você pode ganhar? Será uma Colecção de 24 cassetes avaliada em mais de 35.000$00? Talvez lhe tenha cabido um luxuoso Faqueiro em aço inoxidável, com banho de ouro? Talvez uma fabulosa Câmara de Video Sony ou um Televisor a cores com écran de 24 polegadas? E, porque não um serviço de 42 peças em porcelana inglesa ou um magnífico Robot de Cozinha?

A verdade SR. NUNES, é que para 20 pessoas desta relação a emoção já terminou, enquanto que para Si inicia-se agora, uma vez que o seu número pessoal, o D870593, acaba de ser seleccionado para habilitar-se a ganhar um magnífico brinde e, além disso, concorrer ao Grande Concurso EDICLUBE, no qual serão sorteados prémios no valor total de 15.000.000$00.

Já imaginou, SR. NUNES... Ganhar um desses fabulosos prémios e ainda, se responder rápido, habilitar-se ao Grande Prémio composto por um BMW 316i (ou, se o pretender, o seu equivalente em dinheiro — 5.000.000$00)?

Não desperdice esta ocasião favorável. Neste momento a sorte está consigo. Para receber o seu brinde, deve enviar-nos, devidamente preenchida, a sua Ordem de Reserva a qual lhe permitirá fazer chegar a sua casa a colecção ESCOLA DE COZINHA e o trem de cozinha VITROSTAR que reservámos para Si como oferta. Não demore, pois se responder rápido, além de receber um magnífico brinde, e ficar habilitado ao Sorteio de 100 magníficos prémios no valor de 10.000.000$00, habilitar-se-á também ao Sorteio do Grande Prémio avaliado em 5.000.000$00

Esperando notícias suas, receba uma saudação cordial

EDICLUBE

BLOCO 16

Cidade dos Sentidos

Se no adeus a Luanda não sentir o corpo cansado de tanta dança, a boca com saudades da cerveja, o cheiro dos pinchos e frango assado na longa estrada da ilha, a pele quente do Sol e mar ou de algum beijo perdido... então é porque deixou que a cidade dos sentidos lhe passasse ao lado.

Os angolanos, a quem a guerra ensinou a inventar mil esquemas de divertimento, funcionam pelo andamento dos ponteiros de um relógio ainda não acertado pelos «novos tempos». Mal refeitos do recente levantamento do recolher obrigatório e do início dos dias da paz tão desejada, continuam a organizar as suas noites de excesso como antes. Jantam em casa ou na casa dos amigos, não tomam café (porque não gostam e porque não há pastelarias), bebem umas cervejas e por volta da meia noite partem para os bailes de quintais onde ficam até de manhã.

Em Luanda, qualquer gira-discos ou gravador com música em altos berros faz dançar os angolanos.

Salte da cama o mais cedo possível, participe na merenda conjunta se já tiver arranjado um grupo de amigos e

parta à descoberta das águas e das areias escaldantes de Luanda. Se quiser ficar perto do centro, terá de escolher uma das muitas praias da ilha, 15 quilómetros de uma enorme língua de areia, de um lado a dar de caras com o Atlântido mais sereno do mundo, do outro com a cidade e a sua baía inesquecível. Para ir mais longe tome a direcção do sul e, se não parar pelo caminho, marque encontro com a foz do rio Kuanza. Uma viagem de 60 kilómetros a guardar na memória para sempre.

À esquerda o mar é um espelho imenso e à direita os imbondeiros convidam-nos a sentar para ouvir o silêncio.

Para ficar mais perto do paraíso, apanhe o barco para a ilha do Mussulo, onde apetece ficar para sempre.

Ana Margarida Matos
ELO, n.º 5, Maio 91
Fotos: Céu Guarda

BLOCO 17

TEMA
Publicidade

TEXTOS
O império da sedução
Inundações e consumidores

GRAMÁTICA
Valores aspectuais
Referir autoria no texto

DIÁLOGOS
Processos para sair da conversa

PARA CONVERSAR
Inundação publicitária

LUSOFONIA
Entre falcões e papagaios

BLOCO 17

PUBLICIDADE
o império da sedução

Vendedora de sonhos, deusa sublime dos nossos desejos, ela rege o nosso consumo, selecciona-nos, torna-nos iguais/desiguais. Desconfiados ou incautos, cépticos ou crédulos, a todos envolve na sua teia de arquétipos. E porque não seguir-lhe o rasto e deixarmo-nos envolver, rendidos como comuns mortais? Aceitemos, pois, a nossa simples condição de consumidores e desfrutemos, prevenidos, porém, do império da sedução.

«Slogan» Continua importante

Na história da publicidade portuguesa encontram-se muitos nomes importantes da nossa cultura. Esta era uma área de «recurso» económico, num País em que pintar quadros ou escrever livros dificilmente permitia a sobrevivência. Nomes como José Carlos Ary dos Santos, Artur Portela Filho ou Alexandre O'Neill ficaram ligados à actividade publicitária, também pela genialidade de alguns dos *slogans* que criaram. No entanto, até neste aspecto, as coisas mudaram consideravelmente.

«Costumava-se dizer», recorda Prosperi, «que na publicidade caíam todos os frustrados de outras profissões, como escritores e pintores. Mas hoje em dia já há poucas profissões em que se possa ser diletante.»

Tal não significa, contudo, que o *slogan* publicitário tenha perdido a sua importância a favor da imagem. «Não há divórcio entre as partes e é errado separar a imagem visual da escrita e da música. Pode acontecer que uma destas componentes seja privilegiada, mas devem ser consonantes. O problema do *slogan* é que já está tudo mais ou menos inventado, mas continua a ter que ser uma referência da comunicação. Cada vez há produtos mais semelhantes e, portanto, há que levar a comprar cada um por motivos concretos.»

Construir fotografias

«Na reportagem fotográfia tiram-se fotos, na publicidade fazem-se» Quem o diz é Pedro Martins, fotógrafo de publicidade há 16 anos, contando ainda no seu currículo algumas esporádicas incursões pelo fotojornalismo. Apesar da sobrevalorização que o filme publicitário tem vindo a ganhar, Pedro Martins continua a acreditar na importância da imagem fixa.

Ao contrário daquilo que se possa pensar, quando uma campanha inclui filme e fotografia, esta última não é retirada dos fotogramas da película, devido à definição, vulgarmente de má qualidade. «O que normalmente se faz é aproveitar a filmagem para fotografar.» Isto nos casos em que a campanha tem um registo semelhante. No entanto, segundo Pedro Martins, trata-se de duas linguagens diferentes, «a tendência actual é para que sejam diferentes, até porque os públicos também o são.»

Criar situações

Segundo Pedro Martins, o percurso seguido até se obter a fotografia desejada, passa pela análise de uma maqueta, onde a foto a fazer está esboçada, ou, o que é mais frequente, pela explicação por parte da agência daquilo que pretende. Depois, importa recriar o ambiente pretendido, através da iluminação do estúdio, mas não só. «Por exemplo, às vezes, um copo de cerveja, para ficar com aquele aspecto óptimo e apetecível, obrigou-nos a deitar tanta porcaria dentro que até ficamos enjoados. Aliás, a maior parte das fotografias que fazemos são forjadas. Isso é o aliciante da publicidade: o obrigar-nos a criar situações que, quando olhamos, parecem óptimas e lindas.»

Guia, Junho 91

OPINIÃO

INUNDAÇÕES

Vasco Graça Moura

A coisa começou, há muitos anos, por uns simples cartões de visita apresentando o salão Wanda Rute, cabeleireira artística para *mises* e permanentes elegantes, ou a D. Isménia, apanhadora de malhas em meias, ou ainda oferecendo os préstimos artesanais do Snr. Eleutério como canalizador, electricista, estofador e profissional de vários outros biscates. Depois, passaram a chegar folhetos de aspecto modesto, deitados na caixa do correio, dizendo que a loja Arletty era a que vendia os melhores produtos de beleza e depilação, que o *shampoo* da reputada marca *Hairway* deixava os seus cabelos mais escorregadios.

Veio a seguir uma fase mais empresarial, com as margarinas, as máquinas de tricotar, as lixívias e os detergentes. A mensagem era dirigida fundamentalmente à dona de casa e aos seus problemas domésticos, entre o cuidar das mãos e o tratar da loiça e das roupas, passando por cursos de corte e costura, com venda de figurinos e moldes em fascículos semanais, e por cursos de culinária, a ensinarem as cem maneiras de preparar salmão fumado com tripas à jardineira. Tudo isto chegava a casa enfiado em sobrescritos impacientes, do género «abra depressa!»

Agora, são os bancos, as companhias de seguros, os cartões de crédito. Você pode descontar mundos e fundos nos seus impostos se se tornar cliente do banco Cifrão Um, numa conta assim assim, ou se fizer o seu seguro na companhia Cifrão Dois, numa conta assim assado. Vai tudo dar ao mesmo porque o Cifrão Um e a seguradora Cifrão Dois estão associadas na *holding* ou sociedade de investimentos Cifrão Doze que acaba a mandar-lhe também os seus prospectos lá para casa, propondo-se gerir as suas economias e transformá-las a prestações (é sempre a prestações).

Mas não são apenas os produtos financeiros de mais sofisticadas manhas tributífugas. São também os hotéis a oferecerem-lhe estadas especialíssimas de fim-de-semana ao preço da chuva, sobretudo em épocas de temporal, as agências de viagens a prometerem-lhe nas férias paraísos exóticos por tuta e meia, com algumas salmonelas à mistura, excelentes para a terceira idade, os patos bravos a proporem-lhe a compra de andares óptimos em cascos de rolha, pois estarão prontos dentro de quinze anos se você pagar tudo com juros de vinte e três por cento nos próximos seis meses. E as grandes superfícies: os hipermercados e os supermercados, com as suas campanhas gigantescas em desdobráveis a cores que parecem lençóis estampados e onde se pode encontrar de tudo por dez réis de mel coado.

Nem se percebe como é que as indústrias gráficas se queixam tanto. Todos os dias têm de vomitar cá para fora toneladas e toneladas de materiais, destinados à promoção de milhares e milhares de produtos, impressos quase sempre em bom papel, com o sainete das quatro cores e de umas artes finais mais ou menos bem cuidadas. Tudo se torna muito mais caro, envolvendo custos gigantescos de produção da promoção e dos portes do correio que a levam até à sua casa, ou dos encartes nos jornais que também a levam até à sua casa, onde ela escorrega irritantemente para o soalho quando você se põe a ler as notícias. Sai caro mas não faz mal, porque é você quem acaba a pagar tudo isso, desde que compre o que lhe propõem. Afinal esta é também uma das faces mais visíveis do processo de construção e de consolidação das chamadas classes médias.

Sábado, 11/12/92

VOZ DISSONANTE NA PUB

CONSUMIDORES UNIFORMES

Ela excita-nos a vontade e direcciona-nos os desejos. É a publicidade. Maldita seja! Quer tornar-nos iguais uns aos outros segundo os seus padrões. O nosso ódio é visceral, ser irresistível. Felizmente há publicidade apelando à exclusividade, ao indivíduo.

Pedro Teixeira

Que diferença existe entre a publicidade televisiva da Áustria, do Burkina Faso, Marrocos e Portugal? As diferenças tendem a ser cada vez menores. As multinacionais da pub querem consumidores mundialmente uniformizados, tipo chapa cinco: os mesmos gostos, desejos idênticos e sensibilidade compatíveis. Mas há quem se coloque de lado…

Sem dúvida magnífica e sedutora a maldita pub. Sai um novo modelo de carro e associamo-lo à silhueta magnífica da mulher que, sentada ao volante, se anuncia na televisão ou numa revista. Dava a vida toda para te possuir!, tens a cilindrada ideal. E aquelas lâminas de barbear; farão mesmo o milagre de nos colocarem perante um inevitável romance? E será verdade que uma lingerie ousada transforma qualquer mulher num ser irresistível? Colocadas as coisas nestes termos, todos nos achamos protegidos destas técnicas, mas as coisas funcionam de forma subtil e «batem» seja de que forma for.

O que se vende na publicidade são emoções fabricadas, emoções padronizadas, e o objecto de venda é, aparentemente, o menos importante. Carente, o consumidor assimila tudo, ou, pelo menos, aquilo que mais lhe interessa.

António Alfredo, arquitecto e criativo de publicidade na agência Cinevoz, defende que «a culpa não é dos publicitários», mas sim de uma forma de viver que «se instalou em todas as sociedades, onde o mais importante é correr para se atingir a meta e a obtenção rápida de lucro».

Para António Alfredo é errado falar-se em sociedade de consumo, «isso é um chavão». O que no seu entender existe «é uma sociedade de produtores e consumidores em que quem detém o controlo são os produtores. Nós, publicitários, somos quem faz a ligação entre ambos».

Sábado, 26/02/93

BLOCO 17

NOTAS SOBRE ASPECTO VERBAL

Podemos distinguir valores aspectuais:

1. PONTUAL
2. DURATIVO
3. PERFECTIVO
4. IMPERFECTIVO

Alguns auxiliares aspectuais:

com valor aspectual **durativo**:		com valor aspectual **pontual**:	
começar estar continuar ficar andar ir vir	+ a V. Infinitivo	acabar deixar	+ de V. Infinitivo

Observe os enunciados

1. Pontual:

Ex.: *A coisa começou (...)* ***por*** *uns simples cartões de visita...*
... seis meses depois ***de terem começado a ser*** *publicadas*
... mas que depois ***acabam por não ter*** *pernas para andar.*
... quando você ***se põe a ler*** *as notícias*

2. Durativo

Ex.: *... não faz mal porque é você quem* ***acaba a pagar*** *tudo isso, desde que compre ...*
Pedro Martins ***continua a acreditar*** *na importância da imagem fixa*
... mas o slogan ***continua a ter que ser*** *uma referência...*
Que razões ***levam*** *as agências* ***a colocar*** *anúncios em...*
... há que ***levar a comprar*** *cada um por motivos concretos*
Apesar da sobrevalorização que o filme publicitário ***tem vindo a ganhar****...*
São *os hotéis* ***a oferecerem-lhe*** *estadias especialíssimas...*

3. Imperfectivo

Ex.: *...na publicidade* ***caíam*** *todos os frustrados de outras profissões*
*«****Costumava-se dizer*** *(...) que na publicidade...»*

4. Perfectivo

Ex.: ***Veio*** *a seguir uma fase mais empresarial*
Depois ***passaram a chegar*** *folhetos de aspecto mais modesto*

NOTA

ACABAR pode ter variadas significações de acordo com a preposição que o acompanha
ACABAR A = ter como finalidade
ACABAR COM (+ N) = destruir; gastar até ao fim;
ACABAR DE = terminar num momento preciso
ACABAR POR = conseguir; decidir; mudar de opinião

REFERENCIAR AUTORIAS NO TEXTO

EM DISCURSO DIRECTO

Apresentação dos enunciados, tal como foram proferidos, através de um verbo que se refere ao autor das palavras

Dizer; Explicar; Afirmar; Confessar; Confirmar; Precisar; Acrescentar; Adiantar; Continuar; Responder; repetir; Confirmar; Salientar...

Ex.: *«Nenhum trabalho (...) pode ser bem feito», **explica**.*
*«Se assim não fosse», **adianta** J.M. Cardoso, «apenas poderíamos trabalhar...»*
*O que **no seu entender** existe «é uma sociedade...»*
*António Alfredo (...) **defende que** «a culpa não é dos publicitários».*

EM DISCURSO INDIRECTO

Apresentação da autoria das palavras ou das ideias num texto

Segundo...; De acordo com...; Na opinião de...; Para (+ Nome)...;

Ex.: ***Segundo** Pedro Martins o percurso seguido...*
***De acordo com** este director de planeamento...*
***Segundo explicou**, as boas fontes de receitas são as revistas...*
***Quem o diz é** Pedro Martins, fotógrafo de publicidade...*
***Para** António Alfredo é errado falar-se em...*
***As razões avançadas pelos** donos desses órgãos de comunicação social ...*
***Esta é a explicação apresentada por** J.M. Cardoso para o fenómeno.*

NOTA: Estas expressões introduzem uma situação de discurso indirecto. Por isso as aspas (« ») poderão desaparecer e os tempos verbais deverão corresponder à concordância do Discurso Indirecto (Ver Bloco 4).

ALGUNS ELEMENTOS DE RELAÇÃO — COORDENAÇÃO

Associação simples ou em alternativa:
e...; nem...; ou... ou ainda...; quer... quer...; nem... nem
Ex.: *... cartões de visita apresentando o Salão (...) **ou** a D. Isménia (...) **ou** ainda os préstimos do Sr...*
*... à dona de casa **e** aos seus problemas...*

Incluem uma ideia de oposição ou de restrição:
Mas; porém; todavia; contudo; no entanto; entretanto...
Ex.: *... e desfrutemos, prevenidos, **porém**, do império da sedução.*
***No entanto**, até neste aspecto...*
*Tal não significa **contudo** que...*

Contêm a expressão de conclusão e consequência:
logo, pois, portanto, por conseguinte, por isso, assim, etc.
Ex.: *Aceitemos, **pois**, a nossa simples condição de consumidores*

BLOCO 17

PROCESSOS PARA SAIR OU ACABAR A CONVERSA

TER QUE SAIR

Peço desculpa mas eu vou ter que me ausentar
Outros compromissos obrigam-me a sair mais cedo
Dizes-me isso da próxima vez; eu tenho que sair já
Não dá para ficar mais tempo
Tenho que sair quanto antes
Estou atrasadíssimo(a)
Estou em cima da minha hora

PARA SE LIBERTAR DE ALGUÉM

Não se importa de sair, por favor?
Gostaria de não ser incomodado
Noutro dia poderemos conversar com mais calma...
O tempo de que disponho é muito pouco...
Não quero ouvir falar mais nisso...
Por que é que não vais dar uma volta?
Vai ver se chove!

17.1. Dois amigos que não se viam há muito tempo mal têm tempo para conversar...

— Olá Pedro, és mesmo tu? Há quanto tempo!... Como é que vais, o trabalho, em casa? tudo bem?...

— Vai-se andando. Trabalho é coisa que não falta. Com dois colegas ausentes há quase um mês, imaginas o que é...

— Sei, sei. Também tenho um problema parecido... Vem daí beber um copo para conversarmos um bocadinho.

— Ah! desculpa mas agora não vai dar. Tenho um encontro no Estoril daqui a meia hora.

— No Estoril? Não me digas que anda moura na costa!

— Bem... Vou encontrar-me com uma amiga, de facto.

— Então vai depressa. Não quero que te atrases por minha causa.

— Eu telefono-te, prometo.

— Espero que seja para me convidares para o casamento...

17.2. A Xana despede-se dos amigos porque tem coisas para preparar para a viagem

X — Foi uma tarde muito agradável. Eu gostaria de ficar aqui mais tempo, mas não posso!

A — Já te vais embora?

X — Tem que ser.

A — Mas ainda é tão cedo!

X — Sabes que parto amanhã para o Rio e ainda tenho algumas coisas para pôr em ordem.

A — É motivo forte... Já não insisto. Deves estar deserta para chegar a casa!

17.3. Conversa de circunstância...

— Então continuas a trabalhar no jornal?

— Sim, por lá continuo enquanto não aparecer coisa melhor!

— É melhor do que nada! Há muitos que não têm nada!

— Sim, eu não me posso queixar. Desculpa mas tenho que ir prometi aos miúdos que os levava ao cinema hoje e não posso faltar.

— Bom sendo assim eu também vou andando; cumprimentos à Teresa.

— Igualmente à Joana. Prazer em ver-te e obrigado pelo copo.

17.4. Pequeno acidente

— O que é que te aconteceu? Estás a coxear?

— Foi esta manhã. Quando desci o passeio para atravessar a rua ia caindo. Não caí mas torci o pé.

— Vem beber um copo que deve ajudar a passar...

— Não ajuda com certeza mas sabe bem. Mas não posso demorar.

— Mesmo coxo estás com pressa?

— Tenho médico agora às 6.

17.5. Quando quem tem as ideias não sabe convencer quem tem o dinheiro...

— Ah! Ali o que ficava bem era uma piscina.

— Eu já lhe disse que não quero piscina e acabou-se. Não se fala mais nisso.

— Mas é que uma piscina ali era o ideal! Eu acho que faz falta um espaço com água...

— Pode ser que sim, Mas o que eu acho é que o senhor não percebeu ainda que o dinheiro é meu, que sou eu quem decide e que não o quero ouvir falar em piscinas...

— Ó Dr. Figueira, espero que saiba mesmo o que quer. Uma piscina ali era o ideal!

— Saia da minha frente.

Expressões coloquiais:
anda mouro(a) na costa = início de namoro
estar deserto por = estar desejoso de
Vai-se andando = bem, como o habitual
ter que ir = ter que ir embora
vai um copo? = não queres beber nada?
= bebes qualquer coisa
ia caindo = desequilibrou-se mas não caiu, quase caía

INUNDAÇÃO PUBLICITÁRIA

Cartas ao Director

Gostaria de saber quem autorizou os departamentos de *marketing* dos supermercados a inundar a minha caixa de correio com quilos e quilos de material de propaganda. Já me sucedeu deitar cartas autênticas para o caixote do lixo no meio daquela torrente de indesejada correspondência do Continente, do Pão de Açúcar e outros mais.

Ainda pior que isso, sucede que esse caudaloso *mailing* é colocado apressadamente nas ranhuras das caixas, por norma no final da semana. Assim, os inquilinos ausentes são automaticamente denunciados pelo folheto que, qual bandeira, indica que não estão em casa, uma vez que não procederam à «limpeza» das suas caixas de correio.

Assim fiquei a saber que os meus vizinhos do 4.º esquerdo fazem viagens muito mais prolongadas que os «empertigados» do 6.º direito. Os primeiros só na manhã de segunda-feira recolhem a papelada que entretanto lhes enfiaram na caixinha, enquanto os outros, pelintras, regressam sistemática e pontualmente durante a tarde de sábado.

Grave é que esta informação fútil para mim, que nem sou a pior coscuvilheira do prédio, pode ser útil a gente estranha e animada por intenções bem piores que as minhas.

Em zonas tão sobrepovoadas quanto mal policiadas como aquela em que habito, o Pão de Açúcar e o Continente prestam uma colaboração preciosa a eventuais assaltantes de residências. Deviam ser punidos por isso.

Marília Costa
Carnaxide
Época, n.º 6, 30 Out. 92

BLOCO 17

Entre falcões e papagaios

São Tomé é uma ilha santa — dizem os seus habitantes. Na realidade só pode ser santa, esta ilha. A fome que grassa em África nunca atingiu os 120 mil habitantes do pequeno arquipélago no golfo da Guiné, e não porque os sãotomenses sejam mais trabalhores e organizados ou tenham matérias-primas em maior abundância que os restantes países africanos; é porque, de facto, estas ilhas são verdadeiramente santas: a água escorre por todo o lado, a terra é fértil e o peixe salta na água.

A natureza pródiga das ilhas, somada aos ciclos de riqueza e abandono, explicam a lendária indolência dos sãotomenses: «leve-leve», «mole-mole» são dois pilares de toda a filosofia de São Tomé.

Os portugueses interessaram-se pelas ilhas logo após a sua descoberta em 1471 por João Santarém e Pêro Escobar e o período de povoamento iniciou-se com a emigração maciça de madeirenses e negros oriundos do território que é actualmente Angola.

A exploração de açúcar foi feita em larga escala até que o Brasil e as suas potencialidade ofuscaram a produção açucareira sãotomense. Iniciou-se então um período de abandono por parte dos colonos portugueses.

Os portugueses, reconhecidos internacionalmente pelo ditado francês «*Dieu a fait le blanc et le noir, les portugais ont fait le métis*» — já lá tinham deixado os seus frutos. A população mestiça, pela maior proximidade aos colonos e à sua cultura, teve acessos aos cargos administrativos e à posse das terras abandonadas.

Foi nesta época que se revelou a classe que, ainda hoje, é a dominante nas ilhas — os forros.

Viajar em São Tomé é um choque a vários níveis. O primeiro e logo sentido é dado pela beleza. São Tomé é bonita demais, demasiado perto do nosso ideal de ilha de sonho. Tanta beleza, tanto verde, tanto mar às vezes choca. Até porque podia ser perfeita, não fosse a degradação a que se assiste. São Tomé dá-nos a sensação de um mundo em que a flora, o reino vegetal, é incomensuravelmente mais forte que o animal. E isso choca, espanta e é saudável.

A fragilidade que se sente no reino animal em contraponto à exuberância do vegetal, tem em terra uma excepção. E várias no mar. Em terra há um predador que dá cartas. O falcão negro é uma ave com um voo incrivelmente elegante, senhor da ilha de São Tomé. Porque no Príncipe os senhores são outros — os papagaios. E ai do falcão que saia da sua ilha e vá dar uma passeata ao Príncipe. Os papagaios juntam-se em bandos e desfazem-no literalmente. É um espectáculo simultaneamente belo e cruel, que nos faz reflectir sobre as capacidades de uma sociedade organizada quando se trata da defesa dos seus interesses.

O mar é o único sítio onde os animais são predominantes. E há tanto peixe, de tantas variedades...

José Nero Correia ELO, n.º 11, Julho 92

BLOCO 18

TEMA
Exemplos de tradição

TEXTOS
Uma casa portuguesa
Olhar o chão

GRAMÁTICA
Exprimir modalidade

LÍNGUA ESCRITA
O valor da pontuação

PARA CONVERSAR
As pedras do nosso chão

LUSOFONIA
Ribeira Grande — Cidade Velha

UMA CASA PORTUGUESA

Nuno Miguel Guedes

No meio da lezíria ribatejana
vive uma família com a arena no sangue.
Chamam-se Ribeiro Telles,
e pertencem aos que mantêm viva a tradição.

Fotografia de Inês Gonçalves

A Torrinha, casa da família Ribeiro Telles, não é um sítio fácil de encontrar. Fica para lá de Benavente, servida por uma estrada que começa junto a um eucaliptal e que é igual a dezenas de outras que por aquela zona se encontram. Mas apesar das inúmeras recomendações e indicações de véspera, o nosso destino estava traçado: perdemo-nos. Vezes sem conta passámos pela estrada de terra batida por onde devíamos ter seguido; e conhecemos pelo menos três eucaliptais até nos decidirmos a parar num pequeno café e fazer o que era óbvio; perguntar onde ficava o famoso monte, receber dos inquiridos um estranho olhar que misturava surpresa, indignação e piedade e levar com uma resposta simpática e educada que tresandava a «mas *toda a gente* sabe que o senhor David mora depois daquela estrada que começa no eucaliptal».

Com as combinações de horas completamente destroçadas pelo nosso safari involuntário, fomos avançando pelo meio da lezíria, ainda pouco convencidos de que aquele era o caminho certo. Mas os sinais do mundo onde iríamos viver por algum tempo começaram a surgir: um *tendadero*, um estábulo e máquinas agrícolas, selas e arreios pendurados nas paredes, casas muito brancas e bonitas e aquele inquietante silêncio rural que provoca nervoso miudinho. Desta vez não havia que enganar. Algures houve uma fronteira que foi transposta sem termos dado por isso, e agora a conversa era diferente. Estávamos nos domínios da Tradição, e é essa história que vos queremos contar.

É um pátio amplo e sombreado, com duas filas de casas que só podiam ser ribatejanas. Ao longe, vê-se a plana beleza de toda a lezíria e pressente-se muitas mais maravilhas. A Torrinha é uma casa antiga, com o belíssimo peso que as vidas de várias gerações de uma família emprestam aos sítios que habitam. É uma casa única, que mistura simplicidade e aristocracia na sua traça. Não há um único desvio ao que aquela casa deveria ser: um espelho de quem a vive. Mais tarde vim a saber que já era assim

desde o seu primeiro ocupante, o trisavô de David Ribeiro Telles. Agora demorávamo-nos na incredulidade estúpida que sentíamos por acharmos que não existiam já sítios assim, que fizessem sentido com as pessoas e as coisas.

«O sr. David está na praça a tourear umas vacas», diz-nos a empregada, como se fosse a coisa mais natural do mundo.

O rapazinho que andava à sua volta chamava-lhe avô enquanto trepava pelas suas pernas. O homem que estava a seu lado chamava-lhe pai. Os peões que toureavam na arena tratavam-no por «senhor David». Nem de propósito poderia haver apresentação mais perfeita para David Ribeiro Telles.

Depois, apresenta-nos o filho mais velho, o João, engenheiro agrário e cavaleiro, que com António, (que então toureava na arena) e o Manuel formam a dinastia tauromáquica dos Ribeiro Telles. «Estamos a *tentar* as vacas. A *tenta* é uma prova de bravura que se faz às vacas para ver se serão boas mães, se os filhos serão bravos».

Na arena, António Telles picava a vaca, montado num cavalo «equipado» à espanhola, enquanto vários peões de ocasião a toureavam de capote. Fez-se sair a vaca, entrou outra. E mal tinha dado os primeiros passos, já David Ribeiro Telles abanava a cabeça: «Não, não, esta não serve... Está a ver, amigo Nuno, raspa muito, tem a cara muito no chão. Isso são sinais de mansidão». E mandou que lhe cortassem o rabo e os cornos. O rabo cortado serve para distingui-las das outras que são verdadeiramente bravas; as hastes serradas serão depois *emboladas* para as vacas serem usadas no treino dos cavalos de toureio.

A *tenta* estava terminada. António descute com o pai a qualidade das vacas, e concluem que o saldo geral foi muito bom. Nisto, aproxima-se da galeria um rapaz que esteve a tourear a pé, e de boné esmagado nas mãos pela vergonha, fala ao «senhor David» com um serrado sotaque ribatejano: «Eu espero que tenha estado tudo a seu contento, senhor David. Sabe, foi a primeira vez que toureei, e gostava muito que tudo fosse bem feito, e que o senhor David ficasse satisfeito comigo e me chamasse mais vezes...» A resposta de David Ribeiro Telles veio outra vez naquela voz tranquilizadora e paternal: «Foi bom, Sacramento, foi bom. Agora vem daí almoçar com a gente, vá». E eu juro que por muito que viva, poucas vezes irei encontrar rostos tão felizes como o de Sacramento -que-quer-ser- toureiro ao ouvir estas palavras.

Na Torrinha, tudo estava preparado para o almoço. Pela primeira vez entrámos na casa, logo saudados pelas cabeças embalsamadas de touros e um cavalo: «O cavalo nasceu e morreu aqui. Foi o cavalo da minha alternativa, há mais ou menos trinta anos atrás. Este toiro também nasceu aqui na Torrinha, e foi um toiro muito bom, muito bravo». Uma rapariga de pouco mais de cinco anos surge a correr e a tratar Ribeiro Telles por avô. Atrás dela, vem D. Maria Isabel, esposa de David Ribeiro Telles e, pelo que pude observar, outro dos grandes pilares da família. É um pouco o contraponto da nobre docilidade do marido; à volta dela tudo ganha movimento e vida. Em poucos segundos varre a nossa natural cerimónia para o canto da sala e conversa animadamente connosco, com um sorriso que desarma e dinamiza. Para mais, é uma excelente cozinheira: a sopa de favas e a sublime caldeirada que saborosamente deglotimos não será ementa que eu vá esquecer por muito tempo.

A conversa está terminada, e António convida-nos a ver as casacas de toureio. Com Gonçalo a acompanhar-nos, entramos numa sala apinhada de memória: troféus, cartazes de touradas, fotografias.

Em dois armários de vitrine estão as casacas, riquíssimas. Todas carregadas de histórias e significados. António mostra-as uma por uma e aproveita para mostrar o passado que trazem com elas: «Esta aqui é do meu pai, que não a usa há muito tempo: cada vez que a usou, caiu do cavalo... Esta, com este bordado estranho, que parece um dragão, foi feita em Macau». Aproveito e pergunto o significado dos laços de veludo preto cozidos nas costas das casacas, que eu pensava ser apenas decorativo, e que teria a sua origem em modismos do século XVIII: «Não, isto vem do tempo do marquês de Marialva, quando o filho foi morto por um touro. É um sinal de luto». Para quem não saiba, eu conto a história: tudo se passou em Salvaterra de Magos, durante o reinado de D. José. Como diz o fado, "Toureava nesse dia/ ante nobre fidalguia/ o jovem conde dos Arcos./ Cujo sangue valoroso/ por capricho desditoso/ na arena ficou em charcos", colhido mortalmente por um bravíssimo toiro. O conde dos Arcos era filho do Marquês de Marialva, que num acesso de raiva, e ignorando ordens do rei, salta para a praça "e vinga com decisão/ pela sua própria mão/ o sangue da sua raça". Dizem que a partir desse dia o Marquês de Pombal proibiu todas as touradas reais, e os cavaleiros passaram a usar o sinal de luto. Até hoje. Tradição, meus amigos, tradição.

Kapa, Junho 1991

BLOCO 18

NÃO DAR CABO DO CANASTRO

Elemento da arquitectura rural, os canastros secam as espigas que dão o pão. Em Arouca há quem tente preservá-los.

Paulo Caetano

Rústicos. Erguem-se nos montes, nas serranias abruptas, como marcas inconfundíveis da presença humana. Os terrenos pedregosos forneceram a matéria-prima, a necessidade e o engenho das gentes do campo fez o resto. Conhecidos inicialmente por canastros — quando eram pequenas estruturas frágeis de vime entrelaçado —, estes anexos rurais para secagem das espigas de milho evoluíram para os espigueiros de alvenaria e madeira.

Os espigueiros são de outros tempos. O povoamento disperso e a rudeza do clima ditaram o isolamento das povoações serranas, durante séculos a fio. Os costumes mantiveram-se inalterados desde tempos imemoriais: a vezeira do gado, a ajuda mútua nas sementeiras e nas colheitas, a divisão da água pelos consortes, as escalas para utilização dos moinhos. O comunitarismo agrário era a única garantia de sobrevivência.

Os canastros ou espigueiros eram, então, fundamentais. A eles competia a secagem e o armazenamento das espigas de milho, colhidas alguns dias antes. Terminada a secagem do milho, o povo juntava-se para a malhada e cada família moía o seu grão para fazer a broa de milho, sustento indispensável para o trabalho no campo.

Os espigueiros, tal como os conhecemos actualmente, datam provavelmente do século passado. A introdução do milho americano — e o aumento do volume de produção — criou a necessidade de edifícios com uma maior capacidade de armazenamento, mais estáveis e duradouros.

Actualmente com os campos desertos, os espigueiros deixam de fazer sentido. Vazios. Ficam ao abandono, à semelhança das aldeias. O mato cresce à sua volta e a construção vai-se degradando.

Também já não há quem os mande construir segundo a traça que se manteve desde sempre, já que há mais de um século a arquitectura do espegueiro não sofreu qualquer evolução".

"Os raríssimos espigueiros que ainda são construídos são em betão armado e materiais industriais pré-fabricados, que vieram substituir os materiais locais tradicionais, como o granito e a lousa. Mais uma nódoa na paisagem, a juntar às *maisons* que, inevitavelmente, por aqui proliferam, testemunhando a falta de gosto e a degradação da arquitectura tradicional", sublinhou Américo Oliveira.

Por enquanto, ainda é possível calcorrear os velhos caminhos e encontrar povoamentos perdidos na serra, onde os espigueiros enfrentam as nortadas com dignidade. Num outro, talvez ainda se encontrem algumas espigas mirradas e esquecidas, ressequidas pelo tempo.

Sábado, 11/06/93

Olhar o Chão

A tradição da calçada à portuguesa tem um século e meio. Inventaram-na artífices sem nome, dedicados a esta forma rara de decorar cidades. Passeie-se nelas. Andar a pé faz bem e as surpresas que o esperam valem realmente a pena.

por Helena Barreiros

Tudo começou há 150 anos, na década de 40 do séc. XIX, quando Eusébio Pinheiro Furtado, engenheiro militar e governador do Castelo de S. Jorge, se lembrou de mandar calcetar artisticamente, com motivos em ziguezague, a parada de um dos quartéis na altura existentes no castelo. A ideia teve enorme êxito público. Quem não lhe deve ter achado a mesma graça foram os autores da obra: nada mais, nada menos que os chamados grilhetas, condenados a trabalhos forçados na cadeia que então funcionava no castelo.

O empedrado artístico propriamente dito, foi durante muito tempo verdadeira arte popular, criação de mestres artesãos quase anónimos.

Há uns três anos quando foi preciso repavimentar a R. Augusta, a tarefa foi entregue a uma empresa privada. Mas os requintados candeeiros dos passeios — é assim que chamam os entendidos àqueles pares de flores negras, uma contra a outra — foram os peritos da Câmara que os assentaram... aos fins-de-semana. Neles se inspirou o arquitecto Caldeira Cabral para o desenho da calçada que acabou por vestir integralmente a rua mais nobre da Baixa. Custou 7500$00 cada um dos seus muitos metros quadrados. Há três anos, note-se.

A técnica que usaram é aparentemente simples, tem é a particularidade de ser daquelas que só se domina realmente aprendida à maneira dos antigos artesãos: de pais para filhos. Há até um verso, em tempos composto por um desses mestres-calceteiros, que começa assim: "Bem cedo comecei, com o mertelinho na mão...". Se quiser saber mais pormenores, bom, o melhor é começar por dar atenção a onde põe os pés. E depois, talvez tenha a sorte de topar com uma dessas raras brigadas, compostas por calceteiro, batedor de maço e servente, entretida a remendar as gregas dos passeios da Baixa ou a imensa caravela do Marquês de Pombal.

Fortuna, Agosto 93

BLOCO 18

EXPRIMIR MODALIDADE

A língua tem inúmeras possibilidades de exprimir a modalidade.

1. Verbos, formas e expressões verbais que admitem construções variadas:

1.1 Verbos que são, só por si, modalidades lexicalizadas:

Ter de / que	obrigatoriedade	
Haver que	obrigatoriedade	possibilidade
Dever	obrigatoriedade	possibilidade
Poder		possibilidade

Ex.: *Vezes sem conta passámos () por onde **devíamos** ter seguido*
*Desta vez não **havia** que enganar...*
*...algures houve uma fronteira que foi transposta sem **termos dado** por isso*
*É um pátio branco amplo () com duas filas de casas que só **podiam** ser ribatejanas*
*Quem não lhe **deve ter achado** a mesma graça foram os autores da obra...*

1.2 Outros verbos e expressões verbais:

DIZER
indicar; exprimir; notar; afirmar; prometer; confessar; precisar; informar; explicar; mostrar; não querer dizer (que+conj.); não significar (que + conj.)...

SABER // IGNORAR
pensar; crer; considerar; calcular; imaginar; ouvir dizer que; parecer + adj./ + que; ter ar de + adj.; ter a impressão de / que; ser verdade que; a verdade é que; recear (que + conj); ter medo de (/que + conj.);

QUERER
exigir; reclamar; desejar; sonhar (com); contar com; propor (que + conj.); sugerir (que + conj.); ter (a) intenção de; ter vontade de; tentar; estar prestes a; ...

DEVER
ter necessidade de; haver necessidade de (que + conj.); ser preciso (que + conj.); ser necessário (que + conj.); ser obrigado a; obrigar a; ser melhor (que + conj.); ...

PODER
ser capaz de; ter capacidade de; ter dificuldade em; ser possível (que+conj.); poder ser (que+conj.)...

APRECIAR
agradar; ser agradável (que + conj.); ser fácil (de); ser preferível; preferir; estar satisfeito (com / por); estar contente (com / por); queixar-se (de) (que + conj,); lamentar (que + conj.); achar (adv. /adj.) (que + conj.); ...

CONCORDAR (com) // DISCORDAR (de)
aceitar; autorizar; permitir; deixar; admitir; hesitar; recusar; opor-se a; ser favorável a; não acreditar; ... (que + conj.)
reconhecer; ter razão; ser de opinião que; estar de acordo; estar em desacordo; ser a favor; ser contra; ...

Ex.:

A Torrinha (...) ***não é um sítio fácil de encontrar***
... na incredubilidade estúpida que sentíamos ***por acharmos que não existiam*** *já sítios assim*
E eu ***juro que por muito que viva****, poucas vezes irei esquecer...*
Eu ***espero que tenha estado tudo*** *a seu contento...*
António ***discute*** *com o pai a qualidade das vacas e* ***concluem que*** *o saldo geral foi bom.*

1.3 Formas verbais e modos verbais

Ex.:

Mas os sinais do mundo onde ***iríamos viver*** *começaram a aparecer...*
Nem de propósito ***poderia haver*** *apresentação mais perfeita para Ribeiro Telles.*
A sopa de favas e a sublime caldeirada ***não será ementa que eu vá esquecer*** *por muito tempo*
... dedicados a esta forma rara de decorar as cidades. ***Passeie-se*** *nelas.*
... levar com uma resposta simpática e educada ***que tresandava a "Mas toda a gente sabe*** *que..*
Não há um único desvio ao que aquela casa ***deveria ser****.*

2. Recorrendo a advérbios (modificadores) e adjectivos que contêm sempre um elemento de precisão:

2.1 — podem ser simplesmente elementos de informação:

Ex.:

...a técnica que usaram é ***aparentemente*** *simples...*
...como se fosse a coisa ***mais natural*** *da vida*

2.2 — podem conter uma maior precisão na informação:

Ex.:

Apesar das ***inúmeras recomendações*** *e indicações...*
Com as combinações de horas ***completamente destroçadas*** *pelo nosso safari involuntário...*
... e aquele ***inquietante silêncio*** *rural que provoca nervoso miudinho.*
Nisto *aproxima-se da galeria um rapaz que esteve a tourear a pé...*

O VALOR DA PONTUAÇÃO A LÍNGUA ESCRITA

O valor da pontuação

Um homem rico, sentindo-se morrer, pediu papel e pena, e escreveu assim:

«Deixo os meus bens à minha irmã não a meu sobrinho jamais será paga a conta do alfaiate nada aos pobres».

Não teve tempo de pontuar — e morreu.

A quem deixava ele a fortuna que tinha?

Eram quatro os concorrentes. Chegou o sobrinho e fez estas pontuações numa cópia do bilhete:

«Deixo os meus bens à minha irmã? Não! A meu sobrinho. Jamais será paga a conta do alfaiate. Nada aos pobres».

A irmã do morto chegou em seguida, com outra cópia do escrito; e pontuou-o deste modo:

«Deixo os meus bens à minha irmã. Não a meu sobrinho. Jamais será paga a conta do alfaiate. Nada aos pobres».

Surgiu o alfaiate que, pedindo cópia do original, fez estas pontuações:

«Deixo os meus bens à minha irmã? Não! Ao meu sobrinho? Jamais! Será paga a conta do alfaiate. Nada aos pobres».

O juiz estudava o caso, quando chegaram os pobres da cidade; e um deles, mais sabido, tomando outra cópia, pontuou-a assim:

«Deixo os meus bens à minha irmã? Não! Ao meu sobrinho? Jamais! Será paga a conta do alfaiate? Nada! Aos pobres».

Conto Popular
Forma, Set. 90

Pontuação

Uma boa pontuação é indispensável para a clareza da linguagem.

Em pontuação é difícil estabelecer regras absolutas. Aqui ficam, no entanto, algumas das mais importantes:

Vírgula (,). A vírgula indica uma pausa breve. Na imprensa portuguesa, o erro mais comum é a utilização da vírgula entre o sujeito e o predicado. A vírgula encontra-se no interior de uma frase para isolar orações ou partes da oração.

A vírgula é utilizada nas enumerações e repetições de palavras, separando os elementos da mesma natureza ou que desempenham a mesma função:

• *O governo construiu estradas, pontes, aeroportos...*

na separação das orações coordenadas, quando não forem ligadas pelas conjunções e, nem, ou:

• *A Força Multinacional pondera a estratégia de Moscovo: o procedimento é, à primeira vista, mais prudente, a proposta é pacífica e clara.*

E quando a coordenação dum elemento da frase não se fizer com o elemento que imediatamente o precede:

• *Os deputados que me indicaste, e seus assessores, estavam no Parlamento.*

Na separação das orações subordinadas (dependentes) quando vierem antes da subordinante (principal):

• *Embora a guerra continue, sabemos que terá fim.*

Na separação das orações adjectivas:

• *Os diplomatas soviéticos, que faziam espionagem, foram expulsos da Suécia.*

Nas orações de predicado subentendido:

• *Tu fizeste a PGA, ele não.*

Na separação de elementos circunstanciais ou expressões equivalentes a orações:

• *O Presidente do governo Regional dos Açores reúne-se sexta-feira, em Lisboa, com o Presidente Mário Soares*

Antes da conjunção «mas», e na separação das palavras ou expressões *porém, contudo, no entanto, logo, portanto, isto é, ou seja:*

• *O Iraque parece disposto a negociar, mas sem a intervenção dos Estados Unidos...*

Na separação de certos advérbios ou locuções adverbiais:

• *Os socialistas pretendem, concretamente, que a RTP promova a realização de debates...*

Na separação dos vocativos e dos apostos:

• *Combatam, soldados, pela liberdade.*

• *Gorbachov, nobel da Paz, inicou a «perestroika»...*

Na separação das orações iniciadas por gerúndio:

• *Jaime Pinto fazia-se acompanhar de dois colegas, trajando à militar...*

Dois pontos (:). Os dois pontos estabelecem uma relação bastante íntima entre dois membros da frase. Empregam-se antes duma enumeração, explicação ou consequência:

• *O Ocidente tem uma arma secreta: a paz.*

Parênteses (). Os parênteses usa-se para enquadrar uma referência ou uma observação e situá-la à margem da ideia principal da frase:

• *O deserto saudita (cenário da guerra) é varrido por tempestades de areia.*

Travessão (—). Precede, no discurso directo, a fala de interlocutores e, em certos casos, substitui os parênteses:

• *Nas três freguesias que boicotaram as eleições — S. Maria, S. Joaquim e Santo António — a oposição organizou...*

Livro de Estilo e Prontuário da LUSA
Lisboa, 1993

Encantos de Portugal

As pedras do nosso chão

HELDER PACHECO

Podem as pedras constituir expressões de cultura? Podem significar identidade e caracterizar o sentido profundo e ancestral da relação do homem com o seu ambiente? Do homem à sua terra? Não tenho qualquer dúvida a tal respeito. Se o mestre-geógrafo Orlando Ribeiro introduziu o conceito de «*Civilização do Granito*», referindo-se ao noroeste peninsular, se o poeta-barbeiro Carlos Bessa fala, a propósito do bairro da Sé (seu espaço afectivo), em «*pedras que nos viram nascer*», que dúvidas poderemos ter acerca das diversidades físicas e culturais de que as pedras (das regiões do país) são fundamento e testemunho? Em tal facto, pensando bem, nada há de estranho.

Pedras há muitas...

Além de se imporem no ambiente que nos rodeia, as pedras fazem parte da nossa realidade material em inúmeras e às vezes inesperadas situações. Pedras *finas*, ricas, naturais, e pedras artificiais representam coisas completamente diferentes. E se, além de naturais, forem preciosas, então o caso muda de figura. Estamos, de facto, rodeados de pedras: há-as de sal e de açúcar. Há o carvão de pedra e a pedra nos rins e na vesícula. Há a pedra de amolar — ou a pedra de esmeril — e a pedra do moinho. A pedra-pomes e a pedra do dominó. Tudo coisas da vida diária. Coisas concretas. (Já a pedra filosofal paira em mundo menos acessíveis aos mortais.)

Mas, se utilizarmos linguagem figurada, conseguimos, transformando as pedras em elementos simbólicos, expressar infinidades de ideias, sentimentos e imagens absolutamente fabulosas e com significados completamente desencontrados e inesperados. Por exemplo, a propósito da anatomia do corpo humano, uma coisa é ter *coração de pedra* e outra *cabeça de pedra*. O que ainda pode ser agravado se dissermos de alguém que é *autêntico calhau* (e, em casos extremos, já ouvi dizer: *é estúpido como um penedo*).

Absolutas tristezas, muito comoventes, são as histórias de *fazer chorar as pedras*. Em contrapartida, o máximo de destruição é *não deixar pedra sobre pedra*. *Atirar a primeira pedra* é feia atitude de provocar ou acusar alguém. *Estar de pedra e cal* é algo de que treinadores de futebol não se podem ufanar. (E também, em democracia, os políticos...)

Embora a gente se esqueça disso com frequência as pedras são testemunhos dos nossos dias e das nossas horas. Já tenho ouvido dizer em certos sítios: *se estas pedras falassem*!... Infelizmente não podem fazê-lo. Não podem dar-nos conta do muito que teriam para desvendar e recordar do nosso passado.

Uso inesperado e tão apreciado

Esta discorrência sobre as pedras não ficaria completa sem uma breve referência àquela face entranhada das nossas «bonitezas» tradicionais: a culinária. Não resisto a recordar um inesperado uso, apreciadíssimo nas terras ribatejanas e que, em Almeirim, constitui grande atracção turística:

SOPA DE PEDRA

Coze-se um litro de feijão encarnado (previamente demolhado) com uma orelha de porco, um chouriço de carne, um pouco de toucinho entremeado e uma negra (chouriça de sangue). Alouram-se duas cebolas grandes, com dois dentes de alho, uma folha de louro, sal e pimenta. Vai-se juntando água de cozer o feijão, o suficiente para dar oito a dez pratos de sopa. Neste caldo a ferver põem-se batatas (750 g) cortadas aos quadradinhos e quando cozidas junta-se-lhe o feijão e as carnes cortadas aos bocadinhos. Serve-se tudo numa terrina, com alguns cominhos (há quem prefira os coentros) e uma pedra bem lavada...

A Razão, Agosto 90

Ribeira Grande, a Cidade Velha

Ribeira Grande, em Cabo Verde, é uma das mais antigas cidades africanas fundadas por portugueses. Conhecida actualmente por Cidade Velha, chegou a ter 2 000 habitantes em finais do século XV. Hoje é uma vila piscatória, ensombrada pelas ruínas das grandiosas construções religiosas e militares. A Sé da Cidade Velha, cujo início de construção remonta a 1556, vai ser recuperada com o apoio do Instituto Português do Património Cultural e da Comissão Nacional para a Comemoração dos Descobrimentos Portugueses.

Ribeira Grande, a Cidade Velha

A ilha de Santiago em Cabo Verde, começou a ser povoada em 1462. A ilha foi dividida em duas capitanias, ficando a do Norte com sede em Alcatrazes e a do Sul sediada em Ribeira Grande. Para acelerar o povoamento foram concedidos alguns privilégios aos colonos que se pretendessem fixar, definidos em Carta régia de 1466. Entre outros, era-lhes atribuída liberdade de comércio e de resgate de escravos na Costa da Guiné e foi por esta via que Ribeira Grande prosperou como importante entreposto. Os primeiros colonos eram, na sua grande parte originários do Algarve e da Guiné. No início do século XVI foi extinta a capitania do Norte, e a importância de Ribeira Grande acentuou-se. Em 1530 Ribeira Grande foi elevada a cidade, tornando-se também sede do bispado de Cabo Verde.

Urbanização

Entre igrejas e conventos a Cidade Velha contava com, pelo menos, 12 edifícios religiosos. Destes, só um resta de pé: a igreja do Rosário, construída em finais do século XV.

A muralha de S. Lourenço, datada também do século XV, é uma das construções militares mais antigas da cidade. As restantes fortificações de defesa remontam ao século XVI. A fortaleza Real de S. Filipe, ou Cidadela, era a principal, completada por seis fortes na costa. O porto era ainda defendido por uma muralha que ligava dois fortes, o de S. Veríssimo e o de S. Brás. A Fortaleza Real é a única fortificação que ainda se conserva em bom estado. Defendia o porto e as entradas pelo interior da costa e foi construída na sequência dos numerosos ataques ingleses, entre eles os de Francis Drake. A decadência da Cidade Velha revela-se de forma sintomática no abandono da Cidadela, alvo de ataques sucessivos, progressivamente desguarnecida de homens e munições e a necessitar de reparações.

ELO, n.º 4, Abril 91

BLOCO 19

TEMA
Tempos do tempo

TEXTOS
Olhar a natureza e prever o tempo
O preço das horas certas

GRAMÁTICA
Análise textual

LÍNGUA ESCRITA
Técnicas de redacção

PARA CONVERSAR
Elogiar a preguiça

LUSOFONIA
Um Brasileiro na África

B L O C O 1 9

OLHAR A NATUREZA E PREVER O TEMPO

Texto e Fotografia de Hélder Pacheco

Cataventos

O catavento do cimo das torres (sobretudo das torres sineiras) parece contemplar os espaços — como se o tempo não existisse.

A maioria dos cataventos, construídos ao longo dos últimos dois séculos mantém presença vigilante e tutelar sobre telhados e cocurutos das clarabóias ou coroando as alturas de igrejas e edifícios importantes.

Além de actuarem como elementos (diria culturais) da paisagem portuguesa, no campo e na cidade, os cataventos possuíam funções utilitárias essenciais à vida das comunidades anteriores à rádio e à televisão (que não dispunham de «Borda d'Água) sob forma dos boletins meteorológicos do nosso quotidiano.

A meteorologia tradicional assume aspectos variados e criativos, por vezes belos e, até, pitorescos. Muita gente rir-se-á de alguns. Mas o certo é que, durante séculos, ajudaram os homens a entender a Natureza, a prever e a prognosticar o tempo para dele melhor se defenderem.

Podemos dizer, com alguma certeza, que o vento é o sinal natural mais utilizado pelo homem do povo para prever e prevenir o tempo.

Normalmente, conforme sopra de norte ou do Sul, anuncia bom ou mau tempo. E para *ver* o vento, para *ler* a direcção de onde sopra, o homem comum inventou esse objecto criativo, singular e admirável de eficácia que é o catavento. Trata-se de uma aparelho com tanto de orientador das pessoas como de ornamental dos edifícios. A sua origem é — tanto quanto se sabe — medieval e constituía, inicialmente, além de instrumento da meteorologia, atributo da nobreza ou privilégio social. Só tinham direito a exibir cataventos nos telhados, as construções senhoriais e eclesiásticas mostrando as armas de mosteiros ou dos donos das terras.

Do catavento faz parte a grimpa, ou seja a placa móvel que se desloca em torno de um eixo conforme a direcção do vento dominante. Tal componente deu origem a um dito antigo: *Levantar a grimpa*, significando mostrar-se altivo, reagir, levantar a cabeça.

Precisão e encanto

A partir dos séculos XIV e XV, os cataventos transformaram-se em verdadeiros ornamentos dos edifícios e atractivos dos olhares. Apareceram então como símbolos decorativos sob a forma de animais fantásticos, o arcanjo S. Miguel a tocar corneta, o galo (reproduzido às centenas). Mas mais recentes há figuras humanas (encontrei um catavento com o caçador a apontar a espingarda), navios, pássaros, conchas e muitas outras figuras. É o reino da fantasia, da sensibilidade e da graça, da brincadeira e do jogo de adultos, posto em folheta ou chapa de ferro, no alto dos telhados, para alindar as povoações — quando construí-las era acto de cultura e de carinho e não de especulação cimenteira e anárquica.

Enquanto resistirem ao tempo devemos a estes delicados instrumentos de previsão do tempo e encanto visual um gesto de gratidão pelos serviços prestados à nossa vida a à nossa sensibilidade. E a melhor gratidão é protegê-los com cuidado.

A Razão, Nov. 90

O PREÇO DAS HORAS CERTAS

Estou há mais de dez meses paraplégico, tolhidos os movimentos e a sensibilidade dos membros inferiores e forçadamente acolhido a casa.

Para espairecer e respirar o ar livre do campo, rodei até ao quintal e virei-me de frente para a povoação, coroada pelo campanário da igreja, neste dia lindo dos finais de Abril, após prolongado, rigoroso e cansativo Inverno. Pouco depois eis que me chega aos ouvidos o martelar das seis horas da tarde, percutido pelo relógio no segundo sino da torre. Olhei o mostrador, comparei com o meu relógio de pulso e pasmei, não por serem já seis horas, mas pelo facto do sino dar horas e para mais, horas certas, caso raro e estranho após a morte do primo Zé Coxinho, já lá vão uns quarenta anos.

(...) Tem a nossa torre quatro sinos. O maior, de avantajadas proporções e que se fazia ouvir até em terras de Espanha e nas aldeias vizinhas e ao qual podemos chamar de número um, trabalha isolado apenas para chamar com duas badaladas algum empregado da Junta; com uma badalada anuncia a chegada à igreja da noiva e seus acompanhantes na altura dos casamentos; com três badaladas anuncia a chegada do padre à casa de um defunto para iniciar o cortejo fúnebre. Em conjunto com os sinos número dois e número três, estes em acorde, apenas serve nos funerais, em que dá duas badaladas isolado, seguidas de um acorde dos outros dois. Os sinos dois e três são usados sempre em acorde nos repiques festivos de casamentos, baptizados e outros e nos repiques fúnebres dos anjinhos. Em tempos idos, todos os sinos davam volta, mas eu apenas os vi serem accionados por uma corda atada à pequena argola na extremidade inferior do badalo, como nos carrilhões. O sino n.º 4, o mais pequeno de todos, a garrida, é o único que ainda dá volta e apenas serve para avisar de incêndios, mobilizando de imediato a gente disponível na aldeia, para acudir ao sinistro.

Aceitei sempre com gosto os convites do sineiro para o acompanhar à torre, particularmente na primavera, por causa dos ninhos dos pardais nos centenários buracos dos andaimes que ficaram desde a construção e que me eram acessíveis ao longo da subida da escada de alvenaria que volteava em ângulos rectos até ao cimo, onde estão os sinos e a casa do relógio. Ali a um canto, observava o manejo hábil das cordas, mão direita na do sino grande, mão esquerda na união das cordas dos sinos 2 e 3.

Após o concerto, já livres as mãos, o primo Zé enrolava a dose de tabaco Duque ou Superior na mortalha rei da China, acendia o avantajado cigarro e ia dar uma olhada e uma afinadela ao mecanismo do relógio. E como naquelas eras pré-antibióticas, a mortalidade era grande, o relógio batia sempre certo. Deus lhes dê a todos o eterno descanso.

E se hoje voltaste a este mundo para acertar o relógio, bem hajas por isso e pela discreção. Volta sempre que possas, primo Zé! Eu não me importo de colocar-te lá à mão uma onça de tabaco, ou um maço de cigarros se preferes, ao lado da garrafa de vinho branco.

Bento Caldeira *Memórias de um Médico*,
Lisboa, Edições *Colibri*, 1991

ACERTE O RELÓGIO

Por Maria Manuel Serina

O presidente da empresa escreveu uma carta explícita aos seus empregados: ninguém fica depois das 18h30m. A ordem é válida para todos, do paquete ao próprio presidente. A teoria de que o gestor competente consegue fazer o seu trabalho durante as horas de expediente tem alguns adeptos.

Gerir o tempo é cada vez mais o problema da maioria dos gestores e não apenas daqueles que ocupam mais de um cargo. Uma lista enorme de telefonemas para fazer, três reuniões no mesmo dia, um almoço com um director da empresa concorrente e a tomada de decisões inerentes à sua função desesperam qualquer um. Estes são os principais inimigos do gestor.

Gerir o tempo não é um dom com que alguns foram bafejados. É uma aprendizagem que se vai fazendo ao longo da carreira. «É uma questão de disciplina mental», diz Esmeralda Dourado, 39 anos, administradora da Interfina. Quem não tiver esta disciplina mental não conseguirá responder a todas as solicitações que tem durante o dia. A partir de determinada altura é muito importante conseguir fazer dez coisas mais com o mesmo esforço. «O segredo está em saber hierarquizar as tarefas e definir o que é realmente prioritário».

Aproveitar o tempo morto é fundamental na vida de uma pessoa ocupada. Muitos gestores irritam-se quando a pessoa com quem tinham entrevista marcada se atrasa. Consideram esses minutos como tempo perdido. Pode não ser assim. Quando se trata de uma reunião fora do seu escritório, aproveite o trajecto para preparar a reunião, planear o dia seguinte ou pensar no próximo fim-de-semana com a família. Se a reunião é no seu local de trabalho, peça à sua secretária para trazer aquele monte de papéis que estão por assinar há uma semana, ou aproveite para reduzir a sua lista de telefonemas a fazer. Quer um conselho? Aproveite para telefonar àquele seu colega que o massacra invariavelmente com conversas longas e chatíssimas. Pode ser que a sua visita chegue entretanto, e terá assim uma boa desculpa para desligar. Não despreze este conselho. Saiba adaptá-lo sempre que tem dificuldades em livrar-se duma pessoa. Quando não consegue terminar um telefonema que já deixou de lhe interessar, especialmente quando tem uma lista enorme de assuntos para despachar, tem três soluções: explicar ao seu interlocutor que está com muito trabalho e vai ter de desligar,

inventar uma reunião ou dizer que o seu chefe acabou de entrar.

Quando o seu problema é limitar conversas no seu gabinete peça à sua secretária que lhe ligue para o gabinete inventando uma chamada urgente ou uma reunião que está mesmo a começar. As reuniões longas e improdutivas, as visitas inoportunas e os telefonemas são os principais inimigos do seu tempo. Estudos realizados provam que 60% das chamadas telefónicas não produzem a informação pretendida à primeira tentativa. Este é um problema com que o gestor tem de se habituar a viver. «A carga dos telefonemas boicota a continuidade do trabalho», admite Esmeralda Dourado. A administradora da Interfina procura fazer todos os seus telefonemas no início da manhã e, em regra, quando precisa de grande concentração não permite que a sua secretária a interrompa com o que quer que seja.

Se acha que planificar o dia seguinte é perda de tempo, se persistir em não definir prioridades, se continuar a executar todas as tarefas que estão sob a sua alçada e se gosta de deixar para o fim as que lhe inspiram menos entusiasmo, perca as esperanças de reduzir o seu horário de trabalho.

REGRAS BÁSICAS PARA VOLTAR A TER TEMPO

— Deixe a secretária arrumada antes de sair do escritório.
— Planeie sempre o dia seguinte.
— No início do dia faça uma lista das tarefas que tem de desempenhar e vá riscando à medida que as for realizando.
— Aprenda a delegar. Procure conhecer e valorizar os seus colaboradores de forma a poder confiar neles para desempenharem funções que não lhe competem a si, executar.
— Concentre os seus telefonemas apenas numa parte do dia. Faça uma lista dos telefonemas que tem de fazer e procure fazê-los de uma assentada. Habitue-se também a receber chamadas apenas a determinadas horas do dia. Vá dizendo às pessoas com quem contacta habitualmente que adoptou um novo horário de receber chamadas. Rapidamente elas se aperceberão de que não conseguirão falar consigo doutra forma.
— Não receie apressar as pessoas que falam consigo ao telefone. Explique ao seu interlocutor que não lhe pode dispensar mais tempo porque tem uma pessoa no gabinete ou está atrasadíssimo para uma reunião fora do escritório.
— Peça à sua secretária que filtre as suas chamadas e as visitas. Faça dela uma cúmplice para interromper reuniões demoradas ou visitas inoportunas. Estabeleça um código para que ela perceba quando o deve interromper com uma suposta chamada urgente ou uma reunião fora do escritório.
— Sempre que seja possível evite viajar. Procure convencer o seu interlocutor a deslocar-se até ao seu escritório. Fale-lhe naquela peça de teatro que está a ter imenso sucesso na sua cidade ou no concerto que se vai realizar precisamente no dia da vossa reunião.
— Aproveite as reuniões fora do escritório. Leve sempre qualquer coisa para se entreter se por acaso a pessoa com quem vai reunir não o puder atender exactamente na hora marcada.
— Planeie as reuniões. Convoque apenas as pessoas relacionadas com o tema em discussão. Enuncie claramente o assunto que vai ser discutido, bem como os objectivos da reunião e convoque-a com dois ou três dias de antecedência para que os participantes tenham tempo de se prepararem. No início da reunião, não perca tempo com comentários fúteis. Ponha as pessoas à vontade com uma conversa franca mas não se afaste do assunto.

Fortuna, n.º 8, Nov. 92

BLOCO 19

ESTRATÉGIAS PARA UMA ANÁLISE DE TEXTO

Marcas linguísticas:
referências pronominais e lexicais
conectores de parágrafo e de texto
uso dos tempos
uso de comparação e metáfora
pontuação e disposição de frases

Ex.: *Além de actuarem como elementos da paisagem (...), os cataventos **possuíam** funções utilitárias (...)*
= Os cataventos possuíam funções utilitárias (...) além de actuarem como elementos da (...)

*(...) o homem-comum inventou **esse objecto criativo, singular e admirável de eficácia** que é o catavento. Trata-se **de um aparelho** (...). A sua origem é — tanto quanto se sabe — medieval (...)*

*Trata-se de um aparelho com **tanto de** orientador das pessoas **como de** ornamental dos edifícios.*

*É o reino da fantasia, da sensibilidade e da graça, postos (...), no alto dos telhados, para alindar **as povoações** — quando construí-**las** era acto de cultura e de carinho e não de especulação cimenteira e anárquica.*

*Do catavento faz parte a grimpa, ou seja, a placa móvel que (...). **Tal componente** deu origem a (...)»*

Lógica interna
coerência de desenvolvimento e progressão
ideia fundamental e função das ideias secundárias
tipo de relação entre si
(reformulação, reforço, ilustração, circunstância, restrição, causa, consequência)

Ex:
Introdução:

Comentário — *«O catavento parece contemplar os espaços — como se o tempo não existisse»*
Localização — *«Mantém presença vigilante (...) sobre telhados e (...) clarabóias ou alturas de igrejas e edifícios importantes.»*

Desenvolvimento:

função — *«Além de actuarem como elementos da paisagem (...) possuíam funções utilitárias (...) anteriores à rádio e à televisão (...)»*
definição — *«E para 'ver' o vento, para 'ler' a direcção de onde sopra, o homem-comum inventou esse objecto (...) Trata-se de um aparelho (...)*
história — *«A sua origem é medieval»*
Só as construções senhoriais e eclesiásticas tinham direito a exibir cataventos (...)»
«Do catavento faz parte a grimpa (...)»
«A partir dos século XIV e XV os cataventos transformaram-se (...)»

Conclusão:

comentário — *«(...) para alindar povoações — quando construí-las era acto de cultura e carinho (...)»*
remate final — *«Enquanto resistirem ao tempo devemos (...) um gesto de gratidão (...) E a melhor gratidão é protegê-los com cuidado.»*

Organização e articulação das ideias
- o papel do autor
  (ausente, com opinião...)
- estratégias discursivas
  (descrição, cronologia, geral-particular, etc.)
- processos de desenvolvimento
  (definição, classificação, análise...)

Ex.:

Intervenções do autor no texto:

Manifestando uma opinião ou trabalho de pesquisa:
«O catavento parece contemplar os espaços — como se o tempo não existisse.»
Além de actuarem como elementos (diria culturais) da paisagem portuguesa (...)
(...) «— quando construí-las era acto de cultura e de carinho e não de especulação cimenteira e anárquica.»
«(encontrei um catavento com o caçador a apontar a espingarda)»

Estratégias discursivas:

Geral — Particular:
«O catavento parece...»
A maioria dos cataventos (...) mantém presença vigilante

Cronológico:
A partir dos séc. XIV e XV os cataventos transformaram-se em verdadeiros ornamentos de edifícios... Mais recentemente apareceram figuras humanas...

Análise:
É o reino da fantasia (...) do jogo de adultos (...)

LÍNGUA ESCRITA

Minha pátria é a língua portuguesa. (...) odeio, com ódio verdadeiro, (...) a página mal escrita (...).
BERNARDO SOARES
(semi-heterónimo de Fernando Pessoa)

TÉCNICAS DE REDACÇÃO

Técnicas de Redacção são um conjunto de normas linguísticas que se devem observar quando se redige um texto.

A progressiva deterioração da linguagem verificada na Comunicação Social Portuguesa obriga o jornalista de agência a um esforço redobrado no sentido da adopção de critérios morfo-sintácticos e formais extremamente cuidadosos na redacção das notícias. Um erro verificado no serviço da agência pode ser reproduzido «ad infinitum».

Não existe contradição entre as exigências da escrita de agência (concisa, precisa, simples e directa) e um estilo expressivo e agradável.

Para dar uma ideia de actualidade à notícia, o jornalista deve:

1. Usar os verbos no presente do modo indicativo, mesmo para indicar o passado e futuro próximos.
2. Usar verbos de acção e movimento, em detrimento dos que exprimem estado.
3. Evitar o emprego do modo condicional (que reduz o impacto da notícia), excepto nos casos sujeitos a condicionalismo.
4. Utilizar a voz activa.

ESTILO

Quando um jornalista presencia um acontecimento, deve demonstrar, no relato, a sua presença no local. Pode descrever a cena, a atmosfera e a reacção das pessoas presentes. Pode ainda incluir citações e dar o «background» do acontecimento. A expressividade da reportagem deve ser «tecida» no texto.

Uma notícia ou uma reportagem viva e agradável não implica uma colecção de adjectivos fortes ou de frases longas. Exige uma perspectiva nova e diferente do assunto, e uma selecção adequada das palavras.

Os telegramas difundidos pela agência não admitem cacofonias, sentido duplo, palavras e/ou expressões que dificultem a compreensão imediata e correcta da notícia. A sensação de rapidez resulta da selecção do vocabulário, da extensão das frases e das palavras e *nunca* da supressão sistemática de pormenores.

Deve considerar-se que o leitor tem uma capacidade limitada de memorização. Aconselham-se frases curtas, apenas com uma ideia, e com o mais importante no início da frase.

Deve haver rigor semântico.

Não se usam termos grosseiros ou injuriosos, mesmo em declarações citadas. Não se empregam expressões de gíria, coloquiais e plebeismos.

Os termos técnicos, quando utilizados, devem ser imediatamente explicados.

PLURAL

Para uma explicação detalhada sobre a formulação do plural (e sobre todas as explicações morfo-sintácticas contidas neste volume), deve-se consultar uma gramática.

Há substantivos que só são usados no plural, como por exemplo *alvíssaras, anais, arredores, esponsais, exéquias, férias, matinas, núpcias* e *víveres.* E há outros que só são usados no singular, como *bronze, ouro, ignorância, plebe* e *prole.*

Algumas indicações sobre o plural dos substantivos compostos:

1. Nos compostos de dois substantivos ambos os elementos se usam no plural
Ex.: (*couve-flor/couves-flores; mestre-escola/ mestres-escolas*).
2. Nos compostos de substantivos e adjectivo ambos os elementos se usam no plural
Ex.: (*capitão-mor/ capitães-mores*).
3. Se as palavras compostas têm substantivos no plural o primeiro elemento não varia quando há passagem do singular para o plural
Ex.: (*o troca-tintas/ os troca-tintas; o guarda-jóias/ os guarda-jóias*).
4. Nos compostos de verbo e substantivo, só este vai para o plural
Ex.: (*o guarda-portão/os guarda-portões; o guarda-sol/os guarda-sóis*).
5. Se o primeiro elemento é invariável ou um prefixo, só o segundo toma a forma do plural
Ex.: (*o ex-governador/os ex-governadores; o vice-presidente/os vice-presidentes*).
6. Quando uma preposição liga os componentes, só o primeiro vai para o plural
Ex.: (*o pão-de-ló/os pães-de-ló*).

Os adjectivos, quando passam para o plural, obedecem às regras que se aplicam aos substantivos.

Livro de Estilo e *Prontuário da LUSA*
Lisboa, 1993

«UM MAR TROPICAL, BOA COMIDA, BOA CONVERSA»

António Alçada Baptista
Escritor

A preguiça, como o trabalho, é um hábito. Sou do tempo em que era possível viver todo o ano em preguiça assumida para não falar já da preguiça envergonhada: a que não dispensa a ida ao local do emprego.

Lembro aquele caso daquela repartição que só abria à tarde e para onde alguém telefonou de manhã. Estava a mulher da limpeza que informou que não estava ninguém. O alguém perguntou:

— Então de manhã não trabalham?

E ela explicou:

— Não, de manhã não vêm. À tarde é que não trabalham.

Mas veio a concorrência, a competição, o mercado comum, os testes psicotécnicos, a hora da Europa e o trabalho passou a ser um frenesim com a sintomatologia da droga. Esse frenesim passou para as férias: ele é viagens, ele é movimento, agitação. Já poucos querem preguiçar: ver passar o tempo.

Nas férias, gosto de cultivar a preguiça: sem programas, ainda que instrutivos, sem compromissos, sem obrigações, sem telefone. Um mar tropical, uma boa comida, uma boa conversa pelo serão dentro.

Máxima, Julho 1991

ELOGIO DA PREGUIÇA

Ai que prazer
não cumprir um dever,
ter um livro para ler
e não o fazer!
Ler é maçada.
Estudar é nada.
O sol doira
sem literatura

O rio corre, bem ou mal,
sem edição original.
E a brisa, essa,
de tão naturalmente matinal,
como tem tempo
não tem pressa...

Livros
são papéis
pintados com tinta.
Estudar é uma coisa
em que está indistinta
a distinção entre nada
e coisa nenhuma.
Quanto é melhor, quando
há bruma,
esperar por D. Sebastião,
quer venha ou não!

Grande é a poesia,
a bondade e as danças...
Mas o melhor do mundo
são as crianças,
flores, música o luar,
e o sol, que peca
só quando, em vez de
criar, seca.

O mais do que isto
é Jesus Cristo,
que não sabia nada de
finanças
nem consta que tivesse
biblioteca...

FERNANDO PESSOA

Um brasileiro na África

por José Alberto Braga

Com a publicação do livro «A Enxada e a Lança» (Editora Nova Fronteira — Rio de Janeiro), um monumental percurso arqueológico, antropológico e histórico sobre a África antes da chegada dos Portugueses, Alberto da Costa e Silva, antigo embaixador do Brasil em Lisboa, oferece-nos um trabalho de consulta obrigatória no que se refere a qualquer levantamento sobre aquele continente.

A pesquisa do Autor corre paralelamente ao seu périplo diplomático. Presente à independência da Nigéria, em 1960, ele passou no ano seguintes pela Etiópia, viajando em seguida por Gana, Togo, Camarões, Angola, Costa do Marfim, Zaire, Gabão e outras localidades. Entre 1979 e 1983, serviu como embaixador na Nigéria e na República do Benim. Ao aprofundar os seus conhecimentos, teve oportunidade de sublinhar a coincidência de paisagens no que se refere aos dois lados do oceano — Brasil e África — tirando daí ilações fundamentais para o seu trabalho.

Alberto da Costa e Silva anota uma «ausência de complexidade» na paisagem africana, que pode ser enganosa para quem a observa. Enquanto a geografia europeia é feita de mutação constante, na África a uniformidade é aparente, logo enganosa.

Um terço da região pertence aos desertos e aos semidesertos. O da Sara, o da Líbia ou da Dancália. Depois as savanas e os cerrados, ao norte do Equador, mas também as florestas pluviais localizadas no Zaire, Gabão, Guiné Equatorial, Quénia ou Tanzânia.

Aqui e ali, o Autor não resiste a um ou outro apontamento entre a África e o Brasil. No Lesoto e na Etiópia podem ser encontrados por toda a parte a banana, o quiabo, as pimentas e os vegetais oriundos do Brasil.

O título «A Enxada e a Lança é paradigmático. Entre o trabalho, ou melhor, a luta pela subsistência e a guerra, todo o pulsar de um continente. O escritor mergulha na Pré-História, para alcançar a Era do Cobre e do Ferro, no primeiro milénio antes de Cristo. Depois, um capítulo especial sobre a expansão dos Bantos. A palavra «banto», como escreve, foi usada pela primeira vez em 1862, por W.H.I. Bleek, para designar as inúmeras falas aparentadas, entre 300 e 450, que cobre cerca de nove milhões de quilómetros quadrados. «Banto» significa «povo» ou «os homens» e, a partir daqui, todo o rico universo linguístico mas que contém ao mesmo tempo a Babel do entendimento.

Alberto Costa e Silva percorre o mapa africano com familiaridade. Mergulha na História e fala sobre origens, agrupamentos, países, reis, cidades, culturas, paisagens, ritos, símbolos, esculturas, enfim, todo o processo formador de uma África tão distante dos olhos quanto do entendimento.

A proposta é clara: conhecer a África para nos conhecermos melhor.

Uma tarefa dantesca, afinal conseguida. Um barco no qual a lusofonia tem que entrar para encontrar a sua identidade.

O autor coloca uma data limite no seu trabalho — 1500.

A sua pesquisa abarca desde a Pré-História até à chegada dos portugueses ao Continente. O livro encerra de forma poética. Depois de mais de 600 páginas à volta dos povos africanos, escreve o autor: «Não se estranhará que os Congos, e talvez outros povos antes deles, confundissem com baleias as formas bojudas que se aproximavam de suas costas e traziam os Portugueses».

Emb. Alberto da Costa e Silva

JL, 30 de Março de 1993

ÁFRICA

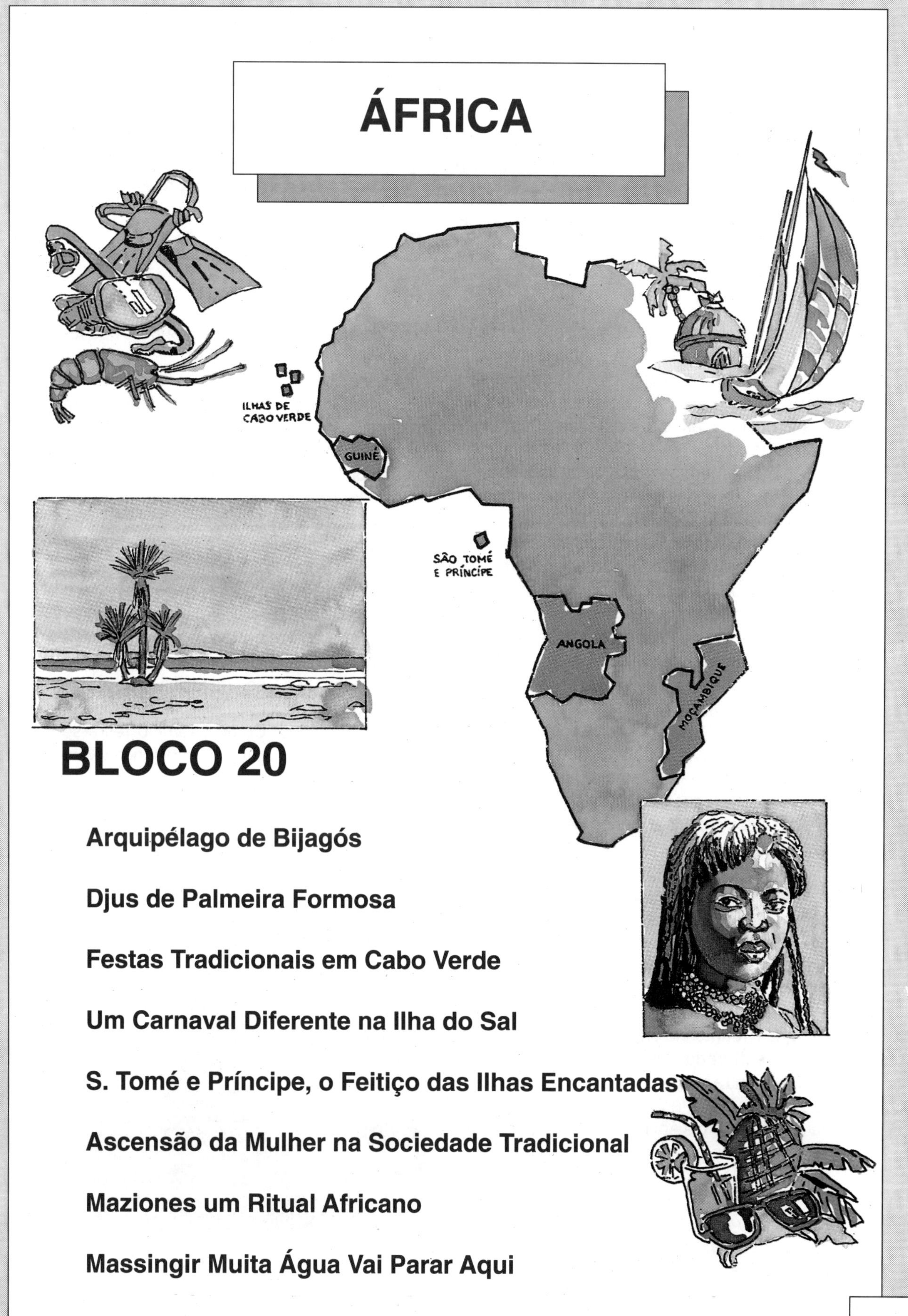

BLOCO 20

- **Arquipélago de Bijagós**
- **Djus de Palmeira Formosa**
- **Festas Tradicionais em Cabo Verde**
- **Um Carnaval Diferente na Ilha do Sal**
- **S. Tomé e Príncipe, o Feitiço das Ilhas Encantadas**
- **Ascensão da Mulher na Sociedade Tradicional**
- **Maziones um Ritual Africano**
- **Massingir Muita Água Vai Parar Aqui**

BLOCO 20

GUINÉ BISSAU

Arquipélago de Bijagós
Um paraíso tropical

Apenas quatro horas de voo separam (ou unem?) Lisboa de Bissau a capital desse pequeno País que contempla o Atlântico e se funde com ele (a plataforma continental avança pelo Oceano até mais de 100 quilómetros da costa).

Aqui emergem dezenas de ilhas e ilhéus bordejados de areias brancas e límpidas como as águas que as rodeiam.

De origem vulcânica, encontram-se protegidas dos assaltos do Oceano por barreiras de recifes, ou bancos de areia, conforme os locais. A tal ponto que, desde sempre, foi lugar de repouso para os navegadores, certos de aí encontrarem o retempero necessário às suas tripulações.

No seu interior a vegetação é luxuriante e a beleza dos diversos coloridos é inenarrável.

— «Mas tudo isto se encontra em tantos outros lugares!» — exclamará o leitor.

Sem dúvida que sim! Muitos são ainda os recantos deste planeta dignos de pasmo pela sua beleza.

Contudo, nos Bijagós algo de harmoniosamente mágico nos aguarda — a suprema beleza natural afabiliza-se com a hospitalidade das gentes num clima quente e húmido resultante da sua localização, entre o Equador e o Trópico de Câncer.

As temperaturas são, em geral, bastante elevadas, mantendo uma média anual de 26 graus centígrados. A estação das chuvas acontece entre Maio e Novembro, sendo o seu apogeu em Julho e Agosto. A estação seca vai de Dezembro a Abril mantendo-se, mesmo assim, uma assaz forte humidade atmosférica.

Nada, durante centenas de anos, parece ter alterado o seu modo de vida. Entre outras características, o povo Bijagó permaneceu e continuará a ser animista, atribuindo ao feiticeiro da aldeia os poderes essenciais que regulam a vida quotidiana.

Ali, e a nível das pequenas povoações, não existe telefone, não há electricidade nem mesmo vestuário, mas eles possuem o fogo e a água doce, o arroz, as aves, os porcos, os antílopes, cabras e bois, óleo e vinho de palma, laranjas, limões, bananas, mangas, papaias, suculentas ostras e toda uma vastíssima variedade de peixes (a título de exemplo — a barracuda, o tubarão, a caranga, a carpa vermelha, o peixe espada, a tainha, a sinapa, etc., etc.).

As suas casas, construídas em terra seca e cobertas de palha, conseguem sobrepor ao intenso calor uma frescura idílica.

A sensação e a excitação da descoberta são permanentes. Como exemplo refira-se que é aqui o único lugar do mundo onde vivem hipopótamos de mar.

Foto: Pedro Sousa Dias

Bijagós, n.º 1. Julho/Set. 90

DJUS DE PALMEIRA FORMOSA

Baciro Dabó

Formosa, um pedaço de terra cercada de mar, por esta razão chamado de Djiu de Formosa (ilha formosa), com muitas palmeiras que não servem só para dar óleo de palma (cíti burmedjú), como também de ninho às belas cobras venenosas — muitas delas já cantavam como galos na capoeira! — o que fez com que alguns medrosos dexassem a Formosa para se radicarem em Bubaque ou noutras ilhas com menos tormentos.

Mas o Tio Anhônó nem sequer se preocupava com as gargalhadas das cobras. Pelo contrário, sentia-se alegre ao ouvir o balanço das ondas do mar a misturar-se com a melodia do som das gaivotas ou dos pelicanos nocturnos.

O Tio Anhônó começou a ser apontado pelos vizinhos e por outras pessoas vindas das outras ilhas, como herói vivo quando matou um ser sobrenatural — a «serpente» — que viveu 650 anos antes dos seus avós. Recorde-se que o pai dele tentou várias vezes matar a «serpente», mas o misterioso Akuí nunca consentiu que o filho entrasse naquela aventura.

Finalmente, o fim da «serpente» esperava o Anhônó que na altura se encontrava nas costas da mãe, que o tirava do colo somente nas horas de servir a refeição, que é uma vez por dia. Apesar de ser só uma vez por dia, os bijagós são bons — em geral, reservam um bocado de comida para a eventual chegada de uma pessoa («hospri»). Conseguem conservar comida durante sete a oito dias.

Tio Anhônó, assim chamado pelos conhecidos, fez a sua infância como qualquer rapazinho bijagó, até, inclusivamente, na sua colegagem, era considerado o melhor «baca bruto», uma tradição bastante aceitável entre os bijagós.

Já com 26 anos de idade, casou-se com a sua prima chamada Taíbu. Bela Taíbu, de altura média, olhos escuros, a sua beleza era confirmada ou seja, Taíbu provocava não só o seu querido Anhônó, como também outros habitantes, ao vestir a sua saia «Bijagó» que lhe ficava por cima dos joelhos.

O primeiro filho do casal foi N'Dingui, a quem ele amava muito. A esposa também nunca se sentia sossegada enquanto o filho estivesse longe dela.

Este querido filho desapareceu inesperadamente numa noite de Lua Cheia.

Foi apanhado pela «serpente de Formosa», que ninguém se atrevia a ver. Mas isto não aconteceu com o bravo homem Anhônó.

Foi a todo o custo, mas conseguiu recuperar o seu N´Dingui, e a serpente do Diju (ilha) foi morta e deixada visivelmente na «tarafe»!

Foto: Afonso Burnay

*«Tarafe» (vegetação das margens do rio)

Bijagós, n.º 1 Julho/Set. 90

FESTAS TRADICIONAIS EM CABO VERDE

Ilha do Fogo
As Festas das Bandeiras

Inês Brito

As bandeiras são as festas profano-religiosas de cariz popular mais antigas da Ilha do Fogo.

Nesta ilha festejam-se muitos dias santos desde S. Sebastião, S. Filipe, S. João e S. Pedro, patronos das principais Bandeiras. Cada um desses santos tem duas Bandeiras: a Bandeira Grande e a Bandeira de Praia. Antigamente, a Bandeira Grande era festejada pela classe mais abastada que habitava os sobrados da sua origem europeia. Logicamente, a camada mais pobre, mulata, mestiça e negra, ocupava-se da Bandeira de Praia.

As festividades das Bandeiras têm início com o «pilão» que se prolonga até à antevéspera do dia Santo.

Finca-se o pilão no quintal do festeiro para se preparar o milho para o «xérem-de-festa», prato típico da ceia de canizado e do almoço dos cavaleiros, acompanhado de guisado de carne. À volta do pilão estão os tamboreiros e as coladeiras que tocam o tambor e cantam, batendo palmas — «colando» — o brial do pilão.

Há uma mulher por sinal a mais idosa, que coloca o milho no pilão e daí o retira depois de verificar que está limpo do farelo. Três mulheres, num ritmo compassado com o tambor e as coladeiras, estão a coxir, enquanto, entre elas, os tocadores de «colexa» batem frequentemente com os paus de colexa na borda do pilão fazendo desse simples acto do pilar um «festival de percussão».

Nas noites do pilão, no piso de cima do sobrado, realizam-se bailes. Antigamente, dançava-se ao ritmo de instrumentos tradicionais, tais como o violino, a viola, o violão e o cavaquinho. Na antevéspera dos dias de S. João e de S. Pedro faz-se a ceia de canizade onde se comem o «xérem di festa» e o «dijigóti».

O «canizade» é um grupo constituido por homens coloridamente vestidos com tiras de papel de seda. Dançam em casa do festeiro e pelas ruas representando, geralmente, encontros «bélicos», conquistas, etc. O ritmo dessas danças é febril e contagiante e os espectadores quase que participam nas danças ao mesmo tempo que têm a sensação de estarem a assistir a algo que remonta aos tempos primitivos e às profundezas das florestas africanas.

O Mastro, outro integrante das festas das Bandeiras, preparado e transportado pelos canizades, é um pau comprido de ramos verdes de zambujeiro. O seu revestimento obedece a um ritual próprio, cuja preparação deve ser feita apenas por homens que trazem na boca aguardente com a qual o borrifam de vez em quando. Já pronto, os homens do canizade, os tamboreiros e as coladeiras sobem ao dobrado para, da sala do festeiro, saírem com o Mastro. Então sim exibem as chamadas danças de canizade.

Assim constituído, o grupo precorre toda a Vila com o mastro levando-o, finalmente, ao mar onde lhe molham o «pé» em três ondas consecutivas.

Todos os anos o mastro é fincado no mesmo local havendo um canizado, depositário vitalício da enxada, que, com ela, abre a cova onde é colocado.

É curioso notar que só as Bandeiras de S. João e S. Pedro incluem os números de canizade e mastro, pois, diz a tradição, que S. Sebastião e S. Filipe mataram os seus homens.

Entretanto, as festividades das Bandeiras incluem muitos outros números que, em outros tempos, foram realizados com muito brilho.

Fragata, n.º 5. Out. 93

Um Carnaval Diferente Na Ilha do Sal

Não é uma ilha de grandes e marcantes manifestações culturais de vulto e com impacto nacional. Procurando saber a causa deste facto, a mente descorre e chega à origem da sua população. Sendo oriunda essencialmente das vizinhas ilhas de S. Nicolau e Boavista, e possivelmente mais tarde de S. Vicente, os factos indicam um certo desenraizamento por parte dos principais habitantes da ilha após a sua chegada ao Sal. De um lado, não terão conseguido transportar algumas tradições das suas ilhas de nascimento, e do outro, as constantes crises inviabilizaram grandes comemorações.

A festa de Santa Cruz continua a atrair muita gente, existindo também a de Santa Ana. Entretanto, nos últimos tempos, as festas do município, a 15 de Setembro, começam a asenhoriar do concentrar das atenções, com especial destaque para o Festival da Praia de Santa Maria. Neste particular, emigrantes vários começam a marcar as suas visitas à Terra Mãe para essa altura. Mas há uma outra...

Numa terça-feira do mês de Fevereiro, as ruas de Espargos, principalmente, vestem-se de um colorido especial. A cara das pessoas transforma-se. Escondem-se por detrás de uma outra. As expressões são diferentes, antagónicas das de todos os dias. A Lufa-Lufa do quotidiano é adiada por 24 horas e a imaginação dos salenses voa no espaço, ultrapassa o horizonte, mas sem partir da pista do Aeroporto nem perguntar o estado do tempo. É a terça-feira de Carnaval, que muitos gostam de chamar de Entrudo.

Contrariamente ao que muitos pensam e alguns escrevem, o Carnaval cabo-verdiano tem a sua origem remota no entrudo Português. Segundo o estudioso Moacyr Rodrigues, essa tradição pagã terá chegado a Cabo Verde, mais propriamente a S. Vicente, nos séculos XVI e XVII com as imagens das imagens e relatos que chegavam da vizinha ilha de S. Vicente onde o Rei Momo regressara em força e para ficar, depois de alguns anos de alguma letargia. As ruas de Espargos e de Santa Maria acolheram vários grupos como Horte-Morro, Sem Vaidade, Pompê, Arco iris, entre outros.

No momento em que a ilha se assume como um importante destino turístico e, para além da praia e do sol, vários produtos se procuram para oferecer, o carnaval espera poder pontificar-se na dianteira das manifestações culturais, mantendo uma tradição de mais de meio século.

De sossego da praia a uma movimentada terça-feira de Fevereiro...

ALA

Fragata, n.º 6. Fev. 94

BLOCO 20

São Tomé e Príncipe,
o feitiço das ilhas encantadas

Texto e fotos de Natália Falé

«Quem parte leva saudades», dizemos em Portugal, talvez, quem sabe, a pensar nos afortunados que têm a sorte de pisar o solo santomense, e que dele jamais se esquecerão. São Tomé e Príncipe é uma terra dominadora, incapaz de libertar do seu feitiço aqueles que a visitam. E que nem sequer se esforçam por se libertarem, tão grande é o fascínio.

São Tomé e Príncipe é um país de meninos. Metade dos seus 120 mil habitantes tem menos de 18 anos, o que faz com que o visitante mais incauto se sinta subitamente transportado para a terra do Nunca, o país do Peter Pan, onde as crianças são rainhas e senhoras.

Um simples doce, um lápis, um caderno, é motivo de sobra para redobrar o riso daqueles meninos mal vestidos, quase sempre descalços que, ao cruzarem-se connosco, cumprimentam-nos delicadamente com um «Bom dia, moça», «Bom dia, companheira».

E aqueles que, como eu, reservaram a sua primeira manhã em S. Tomé para calcorrear a Avenida Marginal 12 de Julho, sobranceira ao Atlântico e ornamentada pelos frondosos caroceiros, sentem subitamente a pequenez da sua cultura urbana, descabida ali, naquele património africano, entalado entre o mar e a montanha, que a combinação entre o incomparável azul-esmeralda do mar e o inesgotável verde das bananeiras, coqueiros, palmeiras e um sem fim de tantas outras espécies, fazem-nos desejar que o tempo pare ali, naquele preciso instante, porque finalmente encontrámos o paraíso. Convicção acrescida quando, como quem sonha, penetramos nas límpidas águas de um mar azul sem fim, à temperatura do ar, e somos subitamente invadidos por uma indescritível sensação de bem-estar e paz interior.

E apetece fechar os olhos e ficar ali. Para sempre.

De repente, como uma porta que se fecha subitamente, o céu até então azul cobre-se de negro e a violência da chuva tropical, característica da estação quente e húmida, abate-se copiosamente sobre tudo e todos, ensopando a terra e os homens em poucos minutos. E se veio sem aviso, sem aviso parte, ficando em seu lugar um sol radioso, deixando-nos na dúvida se efectivamente choveu ou se tudo não terá passado de um sonho. Será assim até Junho, quando regressar a estação seca, a gravana, em que as nuvens permanecerão altas e as chuvas andarão arredadas até Setembro.

Paraíso na terra

Com as primeiras saídas da cidade capital dá-se um novo choque, violento e inebriante. Enquanto o *jepp* desbrava corajosamente as estradas onde os buracos se assemelham a crateras, sentimo-nos de repente invadir pela sensação de estar perante a obra-prima da Natureza, onde nada foi deixado ao acaso.

São roças, Senhor

Da magia do mar ao encanto das tradicionais roças santomenses, os olhos revelam-se demasiado pequenos para reter tamanha beleza. Apesar da evidente degradação da maioria, são lindas de morrer, todas elas, tal como os nomes que ostentam: Rio D'Ouro (hoje Agostinho Neto, mas que o povo continua a identificar pelo nome colonial) onde um extraordinário jardim botânico nos permite apreciar um exemplar de cada espécime da luxuriante flora santomense (bananeiras, mangueiras, árvores das patacas, coqueiros, bicos de papagaio, rosas de porcelana e um não mais acabar de nomes que, até há bem pouco tempo, apenas faziam parte do nosso imaginário): Milagrosa, onde os ananases são um verdadeiro milagre; Bela Vista e Vista Alegre, fazem jus aos seus nomes, sendo miradouros de eleição da paisagem santomense; Monte Café, lá bem juntinho ao céu, alberga um dos mais importantes hospitais do país e é local de peregrinação habitual dos santomenses para cuidados de saúde gratuitos. E tantas outras roças, das inúmeras que abundam pelo país: Ribeira Peixe, Corte Real, Sundi, Boa Entrada, Água Izé...

Saltamos da embriagante perfeição das roças para a beleza arquitectónica das cidades, principalmente São Tomé, onde a proliferação de casas de estilo colonial, hoje maioritariamente em avançado estado de degradação, nos transportam mais uma vez para tempos idos. As fachadas imponentes, quase sempre em tons claros, predominantemente brancas, fazem-nos crer estar perante um espólio de valor incalculável mas, infelizmente, negligenciado. Algumas tiveram a sorte de ser restauradas e voltaram a exibir o porte distinto e altivo de outrora.

Prazeres da mesa e recordações de viagem

Passar por S. Tomé sem provar os pratos tradicionais seria imperdoável. À imensa variedade de frutas rendemo-nos de imediato, incondicionalmente. Deliciámo-nos com sete qualidades de banana (que se pode comer crua, cozida, assada ou frita), mamão, manga, jaca, cajamanga, ananás, abacate, fruta-pão e o milagroso safu. Convertemo-nos ao calulu, de galinha ou de peixe, cozinhado à base de ervas medicinais e bem regadas com o inebriante vinho de palma; fizemos uma incursão no reino piscícola, através dos gigantescos chernes, da suculenta barracuda ou do saboroso peixe fundo. E saboreámos um apetecível izé quente, uma agradável sobremesa que os santomenses consideram a marmelada local.

Na hora da partida, a vontade é de trazer um pouco de tudo, para encurtar as distâncias. Mas os controlos de peso não perdoam e resignamo-nos a meia dúzia de bananas, um ou dois mamões, dois ou três ananases e algumas recordações do artesanato nacional. A escolha varia entre os colares e pulseiras de conchas; as tradicionais esculturas em madeiras exóticas, de um aroma extraordinário, os artigos em bambu, as bonecas de pano e os objectos em tartaruga.

Em qualquer tartarugueiro se encontra uma enorme diversidade de artigos, desde pulseiras e brincos a marcadores para livros, passando pelos corta-papéis e tantos outros, com o inconveniente que a importação de artigos em tartaruga está proibida na Europa, devido ao facto de as tartarugas se encontrarem em perigo de extinção.

E as rosas, expressamente colhidas na Ria d'Ouro com o objectivo de me acompanharem até Lisboa. As delicadas e encantadoras rosas de porcelana, ex-libris de São Tomé, lindíssimas, justificando plenamente a fama, tal é a sua perfeição. Mesmo depois de as rosas murcharem, a lembrança de São Tomé e Príncipe perdurará, ficará para sempre viva na memória.

Elo, n.º 14. Jan. 94

Ascenção da Mulher na Sociedade Tradicional

A posição da mulher na família tradicional angolana e as actividades desenvolvidas fora do lar, na busca de rendimentos.

Domingos Van-Dúnem

É reconhecida a evidência de que o elemento feminino constitui a viga mestra da família tradicional. A sua posição foi de tal modo influente e decisiva que criou o poder matriarcal com raízes de força espiritual.

A partir do desfecho da vida nómada que os antanhos conheceram sob o açoite de um clima agressivo e do furor das guerras que assolaram o território, a mulher originária (camponesa, da pirâmide do quadro) vem duma élite de pescadores, ferreiros, guerrilheiros e todas as profissões de supremacia num mundo mágico-religioso. Conhece a sua vida conjugal sob a aliança de progenitores de idêntica ou semelhante estirpe. O compromisso dos ascendentes outorga-lhe o marido, para o qual ela própria por escolha de exclusiva iniciativa completará a tríade do direito costumeiro com o chamamento da Manhiá-ndengue e da samba-ià-nijila, segunda e terceira esposas, número susceptível de subir desde que as "legítimas" se pronunciem a favor das opções do polígamo.

Sempre respeitada e idolatrada é-lhe, no entanto, imposto um comportamento próprio, estranho em outras sociedades. Quando a velhice lhe retira as faculdades gerais ou pelo menos as diminui, renuncia até às obrigações de natureza conjugal. A comunidade entende que a mulher, para purificar a alma, na velhice deve abster-se das relações biológicas, praticando-as apenas de longe a longe.

Contudo, é feliz, dedicando-se inteiramente ao próximo, no espírito evangélico do bem-fazer. Assiste aos partos, cuida de doenças infantis, é conselheira e arbitra questões de melindre e gravidade. Em regra é Kimbanda e exorcista, o que lhe dá a auréola de "Mamã Grande". Não conseguindo atingi-la cai no desprezo votado às pessoas de "maus fígados" e invejosas, sendo amaldiçoada sob o estigma de feiticeira, situação que na morte afecta os descendentes.

Entregue a uma vida de meditação, emprega as poucas energias que lhe restam na recolha de frutos, à volta da casa, distribuindo-os às crianças numa manifestação de afecto com carácter educativo, porque assim impede que elas assaltem as árvores, danificando-as. Ao mesmo tempo, cultiva as artes, aplicando-se na olaria, cestaria e em outras manifestações porventura da sua vocação. Assim, para uma melhor leitura, vamos passar a caracterizar o perfil das figuras do quadro, depois de «Mãe Grande» já apresentado em cima:

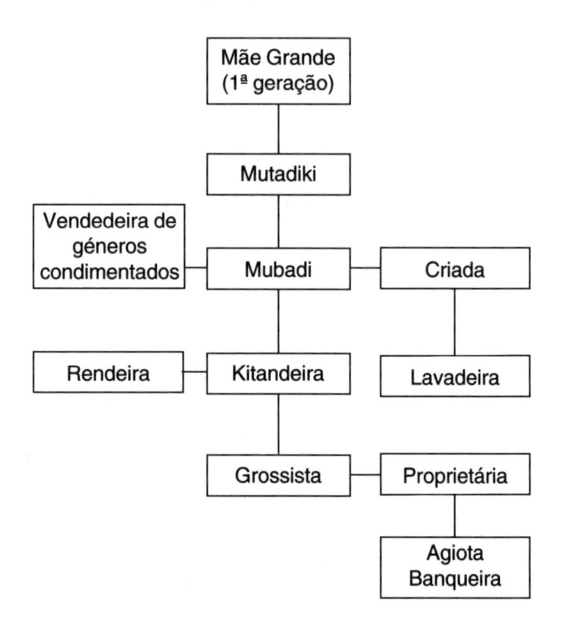

A Mutadiki expõe os seu produtos para venda.
Foto: Emídio Canha

2 — Mutadiki — entidade que estende os seus produtos — Kutadika — (expôr) para venda.

O crescimento desordenado que caracteriza a família polígama, disponibiliza elevado número de braços e, consequentemente, rendimento agrícola.

3 — Mubadi — sucessora da mutadiki, cuja acção vai eliminando lentamente. Negoceia de porta em porta, na linha da oferta e surge como vanguardista da indústria alimentar, com a transformação do produto agro-pecuário. Do milho prepara o matete, juntando côco ou ginguba, aqui como manjar místico-religioso e que ainda é utilizado na preparação de bebidas. Da pecuária aproveita o sangue de vaca e de porco para preparar sarrabulho.

Dos contactos da Mubadi com a praça resulta o aparecimento da criada assim como a lavadeira, profissões que se abrem perante uma nova estrutura sócio-económica, derivada das correntes migratórias. Pode-se observar que as novas actividades mudaram o pano da sociedade com situações alienatórias, donde parte a prostituição disfarçada, e mais tarde, abertamente descarada.

4 — Kitandeira — Os conhecimentos adquiridos pela mutadiki, na sua lida em meios diferentes, contribuíram para o aparecimento desta figura, que dá início a uma classe proeminente. Ela exerce a actividade em lugar fixo, diferenciando-se, pois, das antecessoras, no processo de negociar.

A Kitandeira, assume-se como uma verdadeira aristocrata, na forma de trajar e, mais explicitamente, em todas as formas de estar na vida, tornando-se criatura incomum no meio em que se impõe como modelo. Ela atinge a posição de grossista, super kitandeira, servindo uma classe intermediária de revendedores.

A multiplicidade do lucro fá-la proprietária de imóveis, a quem se fica a dever o desenvolvimento do parque habitacional da Luanda dos primeiros tempos.

A mulher empresária.
Foto: Emídio Canha

Austral, n.º 7. Dezembro 93

MOÇAMBIQUE

MASSINGIR

MUITA ÁGUA VAI PARAR AQUI

Texto de Teresa Sá Nogueira
Fotos de Manuel Robalo

A 300 km da cidade do Maputo fica a barragem de Massingir. Situada sobre o rio dos Elefantes, é a maior barragem de terra de Moçambique. Tem 4625 metros de comprimento e 45 metros de altura máxima, podendo armazenar 3 mil milhões de m^3 de água, o que representa uma capacidade dez vezes maior do que a da barragem dos Pequenos Libombos.

Nunca funcionou em pleno, porque em 1977 foram descobertas infiltrações de água nas suas fundações.

Mas a sua reabilitação já começou.

Massingir, a 130 km do Chókwé e a 30 km do Kruger Park, a grande reserva de caça sul africana, é uma terra muito verde e coberta de flores. Não há posto de fronteira com a África do Sul, mas a população passa livremente de cá para lá, pelos arames, a visitar a família ou em busca de trabalho. Burocracia de passaportes nunca serviu de entrave a pessoas daquela região. É gente tranquila, que se ocupa sobretudo da criação de gado e da pesca. O peixe da albufeira é pequenino e saboroso, depois de salgado pode durar o ano inteiro.

Massingir tem duas aldeias: uma, a norte, com escola, centro de saúde, bazar e muitas palhotas, outra mais abaixo, a aldeia do estaleiro, onde vive o pessoal que trabalha na barragem. É uma aldeia que cresce a cada dia que passa, pois que ali sempre aparece gente em busca de trabalho e de abrigo.

Chikwembo

Ninguém sabe ao certo quantas pessoas tem Massingir, nem mesmo o seu administrador. Diz-nos que no distrito havia umas 31 000 pessoas, mas isso foi contagem antiga, no censo de 1980. De então para cá, muita coisa aconteceu.

Mas é gente de boa paz, que frequenta a igreja — uma palhota com uma cruz pintada na porta —, o curandeiro e o hospital. Tudo na maior harmonia.

Prisão, não há. Diz o juiz que a terra não tem crimes e que os poucos processos pendentes são de brigas pequenas, milandos de copos, que sempre se resolvem na base de multa e conversa.

Quando alguém está doente vai ao centro de saúde ou ao curandeiro. Ou aos dois, por via das dúvidas. Diz o curandeiro que ele trata da saúde do corpo e afasta os maus espíritos, mas que há doenças que tem de mandar ao hospital, porque suas ervas não curam. Mas, por outro lado, tem dado jeito em muitos enfermos que na medicina não encontram alívio.

Sem tanta conversa, o director do hospital lamenta-se de que o seu principal problema é uma avaria do aparelho de Raios-X, que já dura há mais de um ano. Mas também como na terra não há energia, a pressa não é grande.

Falta de energia e falta de água são problemas que um dia se hão-de resolver, quando a barragem funcionar.

Até lá, a população orienta-se pelas estrelas e vai ao rio buscar água. Os poços que têm aberto não servem, sai água salgada. Ou não sai coisa nenhuma, como aconteceu com o último, aberto há mais de um ano.

Ali a água era boa, garantida. Fizera, um furo com cem metros, instalaram um tubo, construíram um depósito elevado. Com muito cuidado, a bomba foi instalada no cano. Então aconteceu a grande desgraça: a bomba mergulhou nas profundezas do tubo e nunca mais ninguém lhe pôs a vista em cima.

Sumiu. Ninguém a consegue pescar lá de baixo.

Os homens de Massingir ainda hoje discutem o problema, pensando na melhor forma de a apanhar. Estão a pensar há um ano. Diz-nos um velho que nos mostrou o local da tragédia: «Fundura maning. Desconseguem. Aquilo ali foi grosso chikwembo. Nunca mais vai sair».

A água

Água sempre foi o grande problema da zona de Chókwè e de Massingir. Água que não corre nas torneiras, água que aparece salgada onde não deve, água que sai nas fundações da barragem. «Aqui a água sempre foi de mais ou de menos» — queixa-se o director da barragem.

Por isso, a qualquer hora do dia se vê uma longa fila de mulheres e crianças a caminho do rio. Meninos de palmo e meio, com baldes, bacias de roupa e latas na cabeça e ainda, às vezes, outras crianças nas costas de seu tamanho. Chegam ao rio, desamarram os bebés, tomam banho, lavam a roupa e voltam pelo mesmo caminho.

Os homens olham, de longe. Segundo a tradição da terra, buscar água é serviço de mulher. Buscar água, cultivar a machamba, lavar roupa, preparar comida e gerar filhos. Tudo tarefa de mulher. Os homens vão à pesca, fazem a guerra, trabalham nas obras, guiam os carros ou ficam em casa, a meditar na vida. E dão ordens.

Assim acontece ainda em quase toda a África.

Índico, n.º 12 Abril 91

MAZIONES
Um ritual africano

Texto de Machado da Graça
Foto de Manuel Roberto

No fenómeno religioso tem, normalmente, grande importância o ritual.

Através de gestos e palavras solenes o crente procura comunicar com a divindade, transmitindo-lhe a sua adoração, os seus pedidos, as suas alegrias e angústias.

Através do ritual os sacerdotes das várias religiões servem de intermediários da divindade na santificação dos actos dos humanos, com especial destaque para os momentos-chave da vida como são o nascimento, o casamento e a morte.

Antepassado do teatro profano o ritual religioso assume já uma certa teatralidade nos gestos, cantos e entoação dos textos sagrados.

Tudo isto nos aparece nos rituais de um significativo grupo religioso do sul de Moçambique, popularmente conhecido como «Mazione», ramificação local de confissões religiosas espalhadas por muitas partes de África, que unem aspectos da religião cristã com outros aspectos recolhidos nas formas animistas da religiosidade tradicional no continente.

Ao longo da praia da Costa do Sol, em Maputo, é vulgar poder-se assistir a cerimónias de baptismo, através do mergulho nas águas do mar, dos novos crentes maziones. Cerimónia inspirada, provavelmente, naquilo que, segundo a Bíblia, foi o baptismo de Cristo, se substituirmos o rio Jordão pela baía de Maputo.

A simplicidade da cerimónia e a beleza dos cânticos atraem, muitas vezes, observadores de passagem que ficam durante alguns momentos a assistir aos rituais.

Nos bairros populares é, igualmente, comum ouvir-se, pela noite fora o som ritmado dos tambores e dos pés batendo, cadenciadamente, no chão em cerimónias que vão até ao romper do dia.

A purificação dos pecados é simbolizada, para os maziones, não apenas através da água do mar mas também através do fogo, sujeitando-se muitas vezes os novos convertidos a um ritual em que devem sair do meio do fogo, hipoteticamente do inferno, para uma vida nova, para um novo nascimentos no seio da sua nova comunidades religiosa.

Grupo religioso de características extremamente populares, principalmente activo entre as camadas de menores recursos económicos, os maziones são, por vezes, acusados de realizarem rituais mais ligados à magia do que à religião tal como ela é entendida nas sociedades desenvolvidas.

Seja como for os sacerdotes maziones, pela água e pelo fogo, pela música, pelo canto e pela dança, procuram responder, em termos religiosos às questões, angústicas e perplexidades de pessoas simples que não encontram essas respostas em outros sectores da sociedade e que procuram, nos símbolos simples e directos, uma orientação nova para a sua vida ou uma solução para um problema concreto.

No fundo algo não muito diferente do que se passa nos grandes edifícios religiosos de outras confissões onde, com meios mais modernos e sofisticados, se procura atingir o mesmo objectivo, isto é, o contacto entre o homem e a divindade.

Índico, n.º 11. Jan. 91

GLOSSÁRIO

ário constam as expressões integradas nos textos, fixas ou idiomá-
gistadas por ordem alfabética e outras a estas associáveis a partir da
a-chave.

	Ficar em águas de bacalhau:	Ficar sem efeito; não ter consequência(s).
	Balde de água fria:	Grande desilusão; decepção.
	Crescer/ter água na boca:	Sentir forte apetite; sentir intenso desejo.
	Carga de água:	Chuvada violenta.
	Por que carga de água?	Porquê? Por que motivo?
	De primeira água:	Excelente.
	Estar/sentir-se como peixe na água:	Estar/sentir-se à vontade.
	Ferver em pouca água:	Irritar-se por uma razão insignificante.
	Levar a água ao seu moinho:	Conseguir os seus objectivos.
	Meter água:	Cometer erro(s).
	Sem dizer água vai:	Sem aviso prévio; inesperadamente.
	Tempestade num copo de água:	Grande agitação ou conflito por uma razão insignificante.
	Ir por água abaixo:	Perder-se; malograr-se.
Alho	**Misturar alhos com bugalhos**:	Misturar/confundir ideias ou realidades diferentes.
	(Ser)cabeça de alho chocho: (Ter)	(Ser)pouco inteligente ou ter pouca astúcia; ser distraído.
	Ser esperto como um alho:	Ser muito esperto, astucioso.
Arame	**Ir aos arames**:	Ter uma explosão de fúria, enraivecer-se.
Asneira	**Fazer uma asneira das antigas:**	Fazer um enorme disparate.
Base	**Na base de**:	Tendo como princípio.
Bom	**(Ser) o bom e o bonito:**	(Ser)o auge de uma crise, discussão, conflito; a maior dificuldade.
Boneco	**Falar para o boneco**:	Falar em vão.
	Trabalhar para o boneco:	Trabalhar sem proveito algum.
Cabeça	**(Não) passar pela cabeça:**	(Não) pôr essa hipótese;(não) vir à memória.
	De cabeça:	De memória.
	Dizer o que vem à cabeça:	Falar sem reflectir.
	Levantar cabeça:	Reabilitar-se; mostrar-se orgulhoso.
	Matar a cabeça a/com:	Fazer um grande esforço mental.
	Perder a cabeça:	Perder a calma, o domínio.
	Subir o sangue à cabeça:	Deixar-se perturbar pela irritação.
	Ter a cabeça no seu lugar:	Ser sensato, prudente.
Carteira	**Ter a carteira recheada**:	Ter muito dinheiro.

Coisa	**Mais coisa, menos coisa**:	Aproximadamente; mais ou menos.
	Coisa de nada:	Coisa sem importância.
	Coisa de se ver:	Algo digno de admiração.
	Coisas da vida:	Coisas ou acontecimentos penosos do quotidiano.
	Coisa(s) do outro mundo:	Factos estranhos ou inexplicáveis.
	Como quem não quer a coisa:	Disfarçadamente, sem chamar a atenção.
	Há coisa de uma hora/dia etc.:	Há aproximadamente uma hora/dia etc.
	Dar pela coisa:	Descobrir uma situação nova, segredo ou tramoia.
	Não dizer coisa com coisa:	Falar sem sentido, sem lógica.
	Ver as coisas mal paradas:	Prever um fracasso, fatalidade ou perigo.
Dedo	**Dar dois dedos de conversa**:	Conversar um pouco.
	Dar ao dedo:	Trabalhar com persistência.
	Escolher a dedo:	Escolher, seleccionar com muito cuidado.
	Fazer o gosto ao dedo:	Satisfazer um desejo ou prazer.
	Não levantar um dedo:	Não fazer o mínimo esforço.
	Poder contar-se pelos dedos:	Diz-se do que é exíguo, que é em número reduzido.
	Pôr o dedo na ferida:	Referir-se ao ponto essencial ou mais delicado de uma questão.
	Ter dedo para:	Ter jeito, aptidão para determinada actividade.
	Ter dois dedos na testa:	Ser inteligente, perspicaz.
Deserto	**Estar deserto por/para**:	Estar desejoso de,impaciente por/para.
	Bradar no deserto:	Falar, protestar sem ser atendido ou compreendido.
Escala	**Em grande/pequena/larga escala**:	Em (....) quantidade, proporção.
Galo	**Outro galo cantaria**:	A situação seria diferente.
	Cantar de galo:	Assumir uma postura arrogante por; ocupar uma posição privilegiada.
	Ter galo:	Ter pouca sorte; ter azar.
Golpe	**Dar o golpe de misericórdia**:	Tomar uma atitude que põe fim a uma situação que se arrasta há muito.
	Golpe de mão:	Ataque súbito.
	Golpe de mestre:	Intervenção oportuna, audaz e eficaz.
	Golpe de vento:	Rajada súbita de vento.
	(Ter) golpe de vista:	Aperceber-se rapidamente de uma situação; ser perspicaz.
	Dar o golpe:	Proceder de forma ilegal e/ou desleal.
Grimpa	**Levantar a grimpa**:	Tornar-se altivo.
	Baixar a grimpa:	Submeter-se; sujeitar-se.
Jeito	**Dar/fazer jeito:**	Diz-se daquilo que convém, que é útil etc.
	De jeito algum/nenhum:	Em nenhuma circunstância; de forma nenhuma.

	Com jeito:	Habilidosamente.
	Pelo(s) jeito(s):	Segundo parece.
	Dar um (mau) jeito:	Fazer um gesto que provoca lesão muscular.
	Estar/ficar sem jeito:	Sentir-se embaraçado,envergonhado.
	Ter jeito para:	Ter habilidade para.
...do	**Colocar-se/pôr-se de lado**:	Marginalizar-se.
	Pôr de lado/parte:	Separar; isolar. Poupar; rejeitar.
	Pelo (meu) lado:	Pelo que (me) diz respeito.
	Olhar de lado (para alguém):	Tratar alguém com despeito, com desdém.
Letra	**Tomar à letra**:	Interpretar literalmente; rigorosamente.
	Com todas as letras:	Claramente.
	Responder à letra:	Dar réplica equivalente.
Lua	**Estar na Lua**: Andar/viver	Estar/andar/viver distraído, distante da realidade.
	Estar com a Lua:	Estar mal humorado, irritado.
	Ter Lua:	Ter destúrbio(s) de personalidade.
Mais	**Sem mais nem menos:**	Inesperadamente.
	Nem mais nem menos:	Exactamente, isso mesmo.
	Estar a mais:	Não ter lugar; sobrar; ser inconveniente.
Matar	**Matar-se a**:	Dedicar-se, entregar-se totalmente ao trabalho.
	Ficar a matar:	Ficar a condizer.
	Entrar a matar:	Intervir de forma intempestiva.
Miúdos	**Trocar por miúdos**:	Descrever, relatar, explicar de forma simples.
Nariz	**Pôr (algo) debaixo do nariz**:	Fazer com que alguém não possa deixar de ver; tornar evidente.
	Bater com o nariz na porta:	Tentar em vão ser atendido ou recebido.
	(Não) ver um palmo adiante do nariz:	(Não) ter boa vista; ser pouco inteligente.
	Meter o nariz (onde não é chamado):	Intrometer-se onde não deve.
	Ser senhor do seu nariz:	Diz-se de pessoa que não transige facilmente; pessoa arrogante.
	Torcer o nariz a:	Manifestar dúvida, desagrado, discordância.
Noite	**Fazer pela calada da noite**: Agir	Fazer/agir de forma velada, sem dar conhecimento a ninguém.
Nota	**(Ser) digno de nota**:	(Ser) merecedor de realce.
	Forçar a nota/a barra:	Insistir, exagerar.
Pedra	**Ter coração de pedra**:	Ser insensível ao sofrimento dos outros.

	Atirar a primeira pedra:	Ser o primeiro a acusar alguém.
	Estar de pedra e cal:	Estar muito bem seguro.
	Fazer chorar as pedras.	Muito comovente.
	Ter a cabeça de pedra:	Ser pouco inteligente.
	Ser duro como uma pedra:	Ser pouco inteligente.
	Não deixar pedra sobre pedra:	Arrasar tudo; destruir; não deixar vestígios.
Rasto	**Seguir o rasto de**:	Perseguir, seguir a pista de.
	Andar de rasto(s):	Estar física e/ou psicologicamente esgotado.
Rei	**Quando o rei faz anos:**	Muito raramente.
Sim	**Pelo sim, pelo não**:	Por segurança.
Tinta	**Estar-se nas tintas para**:	Estar totalmente desinteressado em.
	Carregar nas tintas:	Exagerar.
Tuta	**Tuta e meia**:	Insignificância, bagatela.
Vaca	**Voltar à vaca fria**:	Retomar o/um assunto.
Ver	**Ter a ver com**:	Estar relacionado com.
	A (meu) ver:	Na minha opinião.
	Estar-se mesmo a ver:	Ser evidente.
	Não poder ver alguém:	Detestar essa pessoa.
Vez	**Vezes sem conta**:	Muitas vezes.
	Às/por vezes:	Ocasionalmente.
	À vez:	Por ordem.
	De vez:	Definitivamente.
	Fazer a(s) veze(s) de:	Substituir.
	Pensar duas vezes:	Reflectir.

Dep. Legal 65869/94